D1584286

LA VÉRANDA AVEUGLE

DU MÊME AUTEUR

La Véranda aveugle, Actes Sud, 1987.
Le Livre de Dina, Gaïa, 1994.
Les Vivants aussi, Gaïa, 1994.
Ma bien-aimée est à moi, Gaïa, 1994.
Les Limons vides, Gaïa, 1994.
Voyages, Gaïa, 1995.
La Chambre silencieuse, Actes Sud, 1996.
Fils de la providence, Gaïa, 1997.
Un long chemin, Gaïa, 1998.
Ciel cruel, Actes Sud, 1998.

Titre original :
Huset med den blinde glassveranda
© Gyldendal Norsk Forlag, Oslo, 1981

© ACTES SUD, 1987
pour la traduction française
ISBN 2-7427-3516-X

Illustration de couverture :
Edvard Munch, *La Vigne rouge* (détail), 1898
Musée Munch, Oslo

HERBJØRG WASSMO

LA VÉRANDA
AVEUGLE

roman traduit du norvégien
par Eric et Elisabeth Eydoux

BABEL

1

Le péril : elle n'aurait pu dire à quel moment
elle en avait pris conscience. Mais ç'avait été
longtemps après s'être installée dans la petite
arrière-cuisine que sa mère lui avait attribuée
pour qu'elle ait sa chambre bien à elle. Longtemps aussi après que les éclats de voix provenant
du salon où dormaient sa mère et Henrik eurent
commencé à la réveiller au cours de la nuit. Des
nuits où elle se réveillait en nage, où elle croyait
avoir la fièvre. Elle aurait voulu appeler sa mère,
la sentir tout près d'elle. Mais elle ne parvenait pas à émettre le moindre son. Tout était
impossible, étranger ; l'obscurité était parsemée
d'embûches. Et cela se produisait de plus en plus
fréquemment, surtout quand sa mère travaillait
dans l'équipe du soir et ne revenait que tardive-
ment de l'atelier frigorifique.

Malgré elle, il lui fallait alors se réveiller
complètement. Se redresser dans son lit à rester
comme une coquille vide. Et, cette coquille vide,
il lui semblait que sa tête s'était enflée pour la
laisser flotter dans l'espace. Et ses oreilles étaient
comme les portes aux ferrures détériorées de la
remise d'Almar à Hestvika, que secouait et faisait mugir la tempête.

Un jour, elle avait gravi le Hesthammer.
Jusqu'au sommet. Où il n'y avait que pierre et
bruyère. Henrik l'avait alors prise par l'épaule et

entraînée jusqu'au bord. Le rocher abrupt se précipitait dans la mer, et l'on y voyait de terrifiants éboulis de pierrailles. C'est à ce moment-là que ce mugissement avait pour la première fois retenti dans sa tête. Incapable de faire le moindre geste, elle avait entendu la voix angoissée de sa mère demander à Henrik de revenir. Tora ne se souvenait pas des mots qu'elle avait prononcés.

Et elle avait alors compris qu'Henrik était le plus fort. Car il avait ri.

Un rire qui avait dévalé le rocher en rafales, comme si s'était produite une succession d'éboulements.

À l'école, les gosses lui lançaient de temps en temps que, rien qu'à l'odeur, on pouvait savoir où travaillait sa mère.

Mais il y en avait bien d'autres qui traînaient après eux une odeur de poisson, pensait Tora. Et elle ne s'en souciait guère. Du moment qu'ils ne la touchaient pas.

Des mains. Des mains surgissant de l'obscurité. Ainsi se manifestait le péril. De grosses mains dures qui serraient et agrippaient. Par la suite, c'était tout juste si elle arrivait à temps au cabinet. Parfois, elle se demandait si elle ne ferait pas pipi dans la cuisine où se trouvait le seau.

Mais, été ou hiver, elle préférait en définitive mettre ses bottes, serrer son manteau sur sa chemise de nuit et se précipiter dans la cour. La cour, c'était l'espace, la sécurité, et il y avait un crochet à la porte du cabinet. Arrivée là, elle restait parfois longtemps. Jusqu'à ce qu'elle sentît le froid la figer ou qu'elle entendît les pas de sa mère sur le gravier du chemin.

Henrik sortait presque tous les soirs où la mère allait à l'atelier préparer les filets de poisson.

Lorsque l'un ou l'autre rentrait, Tora se réveillait au bruit de la porte. Sa mère était reconnaissable à son pas fatigué mais léger. Elle ouvrait précautionneusement la porte, comme si elle craignait de la casser. Quant à Henrik, il ne se préoccupait pas plus de la porte que du chambranle, et il n'avait guère de pas : lorsqu'il rentrait, il ne marchait pas, il se traînait. Pourtant, quand il le voulait, Henrik pouvait avoir d'autres pas. Des pas à peine perceptibles. Silencieux, mais chargés d'un souffle fort.

Un jour, Ingrid entreprit soudain d'interroger Tora. Elle lui demanda à quelle heure Henrik rentrait. Et dans quel état. Tora sentit alors la nausée l'envahir, ses paumes devinrent toutes moites.

Dès lors, pour que sa mère ne le retrouve pas sur le divan de la cuisine, elle prit l'habitude de se lever à son retour et de l'aider à se mettre au lit. Il sentait fort et était certaines fois bien trop lourd. Mais, quand elle l'aidait de la sorte, il ne la touchait jamais, se contentant de s'essuyer de temps en temps le nez du revers de la main. En fait, les yeux mi-clos fixant l'obscurité de la pièce, il ne regardait même pas Tora.

Ainsi sa mère retrouvait-elle tout en ordre à son retour.

Un soir, pourtant, les choses se passèrent mal. A son retour, vers onze heures, Henrik n'alluma pas la lumière et, se dirigeant dans l'obscurité, alla buter contre le plan de travail de la cuisine où la vaisselle retournée avait été mise à sécher. Plusieurs tasses et verres se cassèrent en tombant sur le plancher.

Réveillée par cette avalanche, Tora entendit Henrik s'affaler en jurant. Elle n'osa pas tout de suite aller le voir. Elle avait l'impression que son cœur lui était sorti de la poitrine, et il lui fallait attendre un peu avant qu'il ne se remette en place.

Henrik commença cependant à brailler de sa voix rauque, et Tora eut peur que, descendant de son grenier, Elisif ne découvre le lieu du péché. Maman en mourrait de honte.

Avançant dans la cuisine, elle sentit les petits éclats de verre lui rentrer dans les pieds. Elle dut aller jusqu'à la porte du couloir pour trouver l'interrupteur.

Assis par terre au milieu de la pièce, il pleurait.

Une forme étrangère dans la peau d'Henrik.

Munie de la pelle et du balai, Tora se fraya une sorte de passage jusqu'à l'évier. En revenant, elle vit les traces de sang qu'avaient laissées ses pieds. L'ampoule du plafond éclairait d'une lumière crue la solitaire et pitoyable silhouette. Evitant d'y penser, elle prit une chaise et l'y installa.

L'épaule infirme pendait encore plus que d'habitude. On avait l'impression que, sans beaucoup s'inquiéter de ce qu'il faisait, quelqu'un avait bourré de laine la manche de sa veste. Comme un trésor qu'il fallait protéger contre les mauvais coups et les dangers, il gardait son bras mutilé serré contre son corps. Sa main valide saignait, mais il n'y faisait pas attention.

A présent il ne pleurait plus. Sa tête retombait sur sa poitrine, et il ne paraissait pas la voir.

Essuyant le sang qui lui coulait de la tête, elle découvrit une béante coupure rouge au-dessus du sourcil droit. Seuls se faisaient entendre l'eau qui dégouttait du robinet ainsi que les ultimes et lourds sanglots de l'homme.

C'est alors que s'ouvrit la porte et qu'apparut Ingrid. Ses yeux dessinaient deux fentes noires dans la blancheur glacée du visage.

Sous ce regard, Tora eut l'impression de se recroqueviller.

Toute la pièce bascula légèrement.

Elle comprit que maman les *voyait* : Henrik et elle-même. Et il lui sembla qu'elle-même et Henrik se dissolvaient sous les yeux de sa mère. Telles des bulles de savon qui sortaient par la fenêtre pour crever et retomber sans consistance ni valeur.

Maman était Dieu qui les voyait. Maman était le pasteur ou l'institutrice. Maman était maman qui VOYAIT ! Tora était coupable. Elle se trouvait à l'intérieur de l'image d'Henrik, elle était prisonnière de la force d'Henrik. Elle était perdue.

Ingrid s'assit sur le vieux tabouret de la cuisine qui grinçait toujours. Tora sentit le bruit la transpercer jusqu'à la moelle.

Alors, puisant des forces en dehors d'elle-même, elle obligea Henrik à se lever de sa chaise. L'espace d'un instant, ils vacillèrent légèrement mais, d'un mouvement décidé, elle retrouva l'équilibre pour deux et se dirigea avec lui vers la chambre-salon.

Lorsqu'elle revint, Ingrid n'avait pas bougé. Elle baissait les yeux vers le plancher. Mais, pour Tora, c'était presque pire que de les sentir fixés sur elle.

— C'est donc com'ça qu'ça se passe pendant qu'y en a qui se crèvent au boulot ?

Sortant soudainement du col du manteau, la voix semblait étrangère.

— C'était quand même qu'ce soir, répondit Tora.

Elle était extraordinairement soulagée d'entendre parler sa mère. Ingrid n'en dit cependant pas plus. Elle alla accrocher ses vêtements dans le couloir puis, comme à son habitude, ferma précautionneusement la porte.

Mais elle ne toucha pas au café dont Tora avait rempli son thermos, pas plus qu'elle n'accorda un regard aux tartines qui l'attendaient sur une assiette. Et, lorsque Tora fit mine de balayer, elle secoua la tête, puis lui indiqua d'un mouvement de menton la porte de sa chambre.

C'est à ce moment-là seulement qu'à l'intérieur d'elle-même Tora sentit les pleurs couler. Au plus profond d'elle-même, douloureusement, comme un rêve brisé.

Ayant discrètement regagné sa chambre, elle enfila sur son pied blessé une chaussette douteuse qui lui éviterait de salir la literie, puis, s'étant glissée sous sa couette, se recroquevilla au plus profond d'elle-même. Toute tremblante, elle caressait son corps de ses mains froides et humides. La nuit était étrangement calme. Comme un mauvais présage. Ainsi, elle était seule sur cette terre.

Seule existait Tora.

L'odeur de l'obscurité nocturne, de la poussière et du lit. L'impression d'être rentrée prendre une bonne soupe chaude après une longue journée passée sous la pluie. Elle n'arrivait pas à trouver le sommeil, et son pied lui faisait mal. Elle sentait qu'un éclat avait dû y rester planté.

Au petit matin, la chaleur vint enfin s'insinuer en elle. Sa tête était tout bourdonnement et frémissement ; comme les feuilles de tremble dans le jardin du pasteur.

Tora se souvenait bien de ce jour où elle était
montée sur un tabouret pour atteindre un bouton noir près du chambranle. Une voix impa-
tiente s'était alors élevée pour lui dire :

— Non, il faut le tourner, le tourner comme
ça !

C'était une voix profonde et dure qui créait
tout autour d'elle un vide étrange, qui semblait
mortellement figer le monde entier. La grosse
main appuyait sur le dos de la sienne, et elle lui
fit mal aux doigts lorsque, se mettant à tourner,
elle obligea la main et l'interrupteur à lui obéir.

Une lumière crue vint alors inonder la pièce,
la remplir jusqu'au moindre recoin et faire mal
derrière les yeux, d'une douleur qui mugissait
dans la tête. Cela lui rappelait les gros coquilla-
ges qu'elle se mettait contre l'oreille pour entendre gronder la mer dans les contes ; c'était grand-
mère qui lui avait appris à le faire, avant de
mourir. En vérité, ce n'était qu'une sorte de sifflement, un vilain bruit plaintif qui l'empêchait
d'entendre ce qu'elle cherchait. Le conte se perdait derrière ce bruit et les vagues de la mer.

Et il en allait de même de la lumière que
commandaient l'interrupteur et le gros poing.
Jamais elle n'avait la chaleur et l'intimité de celle
dispensée par la lampe à pétrole que l'on avait
juchée sur la boîte à gâteaux pour qu'elle
domine mieux la table. Depuis cet épisode de
l'interrupteur, Tora était incapable de dire si elle
éprouvait de la sympathie pour la lumière que
diffusait l'ampoule du plafond ou si elle la tolérait tout juste en raison des services qu'elle rendait. Quant à la lampe à pétrole, sa mère l'avait
empaquetée et fait disparaître.

La lumière ! Au printemps, lorsque la neige n'avait pas encore fondu, elle la sentait contre ses paupières. Etincelante. Pépiante. Et elle avait alors l'impression d'être revenue sur le tabouret, sa faible main posée sur le bouton, ignorant encore qu'il fallait utiliser toutes ses forces quand on était petite et qu'on voulait malgré tout faire de la lumière. Sinon, il y avait le gros poing qui surgissait pour tout vous prendre, par qui tout devenait étranger et douloureux, tel le soleil d'avril lorsqu'on était restée au lit une semaine entière avec de la fièvre et qu'on était subitement censée être assez guérie pour sortir.

Quand, devant la fenêtre de la cuisine, les vieux sorbiers se coloraient de rouge et qu'en passant la main dehors on pouvait en cueillir les fruits par grappes, c'était l'époque du bouillon de viande. Depuis toujours elle avait vu en haut de l'armoire du couloir un baquet en tôle renversé. Sa mère s'en servait pour aller chercher les pommes de terre et les légumes. Chaussée de caoutchoucs découpés dans d'anciennes bottes, elle descendait toutes les marches de l'escalier, sortait par la grande porte et gagnait l'arrière de la maison d'où partait le sentier qui conduisait aux séchoirs à morue et au champ commun.

Il arrivait parfois que Tora l'accompagne. Ces jours-là, elle voyait la houe qui saillait entre les mollets de sa mère, faisant étrangement corps avec sa propriétaire. Et, tout en se colletant avec la bordure de la jupe, le manche plongeait son nez de fer dans la glèbe. Par moments, il tombait sur une pomme de terre qu'il coupait en deux. La pomme de terre semblant alors pousser un soupir, la houe s'arrêtait un instant, comme prise de regrets. Et la mère disait : Oh là ! Tu as vu ça ! Sur quoi elle se remettait à bêcher.

Le goût des carottes, une fois que les dents les avaient bien mastiquées et que ne restait plus dans la bouche qu'une douceâtre et épaisse bouillie, ce goût, il était pour ainsi dire propre à Tora.

Il lui était aussi arrivé de grignoter des pommes de terre avec leur peau encore sale. Sans doute, à cette époque, était-elle bien petite et bien bête. En tout cas, elle s'en souvenait parfaitement.

La marmite de soupe sur la table, la graisse qui formait des ronds et des bulles. La beauté des couleurs.

Les légumes bouillis, elle préférait les *voir*, car ils étaient mauvais. Mais la grosse voix la forçait à avaler tant et tant de morceaux de carottes et au moins un peu de chou. Pour les pommes de terre, ça pouvait aller. Elle y était habituée.

La viande pouvait passer elle aussi. Mais, une fois bouillie, elle était dégoûtante à voir, et s'avérait coriace à mastiquer. Tora avait l'impression de la voir se déformer devant elle, ce qui venait tout lui gâcher. Cependant, avant d'être plongée dans la marmite, elle présentait une couleur rouge-brun que les membranes paraient de toutes les nuances de l'arc-en-ciel. Aux yeux de Tora, il n'existait pas de plus beau rouge que celui de la viande crue sur la planche à découper.

Parfois, il restait un peu de sang. La mère découpant lentement les morceaux à la dimension voulue, les couleurs changeaient suivant les ombres et mouvements de la main. Et la lame qui s'activait lançait toujours des éclairs d'une dangereuse beauté.

Une fois l'opération terminée, la mère allait avec la planche jusqu'à la cuisinière pour pousser prestement les morceaux de viande dans la marmite. Dès lors c'était fini.

Tora savait que les morceaux de viande

prendraient une couleur grise, se tordraient et n'offriraient plus grand-chose à voir.

En revanche, mis à braiser dans le bouillon, les carottes, le chou et le chou-rave mélangeraient leurs couleurs pour les marier harmonieusement.

Elle avait la permission de rester un certain temps, à regarder et sentir sa soupe, jusqu'à ce que celle-ci eût refroidi et que la grosse voix lui eût ordonné de manger.

Cuiller après cuiller, elle laissait alors flotter la grosse feuille de chou détestée, mais ne pouvait, en définitive, faire autrement que de l'avaler.

A ce que croyait Tora, la baraque de Tobias avait toujours existé. Vieille et froide, elle avait une fenêtre que fermaient de vieux sacs loqueteux et une porte toute de guingois qui gémissait lamentablement chaque fois qu'elle s'ouvrait. Elle servait uniquement à entasser caisses et vieilleries diverses ou à abriter les parties de cartes du samedi, pour autant qu'il fît suffisamment beau et que l'on fût entre hommes.

Se composant d'une seule pièce basse de plafond, la baraque était située à l'écart. Elle ne comportait pas d'escalier raide comme les autres baraques des pêcheries. Il était facile d'y pénétrer et, pour qui titubait, facile d'en sortir.

Un jour, il y avait longtemps de cela, Henrik avait emmené Tora dans la baraque de Tobias pendant que sa mère était allée faire du lavage chez des gens. C'était bien avant que Tora ne pût se débrouiller seule et bien avant que mère n'eût été engagée à l'atelier frigorifique.

Assis devant son verre, Henrik racontait des histoires. Il avait le front couvert de sueur, comme toujours lorsqu'il racontait des histoires un verre à la main.

Il avait été dans le monde, Henrik, là où il *se passait* des choses. Quand il se mettait à parler de ce temps-là, il semblait en oublier son épaule de travers qu'il cherchait généralement à dissimuler sous sa veste.

Les jambes écartées, appuyés tout à leur aise sur la table, les autres restaient là à écouter. Et Henrik était toujours penché en avant, l'épaule pendante, faisant penser à un cormoran à l'aile brisée.

Mais il savait raconter.

Parfois, paraissant puiser ses forces dans les visages attentifs qui l'entouraient, il parvenait à remonter son épaule et à l'appuyer un instant sur le coude sans force.

Pourtant, ce qu'il y avait d'étrange et d'effrayant dans le torse d'Henrik, ce n'était pas tant l'épaule abîmée que l'épaule valide.

Elle bougeait puissamment sous les vêtements. Le poing et le bras n'étaient qu'un paquet de muscles tout de rétiveté et en perpétuel mouvement. Mais, du côté gauche, passifs et comme arrêtés dans leur croissance, pendaient la main et le bras qui semblaient constituer un défi à la nature même d'Henrik.

Ce jour-là, dans la baraque de Tobias, la fumée des pipes et des cigarettes roulées formait un épais nuage autour de la lampe à acétylène accrochée entre les poutres et qui feulait comme un animal assoupi que l'on agace. Sous le verre, la grille rougeoyait d'une mauvaise incandescence et lançait des éclairs dans la rutilante poignée métallique.

Ayant envie d'aller au cabinet, Tora essaya de tirer les vêtements d'Henrik pour le lui dire. Mais il avait le visage trop haut placé pour elle qui était si petite et vivait au ras du sol.

Levant son verre de sa grande main valide, il

poursuivait son récit. Il était Samson et ne la voyait pas.

C'est alors que ça se mit à couler et à transpercer ses habits. Même si c'était, au début, chaud et supportable, elle n'en savait pas moins que c'était très mal. L'un des hommes s'en aperçut et le dit à Henrik. Les autres commencèrent à rire. Montrant Tora du doigt et se tapant sur les cuisses, ils déclarèrent que, comme père nourricier, Henrik ne valait pas tripette. Et les rires retentirent de plus belle, jusqu'à lui remplir la tête et n'être plus de ce monde.

Entièrement seule contre tous, elle se recroquevilla dans sa honte.

Mais le pire restait encore à venir.

Elle se mit bientôt à faire dans sa culotte. Sans y être pour rien. Sans pouvoir se retenir. Et elle sentait en elle où était la pression qui faisait tout sortir. Les rires redoublèrent. Reniflant et fronçant le nez, les gars blaguèrent Henrik de ne pas mieux savoir tenir la fille d'Ingrid.

Intérieurement, elle tremblait. Mais, en apparence, elle demeurait figée.

Et ça coulait le long de ses bas de laine blancs. Un mince, mince filet de caca.

Elle avait perdu la face dans la baraque de Tobias. C'est pourquoi elle répugnait à y aller. Il arrivait toutefois qu'étant chargée d'une commission pour quelqu'un, elle y fût contrainte. Et, lorsque c'était le cas, elle sentait un déchirement au fond d'elle-même, comme s'il y avait quelque chose qui ne devait jamais cesser de la faire souffrir. Elle sentait encore l'odeur qu'elle avait dégagée, elle revoyait les taches marron sur ses bas. Et elle sentait la honte l'envahir en se rappelant les bouches grandes ouvertes autour de la table.

Elisif, qui habitait dans la mansarde, était

une dévote. Elle avait expliqué à Tora que la honte était une invention divine. On ne pouvait rien y faire, car il n'y avait pas moyen d'y échapper. C'est Dieu qui l'avait voulu ainsi. Il y avait des gens qui *devaient* avoir honte et, comme c'étaient des pécheurs, ça ne pouvait que leur profiter.

Et Tora comprenait qu'elle en faisait partie.

Elle mentait quand ça l'arrangeait bien et se servait largement en pruneaux quand sa mère avait le dos tourné.

Mais elle trouvait étonnant qu'il y eût dans le vaste monde des gens qui, semblant n'avoir honte de rien, n'en étaient pas moins parfaitement insupportables.

3

Pieds nus devant la fenêtre de la petite chambre, Tora regardait les bruyères qui avaient viré au brun après la floraison. Tel un fantôme délavé, les restes d'une nuit pluvieuse flottaient au-dessus du Veten et du Hesthammer. Et jusqu'à l'endroit où s'ouvrait la mer, derrière les quais de Dahl, était venu se déposer un inerte brouillard d'éternité. Dans la baie ouatée, les petites embarcations semblaient avoir été dessinées au crayon gris, et la jeune fille savait que, dans le jardin du pasteur, il y avait une goutte d'eau sous chacune des groseilles rebondies. Là-haut, la vieille gouttière faisait entendre ses gargouillements.

Tora voyait la route tourner brusquement derrière les maisons les plus proches du Veten, puis dévaler le terrain pour ne s'arrêter qu'à l'extrémité du quai.

Sur cette pente conduisant à la mer et au port, il y avait quelques rares maisons disséminées le long de la route. C'étaient, pour la plupart, de petites constructions anciennes, basses de plafond et pourvues de modestes lucarnes. Elles avaient des teintes pâles, passées comme des fleurs en papier remisées dans un coin. De-ci delà, des cubes à prétention fonctionnaliste exhibaient ostentatoirement leurs couleurs vives. Quelques maisons aux murs dépourvus de crépi s'accrochaient à la glaise avec une opiniâtreté digne d'admiration.

Semblant vouloir rappeler où le bien trouvait sa source, une bande d'or perçait la couche de nuages. Le soleil. C'était lui qui, dans l'allée du chef de la police, couvrait de dorures les branches des bouleaux.

Tora suivit des yeux la route de terre. Prenant son départ tout en haut, à Bekkejordet, elle traversait d'abord les champs et les landes de bruyère aux joyeuses bigarrures automnales, franchissait ensuite les marais et le petit bois de bouleaux, puis dépassait les claies des séchoirs à poisson ainsi que l'énorme étable dont personne ne se servait plus ; là, on voyait la terre en friche céder la place au rocher, aux algues et à la mer vivante. A gauche, une fois parvenu à l'endroit où se divisait la route conduisant aux quais, son regard revint en arrière pour se poser enfin sur sa propre fenêtre. Dans la maison des Mille.

Et, dans cette maison, il y eut encore un instant de calme, jusqu'au moment où le vacarme se déclencha au-dessus de sa tête. C'étaient les gosses d'Elisif qui se levaient et, chacun à son rythme, dégringolaient sur le plancher.

C'était un bruit qui n'était ni bon ni mauvais. Raclements, piétinements, puis la dévote voix d'Elisif dont Tora avait pu se rendre compte qu'elle n'avait rien de méchant, quand bien même elle avait des accents de jugement dernier.

Dans la cuisine, elle entendit sa mère remplir d'eau la cafetière. Pour Henrik, ce n'était pas encore l'heure de se lever. Avant de s'en aller à l'école, Tora était seule avec maman. Et, si sa mère était au travail, elle était seule avec sa tranche de pain et la pendule murale.

Tora savait que c'était le plus fort qui décidait et avait toujours raison.

Dès lors, il était important de savoir qui était le plus fort. Or, c'était Henrik qui était le plus fort.

Même si l'une de ses épaules n'en était pas une vraie et que les gens s'en moquaient un peu, il était terriblement fort de l'autre. Et, sa grande bouche largement ouverte, il parlait par saccades.

Quant à son rire, ce n'en était pas non plus un vrai. A l'entendre, il semblait plutôt exprimer l'insatisfaction. Comme une sorte de gargarisme, une tempête soufflant contre la montagne. Henrik avait assez souvent ses mauvais jours. Et, lorsque c'était le cas, il n'allait pas à l'entrepôt de Dahl.

Quant à maman, elle n'avait ni bons ni mauvais jours, pensait Tora. Elle ne changeait jamais. Sauf qu'il lui arrivait de temps en temps d'être un peu plus pâle.

D'habitude, maman avait de grands yeux vert clair, qui se voilaient d'un mince rideau terne, tout à fait semblable aux rideaux d'été de tante Rakel. Mais il pouvait leur arriver de changer brusquement de couleur, de tirer le rideau pour se faire voir.

Et ils étaient alors pleins de vie ! Ils ressemblaient au feuillage d'été rempli de petits oiseaux et de douces ombres changeantes. Ce vert devenait vie et volettements. Lorsqu'Ingrid était seule avec sa fille, c'était presque toujours le cas.

Henrik frappait plus fort que quiconque. De sa main valide. A l'occasion, maman pouvait donner du dos de la main une tape sur le derrière de Tora. Une petite tape. Mais c'était pour bien faire comprendre à Tora qu'elle lui faisait de la peine. Ces tapes-là ne faisaient jamais mal. Maman ne tapait pas souvent. Seulement quand il le fallait. Tora osait pleurer quand maman tapait.

Quand c'était Henrik qui tapait, Tora se ratatinait et paraissait se serrer autour de son poing comme un chiffon.

Ses jambes se dérobaient sous elle, elle était prise d'une telle envie de faire pipi que c'est à peine si elle ne s'exécutait pas. Jusqu'ici, elle avait réussi à se retenir en pensant à la baraque de Tobias.

Elle se sentait comme le chat désarticulé que les garçons du bourg avaient torturé à mort parce qu'il n'était à personne.

Ils l'avaient crucifié sur la palissade.

Lui aussi s'était ratatiné. Jusqu'à n'être plus que griffes et peau. Dès le premier jour, les corbeaux s'étaient empressés de lui arracher les yeux. Tora se demandait souvent si, tout comme elle, le chat avait senti qu'il n'y avait plus de place pour les larmes. Tout se brisait à l'infini, mais rien ne sortait. Tout s'était trop resserré.

La mère répétait souvent qu'Henrik n'était pas méchant. Mais, comme Tora n'avait jamais rien dit ou pensé de semblable sur Henrik, elle ne comprenait pas ce qui avait pu amener sa mère à faire cette remarque.

Elle semblait regarder Tora d'un air sévère comme pour lui faire la leçon : — Henrik n'est pas méchant !

Mais, pour Tora, Henrik n'était ni gentil ni méchant, il était Henrik.

Tora mit ses bas et sa jupe. Il faisait froid dans la petite chambre, malgré les efforts du soleil automnal. Mais une nouvelle journée commençait, et il n'y avait plus qu'à aller se passer le visage sous l'eau froide du robinet. Tora profita d'un moment où sa mère était occupée dans le couloir pour se dispenser de remplir la cuvette en tôle. Ingrid était très pointilleuse sur ces questions-là.

Durant le repas, c'est à peine si elles échangèrent quelques paroles. Mais ce n'était pas le silence menaçant des jours où il était là.

Quand Henrik mangeait avec elles, Tora gardait les yeux baissés sur la table. Elle se savait surveillée. Il attendait qu'elle renverse quelque chose ou fasse des bêtises.

En sa présence, elle avait pris l'habitude de ne manger que le strict nécessaire. Jamais elle ne mettait de sucre ou de confiture sur ses tartines. Car elle aurait pu faire des taches. Pour le fromage, ça allait. Il collait bien au beurre, il n'y avait rien à craindre.

Le verre de lait était une épreuve. Rien que d'y penser, elle avait l'impression de le voir se renverser. Rien qu'en regardant sa main, les yeux d'Henrik semblaient pouvoir lui faire renverser n'importe quoi.

Mais aujourd'hui, seule avec maman, Tora prenait tout son temps et laissait son regard se promener librement.

Ces matins-là, lorsqu'ayant arrimé son cartable en carton sur son dos, Tora s'apprêtait à partir pour l'école, il arrivait à Ingrid de glisser doucement sa main sur son épaule. Sur quoi, elle se mettait à la fenêtre pour suivre du regard son maigre bout de fille et ses tresses rousses qui se balançaient derrière elle. Accompagnée des enfants d'Elisif et de Rita, qui venait de la première entrée, Tora ne tardait pas à disparaître après avoir dépassé le carrefour.

Et Ingrid ressentait devant toutes choses une sorte d'impuissance.

Les après-midi, lorsque les adultes faisaient la sieste ou vaquaient à leurs occupations et que les cabinets étaient moins fréquentés, Tora et Soleil se retrouvaient dans la pièce peinte en bleu. Là, elles pouvaient bavarder et lire des journaux.

Montant son cheval blanc, le Fantôme traverse la jungle à la recherche de Sala. Les tambours lui ont révélé où elle se trouvait.

Soleil lisait à mi-voix, l'index pointé sur la feuille, son postérieur dodu au-dessus d'une nature au vent souvent frisquet. A marée haute, les vaguelettes atteignaient les rochers, et les crottes tombaient directement dans la mer.

A marée basse, la lecture était ponctuée de petits bruits sourds, et le papier indécis voletait un peu partout avant de se décider à gagner la mer.

Pour s'essuyer, Tora utilisait rarement des journaux parus moins d'une semaine auparavant. Car un journal permet d'aller plusieurs fois aux cabinets, tant il comporte de mondes variés à explorer.

Articles hygiéniques proposés dans de mystérieuses annonces. Gabardines à prix réduits.

Mais, avant tout, le fantôme et Sala.

Et Tora repliait soigneusement les journaux avant de les placer en dessous de la pile qui était sur la tablette, sous de très vieilles revues aux feuilles trop rigides pour pouvoir être utilisées. Sous les couvertures criardes de l'été, sous un numéro de la revue *Allers* remontant aux Pâques précédentes et dont l'énorme poussin avait été coupé en deux.

De temps en temps, elles arrachaient une photo pour la fixer au mur. Mais il n'y avait jamais assez de punaises.

Dans un lointain passé, les cabinets avaient été peints en blanc, et on y accédait par deux portes percées de lucarnes triangulaires qui étaient indispensables à l'éclairage et l'aération, mais demeuraient suffisamment hautes pour protéger des regards indiscrets.

Au seul aspect d'un cabinet on peut dire quel public le fréquente.

A l'origine, les cabinets de la maison des Mille étaient tout aussi immaculés et imposants que ceux du presbytère.

A présent, leur grandeur écaillée avait quelque chose de mélancolique que ressentait immédiatement toute personne habituée à mieux.

L'une des portes était pour les hommes, l'autre pour les femmes et les petits enfants.

Le côté des hommes était de temps en temps lavé à grande eau. Pour ce faire, avec force coups de gueule et dans un vacarme d'enfer, on faisait monter au tuyau de la pêcherie la pente douce qui conduisait des quais à la maison des Mille. Ça n'arrivait pas trop souvent, en tout cas, pas avant que l'état des lieux ne suscitât chez les usagers un mouvement de recul.

Pour leur part, les femmes avaient accroché un vieux rideau devant la lucarne et mis de la toile de jute par terre. L'été, il y avait de temps à autre des campanules et des marguerites dans la boîte de conserve placée sur la tablette qui surplombait le banc. Celui-ci était percé de trois trous. Un petit et deux grands. Parfois, les trois étaient occupés simultanément. Surtout en soirée, à la fin de l'automne ou lorsque les

tempêtes hivernales et la nuit éternelle se faisaient le plus durement sentir dans les corps et
les âmes.

Le froid semblait avoir moins de prise lorsque, dans l'obscurité, on avait un derrière nu et
une voix à côté de soi. Par elles-mêmes, déjà, les
exhalaisons humaines et la chaude vapeur provenant du secret des entrailles étaient source de
réconfort et créaient une sorte de communauté
dont il n'y avait pas lieu de parler ou de faire
spécialement état.

On se contentait de frapper discrètement à la
porte de l'autre côté du couloir et de murmurer
quelques mots à l'adresse d'une telle ou d'une
telle. Le lien communautaire était établi et le
chemin des cabinets ouvert. Ces séances permettaient aussi souvent d'échanger à voix basse des
considérations philosophiques, des confidences
sur les sécrétions internes ou sur le cœur et ses
irrépressibles folies. Il ne s'agissait pas seulement
d'un processus naturel d'évacuation des déchets
du corps. Le réconfort et la consolation des âmes
qui se pratiquaient dans les froids cabinets
durant toute l'obscurité hivernale comptaient
tout autant. Quand il y avait plusieurs posté-
rieurs ainsi alignés, les gens étaient moins sensibles au souffle que l'océan envoyait par en
dessous.

Quant aux hommes, c'est plutôt en solitaires qu'ils allaient aux cabinets. Ils avaient cependant une autre forme de communauté dont les
femmes étaient pratiquement exclues : ils se
retrouvaient à bavarder dans les baraques en se
versant de petits verres d'alcool ou allaient traîner ensemble dans le bourg le dimanche.

Ils ne montraient pas si ouvertement leur
crainte de l'obscurité, les gars.

Le jour où Einar s'était installé dans le grenier qui surplombait la véranda, il avait ouvert l'une après l'autre les deux portes des cabinets. Et, comme il n'avait pas tardé à remarquer que celui des femmes était nettement plus engageant, il y était entré en prenant soin de bien fermer à clef derrière lui. Ce fut la grande faute que commit Einar à son arrivée dans la maison des Mille. Elle ne lui fut jamais vraiment pardonnée.

A peine était-il sorti, la main encore sur le devant du pantalon, que trois des fenêtres donnant sur la cour s'étaient déjà ouvertes.

Trois visages de femmes apparurent, tous plus agressifs les uns que les autres. Elisif la première. Tout en maintenant solidement sa veste en tricot fermée sur une abondante poitrine, elle ouvrit une bouche en forme d'entonnoir. Ses fausses dents brillaient d'un éclat menaçant et, dans le jour bleuté, ses paroles claquèrent comme un coup de fouet.

— Tu veux bien m'dire c'que tu fiches dans le cabinet des femmes ?

A demi retourné sur l'escalier de guingois, la main droite à la braguette et la gauche sur le crochet de la porte, Einar resta figé. A la vue des trois têtes de femmes sur le mur douteux, sa mâchoire inférieure parut se décrocher. Trois faces blafardes et implacables sur fond gris.

Einar avala sa salive. Puis, rectifiant son attitude, il enleva rapidement sa main de la braguette pour la mettre derrière son dos. Mais il n'osa même pas la mettre dans sa poche, tellement il fut surpris par cette maison transformée en énorme coucou, où apparaissaient soudainement trois têtes caquetantes qui ouvraient en même temps le bec. Il avala sa salive encore une fois puis, brusquement sous l'empire de la colère, fit entendre une voix essoufflée et éraillée :

— Qu'est-ce t'as à gueuler toi là-haut ?
C'est p't-être interdit d'aller aux goguenots ?

— T'étais chez les femmes. J't'ai bien vu !

Elisif était impitoyable. Une voix tonnante et vengeresse mais plutôt dans le registre aigu.

Einar avait cependant retrouvé ses moyens :

— Y a donc une différence entre chiottes d'hommes et de femmes par ici ? Même chez le pasteur d'où j'viens c'était pas si distingué. Chez lui z'avaient pas le cul si délicat qu'leur fallait un cabinet pour eux tout seuls, comme vous les bonnes femmes de la maison des Mille.

Et sans plus se soucier du caquetage d'Elisif, il traversa la cour et rentra par la porte du milieu. Il claqua la porte de la véranda et monta rageusement le vieil escalier de bois en faisant trembler les bandes de laiton clouées en première ligne à l'extrémité de chacune des marches.

Peu après, Einar était assis sur son divan, clignotant inamicalement des yeux en direction du mur. Saloperie de bonnes femmes ! Il ne voulait pas s'avouer à lui-même qu'il avait le cœur qui en battait encore.

Jamais plus il n'utilisa le cabinet des femmes. Pourtant, chaque fois qu'il va satisfaire aux exigences de la nature, il jette un regard en direction de la fenêtre d'Elisif. Et lorsque, quelque part dans la maison, il entend sa voix criarde, son cœur se met parfois à battre d'un mouvement intempestif dont il n'est pas le maître. Car Einar est de ceux qui ont en toutes circonstances une parfaite maîtrise d'eux-mêmes. Il ne craint ni le pasteur ni les bonnes femmes.

4

La maison des Mille ! L'orgueil des temps passés et la folie des hommes se lisaient encore dans
le grand bâtiment de bois construit au début du
siècle. L'un comme l'autre se manifestaient dans
les vieux avant-toits écaillés. Et, de la toiture
d'ardoise couverte de mousse et de fientes de
mouettes aux murs épais en pierre de taille plongeant à un mètre sous terre, tout trahissait le
manufacturier à l'ancienne et le grand capital.

S'élevant sur trois étages au-dessus de la cave,
la maison comportait une infinité de hautes fenêtres qui laissaient passer les courants d'air.

Dans le jardin, le kiosque était devenu un
piège moussu où, un été, le cinquième enfant
d'Elisif s'était cassé le pied en passant au travers.
Mais, lorsque les journées étaient froides et clai-
res, la fumée qui sortait en même temps des trois
cheminées s'élevait encore patriciennement au-
dessus du toit rapetassé.

Voilà qui en imposait encore.

Mais les patriciens se faisaient plutôt rares.
Dès les années 1930 la dureté des temps les avait
fait disparaître, et la maison était demeurée
seule, abandonnée au délabrement et aux muti-
lations infligées par la canaille.

Car dans la maison des Mille étaient venus
s'installer les pauvres. Ceux qui ployaient sous le
faix et étaient pauvres en biens de ce monde.
Parfois aussi pauvres d'esprit.

Ils s'agglutinaient autour des trois cages
d'escalier et trouvaient leur utilité lorsqu'il y
avait un vide à combler dans la société. Que ce
fût sur les quais, dans les baraques de la pêcherie, ou sous les toits maculés des braves gens au
moment des grands lessivages.

Dans la maison des Mille, les gens ne s'imaginaient pas que leur débonnaireté leur vaudrait d'obtenir une part des biens de ce monde. Nulle pensée ne leur était plus étrangère.

Mais, lorsqu'à l'époque de la dénudation automnale la lune éclairait les sommets du Veten et du Hesthammer, une fois que sur les instances de leur mère les aînés avaient arraché les pommes de terre du champ commun, une fois aussi qu'avait pris fin l'annuelle querelle sur l'endroit où se terminaient les rangées d'Elisif et commençaient celles d'Arna et Peder, ces gens trouvaient sous les lampes une forme d'apaisement qui leur était propre. A moins qu'ils n'aillent traîner dans la pêcherie s'ils étaient jeunes ou jouer à cache-cache dans l'obscurité de la cave s'ils étaient plus jeunes encore.

La lune déversait l'argent à foison sur la vieille tête de dragon du pignon sud (celle du pignon nord était tombée dès avant la guerre), et les esprits de la maison des Mille s'élevaient alors au-dessus de la grisaille de leur débonnaireté.

Lorsque le soleil s'épanouissait sur la vieille toiture couverte de neige, les hommes rapportaient chez eux le cabillaud et la rogue. On montait les meilleures pommes de terre de la cave, et une lourde vapeur de foie de poisson venait pacifiquement saturer la maison.

On conjurait l'obscurité hivernale en criant à travers les fenêtres ouvertes, et les femmes s'entraidaient à pousser les brouettes de linge vers l'embouchure de la rivière, là où, sur les rochers et les vieilles plaques de neige, étaient mis à blanchir les draps loqueteux jaunis par l'hiver.

Dans les détails perçait la poésie. Ainsi dans ces printanières gouttelettes bénies qui tombaient de la gouttière cassée. Mais c'était une poésie timide et confinée dans l'oubli, tel un pauvre enfant qu'il n'est personne pour vouloir nourrir et cajoler.

Ce que vivre peut avoir de magique était rarement perçu par ces malheureux. Il y fallait au moins une tempête ou un naufrage.

Ce qui arrivait.

De longues années durant, une vieille veuve avait habité dans le grenier. Elle tricotait pour les gosses de la maison et leur donnait la raclée quand ils faisaient des bêtises.

Elle jetait des pierres sur les chiens errants et lavait les escaliers même quand ce n'était pas son tour. C'est dire la chance qu'ils avaient alors dans l'escalier du milieu. Jusqu'au jour où elle s'était mise à laver les torchons dans son pot de chambre, puis à oublier de se laver elle-même et de laver l'escalier. Pour finir, il avait fallu l'envoyer à l'hospice des vieillards de Breiland où elle était restée très exactement vingt-quatre heures. Avant de mourir.

Ainsi le grenier devint-il libre pour Einar lorsque le nouveau pasteur l'eut chassé du presbytère pour avoir chipé des œufs sous les poules et du lard dans la resserre à provisions. Le grenier surplombait la véranda. Où ne restait d'ailleurs plus beaucoup de verre. Exerçant ses ravages, le suroît avait emporté les petits carreaux l'un après l'autre. A présent, il n'y en avait plus que deux, du côté du petit bois et du taillis, là où les tempêtes hivernales ne faisaient pas sentir leurs effets. Vers le sud-ouest, les hommes avaient cloué des planches et des bouts de bois pour se protéger des rigueurs du temps et du vent.

Lorsqu'était allumée la lumière extérieure et qu'étincelait l'écume furieuse de la mer déchaînée, la véranda tout entière ressemblait à un gros œil aveuglé. Seuls demeuraient vers le sud-ouest deux petits carreaux qui louchaient avec défi et étonnement vers l'immensité du ciel.

Dans le grenier régnait le froid.

En revanche, il y avait peu de courants d'air. Mais si la petite lucarne avait l'avantage de ne pas laisser passer l'air, elle n'en versait pas moins des pleurs.

Lorsque la neige ou la pluie l'aveuglait, l'eau se mettait à dégoutter puis à couler.

Mais Einar ne tarda pas à retrouver le truc qu'utilisait la veuve et plaça la cuvette en dessous.

Ayant remarqué le cercle de rouille laissé sur le plancher par le récipient, il avait tout de suite compris de quoi il retournait et, dès la première tempête, avait mis le sien au même endroit.

Par cette lucarne bénie ménagée dans le toit pénétrait l'antique ciel de Dieu aux humeurs changeantes ; pour autant que le temps le permît. Point n'était besoin de rideaux pour se protéger des regards indiscrets, et il n'y avait pas de rebord pour les pots de fleurs. Einar s'en trouvait fort bien.

Il y avait eu un temps où Tobias A. Brinch et Waldemar E. Brinch régissaient sur l'île chaque existence et chaque mouvement. Ils dirigeaient à distance tous les bateaux de pêche qui naviguaient au sud du fjord du Vågen et en canalisaient aussi tous les bénéfices vers leurs propres coffres.

Des deux maisons de maître à la nombreuse

domesticité, où se déroulaient soirées et festivités en tous genres, partaient au loin les ordres dispensateurs de vie ou de famine. Le presbytère était le troisième facteur de puissance et il était encore solide, même si, en la circonstance, l'argent n'intervenait pas.

A la fin des années 1930 s'était produit l'inconcevable : les Brinch, les propriétaires du bourg, avaient fait faillite. Les quais et l'installation, les maisons et les terrains, tout avait été acquis à coups d'emprunts et hypothéqué. Ceux qui s'y entendaient parlaient de temps difficiles et de spéculation.

La maison principale appartenait à l'aîné des frères, monsieur T. A. Brinch, et avec ses pignons de bois sculpté et sa véranda, elle se dressait fièrement à proximité de la mer.

D'abord était arrivé un monsieur de Bergen qui, pendant un hiver et un été, avait géré la faillite. Mais la firme qui l'avait engagé ne le payait que pour maintenir un minimum d'activité. Et, peu à peu, il avait trouvé qu'ainsi patriciennement et célibatairement installé, il était un peu perdu sous l'aurore boréale et les cris des mouettes. Quoi qu'il en soit, il avait disparu par un beau jour de printemps et n'était jamais revenu.

A présent, la vaste demeure abritait en grand nombre vermines humaines et détritus. Ce n'était pas sans raison qu'on l'appelait la maison des Mille.

Un peu plus haut sur la colline se dressait « la ferme ». Elle était certes de dimension plus modeste que la maison des Mille mais, avec ses façades que plusieurs générations avaient peintes de blanc, elle n'était pas sans encore inspirer le respect. Elle servait d'école. C'était le vieil Almar de Hestvika qui la chauffait et l'entretenait.

Pendant l'occupation, les Allemands l'avaient remarquée. On avait alors réparé les vieux gonds rouillés et passé une couche de peinture sur la soie fanée dont étaient tendus les murs. Dès lors, gros rires et braillements s'étaient mis à retentir sous les poutres du plafond et, dans les pièces, s'était déposée pour toujours une prenante odeur de cuir et d'uniformes mouillés.

La guerre terminée, une année entière s'était écoulée, avant que l'on trouvât décent d'envoyer les petits innocents dans la maison. Mais, les gens s'étant mis à pondre comme des possédés, l'ancienne école située près du promontoire n'avait pas tardé à devenir trop petite. Et c'est alors que les enfants, puis Almar de Hestvika avaient pris possession de la ferme. Mais, pour les vieux encore très respectueux de l'époque des patriciens, il était de mauvais augure que la maison passât en d'autres mains. Et jamais ils ne prononcèrent le mot école en parlant de la ferme, pas plus qu'ils n'avaient parlé de caserne ou de camp des Allemands.

Almar, quant à lui, n'éprouvait nulle nostalgie. Ce qui lui importait, c'était d'être enfin assuré d'un gagne-pain.

Les gens se débarrassaient volontiers de leur progéniture, et, si l'on ne voulait pas que la marmaille crève de froid, il fallait bien qu'elle ait un chauffagiste.

Pendant la période bénie de l'été, Almar pouvait en toute tranquillité aller pêcher le colin dans le fjord.

Tout au long de l'année scolaire, il faisait marcher les grands poêles, vidait les cabinets et ramassait les ordures.

Au premier, dans la grande salle de classe pleine de courants d'air, était installé un vieux poêle à étages qui témoignait de la grandeur d'un temps révolu.

Au niveau du sol, on sentait le souffle de l'océan, tandis qu'à hauteur du visage la chaleur avait l'intensité d'un fer chauffé à blanc. Mais, qu'ils aient été près du poêle et aient eu la tête en sueur ou qu'ils aient été près de la porte et aient eu le corps tout transi, les gamins revenaient de toute façon à la maison avec la morve au nez. Et, lorsque, très rarement, il y avait quelqu'un pour se plaindre, Almar rétorquait que c'était la faute du poêle qui ne savait pas chauffer par le bas.

Dès lors, mieux valait se servir de son cartable pour se dégeler les pieds.

Tora avait sa place juste en face de l'estrade.

Chaussée de grosses pantoufles en feutre, telle une fleur or et rose, mademoiselle Helmersen y trônait devant sa table au vernis tout craquelé.

Mademoiselle Helmersen s'appelait Gunn, et elle était fort jeune. Plus jeune qu'aucun des parents. Elle avait des fossettes et beaucoup de belles dents blanches, qui avaient toutes les apparences d'être vraies.

Tora pensait que Gunn était jolie. Plus jolie que sa mère même, parce qu'elle était plus gaie.

Elle avait des cheveux blonds bouclés remontés sur le sommet de la tête, comme l'ange du grand chromo que Tora avait encadré et accroché au-dessus de son lit.

Les gosses l'appelaient Gunn, et ils avaient le regard qui s'adoucissait en parlant d'elle.

Beaucoup de pères aussi.

Si jeune qu'elle fût, elle était institutrice diplômée. Les gens lui étaient très reconnaissants d'avoir quitté les douceurs de la côte sud et ses pieux parents pour venir sur cette île de l'océan, au milieu du froid et de l'obscurité.

Elisif pensait que c'était une intervention

divine qui avait permis de la garder un an de plus.

Les enfants prétextaient une commission pour revenir à la ferme l'après-midi. Lui apportant alors des langues de cabillaud ou du pain fait à la maison, ils en profitaient pour lui poser un tas de questions.

Le soir, lorsqu'elle était seule dans sa chambre et n'arrivait pas à trouver le sommeil, Tora repensait à Gunn.

Toujours elle la revoyait la bouche ouverte et les fossettes bien creuses, comme si quelqu'un avait enfoncé son index dans ses joues pour y laisser à jamais son empreinte.

Tora rêvait qu'elle était Gunn. Elle essayait parfois de défaire ses tresses et, comme Gunn, de remonter ses cheveux sur la tête. Mais c'était une tout autre couleur et une tout autre tête. Elle grimpait sur une chaise pour se regarder dans la glace au-dessus de l'évier.

Tora avait beau se brosser les cheveux, elle avait beau avoir un sourire aussi large que possible, elle avait et conservait un visage mince et gris, à la bouche étroite et au nez bien trop grand. Au-dessus de la racine du nez, on voyait une constellation de taches de rousseur. Elle avait une chevelure épaisse et raide totalement dépourvue de boucles. L'extrémité des tresses effleurait son petit visage comme les soies d'un pinceau usé.

Elle était Tora. Et il n'y avait rien à faire.

Elisif lui avait dit plus d'une fois qu'elle ne comprenait pas comment quelqu'un d'aussi beau et d'aussi bien fait qu'Ingrid avait pu l'avoir. Sans doute était-ce à cause du sang étranger et du poids du péché.

Tora avait peu à peu compris ce qu'elle entendait par là, et en avait rougi jusqu'aux oreilles.

Le pire était le sang étranger car c'était lié à la guerre, et, de la guerre, sa mère ne soufflait jamais mot. Pour le « poids du péché », Tora s'en souciait moins. Il y a des accommodements avec le ciel ; elle avait pu s'en rendre compte.

Mais, si la glace de l'évier lui renvoyait son visage, Tora n'en avait pas moins sa vie secrète sous l'édredon de sa chambre. Seule dans l'obscurité, elle devenait un personnage à sa convenance. Sous la housse à petites fleurs, elle se dépouillait de son enveloppe, se chauffait de ses mains froides, et se dorlotait tout en imaginant une autre Tora. Lorsqu'elle était seule à la maison, il pouvait lui arriver d'oublier complètement la vraie Tora.

L'espace d'un instant, tout ce qui l'oppressait au cours de la journée pouvait disparaître comme si rien ne s'était passé.

Le péril ?

Il disparaissait.

Et elle se montrait gentille pour son corps maigre, jusqu'à ce qu'il soit d'une frémissante incandescence et qu'elle ait chaud aux pieds. Libérée de toutes les voix et de tous les regards, elle déterminait elle-même qui elle voulait être. Elle savait, en vérité, qu'elle ne devait pas agir « ainsi ». Mais, dès lors qu'elle le faisait sans trop y penser, ce ne pouvait être si dangereux.

5

Depuis le jour où Ole Været lui avait dit qu'elle était sortie du vagin de sa mère, Tora se sentait prise de nausée en pensant que les gens faisaient des choses pareilles...

Que sa mère et Henrik... Et le pasteur donc !

Comment pouvaient-ils ne pas mourir de honte en sachant que les autres savaient !

Et le pasteur qui avait quatre enfants !

Et la si pieuse Elisif qui se faisait rouler par Torstein au point d'en faire un chaque année !

Mieux valait dès lors faire ça toute seule, jusqu'à en oublier le péril. Et, pourtant, il arrivait à Tora de rester longtemps allongée dans l'obscurité de sa chambre à se demander comment on pouvait bien faire tout ce qu'Ole racontait.

Un jour, accompagnée de Jørgen et quelques autres enfants, elle s'était rendue derrière la colline pour aller voir les chevaux.

Devenu comme fou, l'étalon du pasteur venait alors de pénétrer dans l'enclos des juments. Tora trouvait inconcevable que le cheval du pasteur ne sût pas mieux se tenir. A ce spectacle, elle n'en éprouvait pas moins un étrange saisissement.

L'étalon avait gonflé son organe, et, tout en percevant le péril, Tora ressentait une sorte de curiosité doublée d'émoi.

Dans l'enclos, les chevaux couraient de-ci delà, mais lorsqu'elle se rendit compte qu'il allait réellement se passer quelque chose, elle fit le geste de se cacher les yeux dans sa manche. Elle aurait toutefois pu s'en dispenser. Personne ne faisait attention à elle. Bouche ouverte et yeux humides, tous restaient là à regarder le membre du cheval.

Et lorsque, hennissant et soufflant, l'étalon le fit disparaître dans la jument fauve, Tora vit bien que le Jørgen d'Elisif avait les genoux qui ployaient, tandis que Rita laissait dépasser un bout de langue à la commissure des lèvres.

Tora se rendit subitement compte qu'ils

étaient tous là autour de l'enclos à observer les mouvements du cheval sur la jument et que, tout comme elle, ils ressentaient dans le bas du ventre une secrète et étrange aspiration. Sans pouvoir en parler, sans oser se regarder, ils avaient quelque chose en commun.

Tora essaya de se mettre à la place de la jument en ce moment précis. D'abord frémissante, elle se contentait maintenant de rester là sans bouger. Comme indifférente. Peut-être avait-elle honte ? Oui, ce devait être ça !

Elle ne devait pas aimer se livrer ainsi en spectacle. Et le gros membre tout gonflé devait faire affreusement mal.

Mais non, ça n'avait pas non plus l'air d'être le cas : sinon la jument aurait réagi. Tora sentit une alternance de frissons froids et chauds lui traverser le corps.

Il lui semblait avoir dans la bouche le même goût de sang qu'après avoir couru vite et longtemps, qu'après avoir joué à cache-cache dans l'obscurité des soirées automnales. C'était en tout cas presque mieux que de se laisser porter sur les glaces flottantes dans le Vågen.

Enfin, l'étalon s'affala sur la jument en soufflant puis eut un mouvement de tête qui fit voleter sa crinière.

Epuisé, il se dégagea ensuite. Pour Tora, ce fut trop rapide. Elle avait d'abord trouvé que tout était beau. Le mouvement de la grande tête brune et la crinière au vent.

A présent, l'étalon donnait l'impression d'être humilié et de ne plus valoir grand-chose. Le membre se balançait d'un côté à l'autre en diminuant à vue d'œil. Il dégouttait un peu.

La scène terminée, Rita resta encore un long moment à regarder de ses yeux bleu pâle. Puis elle finit par lâcher : — Oh le cochon ! Il a pissé dans la jument !

L'ayant regardée avec mépris, Jørgen lui lança entre deux crachats : — Tu vois donc pas qu'c'est du sperme, idiote !

Là-dessus, il se lança dans un petit cours pour expliquer le pourquoi et le comment des choses. Sur quoi, Ole intervint pour dire qu'ils étaient tous sortis du vagin de leur mère, et qu'il n'y avait pas de honte à cela.

Quant aux adultes, ils leur turent l'épisode, de même que jamais ils ne les interrogeaient sur ce qu'ils auraient aimé savoir.

Cependant, assis sur le mur de clôture de l'église, ils eurent une dispute sur ce qu'ils avaient réellement pu voir dans l'enclos ce jour-là.

Dépeignant le membre de l'étalon, Jørgen en exagéra sensiblement le volume.

Rita l'accusa de mentir et, de ses doigts écartés, en précisa les vraies dimensions. Mais Jørgen resta ferme sur ses positions et, pour finir, la fit tomber du mur.

L'affaire aurait pu très mal se terminer si la timide Lina, d'habitude si réservée, n'avait pas soudainement annoncé qu'elle avait vu un vrai membre d'homme.

Sous l'effet de la curiosité, tous les regards convergèrent vers elle. Les bouches s'ouvrirent, traduisant tout à la fois ravissement et effroi.

— C'est pas vrai, dirent des voix incrédules.

— Et à qui qu'il était ? demanda Ole.

— Ça j'le dirai pas. Mais c'était bleu !

— Qui ? L'homme ? s'enquit Tora assez sceptique.

— Le membre, bien sûr, andouille !

Ayant triomphalement rejeté la tête en arrière, Lina prit un bâtonnet et entreprit ostensiblement d'enlever la boue de dessous ses bottes. Puis, la bouche en cul de poule, elle leva les yeux au ciel sans daigner les abaisser sur les autres.

— Peuh ! Tu mens ! y zont rien d'bleu. T'es folle !

Jørgen était indigné. En le regardant, Ole et les filles se rendirent compte qu'il avait honte pour l'espèce et qu'il refusait tout net d'être affublé d'un membre bleu. Ole le soutint timidement en se moquant de Lina. Mais Lina tint bon : — Une zézette de garçon, c'est pas comme un membre d'homme. Tu comprends donc pas ?

Non, ni Jørgen ni Ole n'étaient disposés à l'admettre.

Peu à peu, les arguments commençant à faire défaut, ils passèrent à autre chose. Ils voulaient bien parler de tout ceci mais sans pour autant aller jusqu'à se brouiller.

Pourtant, Tora réfléchit à ce qu'avait dit Lina. Le soir, sous son édredon, toutes ses visions se coloraient de bleu, et son imagination débordait en ruissellements qui venaient s'infiltrer sous sa peau.

Mais il y avait aussi la laideur et le péril qui venaient tout gâcher.

Tous ces chuchotements entre sa mère et tante Rakel, tous ces bruits en provenance de la pièce quand ils la croyaient endormie.

Toutes les plaisanteries pleines de sous-entendus dans les baraques, toutes ces histoires qui n'étaient pas pour ses oreilles.

Et elle n'arrivait pas à y voir clair, elle n'arrivait pas à se situer. Elle ne savait pas si c'était le dégoût qui l'emportait ou bien...

Parfois, heureuse qu'il n'y ait personne pour la voir dans l'obscurité, elle avait honte d'elle-même.

Il lui semblait ne plus se reconnaître. Ces seins devenus si sensibles, elle avait l'impression qu'ils n'étaient pas vraiment à elle. Elle se penchait en avant pour que personne ne puisse les voir : à sa manière, elle essayait de les dissimuler à l'intérieur d'elle-même.

Mais il n'y avait rien à faire. A cause d'eux, tout ce qu'elle portait au-dessus de la ceinture devenait trop étroit. Elle aurait bien voulu être un garçon. Lina et Rita étaient encore toutes plates, elles. L'été dernier, elles pouvaient encore bondir et gambader sur la plage en simple culotte. Tora trouvait alors toutes sortes d'excuses pour ne pas les accompagner.

Et il n'y avait pas que ses seins à l'intimider. Il y avait, en plus, tous ces poils qui semblaient lui pousser sur l'ensemble du corps. De temps en temps, il émanait d'elle et de ses vêtements une odeur de vieil œillet qui lui faisait penser à un enterrement. Une fade et douloureuse odeur qui se manifestait dès qu'elle avait chaud ou était nerveuse. Aussi se mit-elle à rechercher la compagnie de Soleil, qui était de deux ans son aînée et s'était confortablement arrondie.

Les samedis, Tora chauffait elle-même sa chambre puis y apportait eau et serviette pour pouvoir faire sa toilette.

L'hiver précédent, elle s'était encore baignée dans le baquet en fer-blanc installé pour la circonstance devant la cuisinière. Jusqu'au jour où, s'opposant à sa mère, elle s'y était refusée. Il pouvait venir quelqu'un. Et Henrik était entré une fois pendant qu'elle était dans l'eau.

Il l'avait regardée. Ç'avait été insupportable.

Elle n'avait plus bougé jusqu'à ce qu'il parte. Il avait vu ce corps qu'elle ne reconnaissait plus comme sien.

Alors, pendant plusieurs semaines, elle avait refusé de se baigner. La mère s'était fâchée, affirmant qu'il lui pousserait des vers dans le corps. Finalement, elle lui avait suggéré de chauffer sa chambre et de s'y baigner quand elle le souhaiterait.

Pour ce qu'elle lui avait dit ce jour-là, Tora vouait à sa mère une sorte de chaude reconnaissance. Et elle avait envie de la serrer dans ses bras. Elle n'y arrivait cependant pas. Dans ce domaine, il y avait comme un océan entre elle et sa mère.

Tout au long du printemps et de l'été, elle s'était lavée dans sa chambre en prenant la précaution d'insérer une lame de couteau entre la porte et le chambranle. C'était tout ce qu'elle avait comme serrure. Bien sûr, rien n'empêchait de faire glisser et tomber le couteau de l'extérieur. C'était néanmoins une manière d'obstacle : un avertissement pour signifier, sans avoir à le dire, qu'elle souhaitait être seule.

A la ferme, devant la grande estrade, il lui était également possible de s'isoler. Il n'y avait que Gunn devant elle.

Tous les yeux étaient derrière. Tout en faisant semblant d'écouter Gunn, elle pouvait laisser ses pensées suivre leur cours. Elle pouvait laisser son imagination vagabonder librement dans les domaines les plus étranges. Gunn exigeait que l'on travaille dans le calme.

Elle exerçait sur l'ensemble de la marmaille un pouvoir étrange que même le vieux maître pouvait lui envier. Et, les élèves comme Tora, elle leur permettait de demeurer seuls avec leurs pensées.

Il était difficile de comprendre d'où lui venait son autorité. En effet, sa méthode différait totalement de celle des pères pour qui toute entorse aux règles était passible de coups de gueule et de taloches. C'était surtout les plus grands que troublait la méthode de Gunn. Elle *les regardait*. Ne les quittait pas des yeux.

Parfois, elle posait sa main chaude sur une nuque puis, d'un mouvement ferme, levait le visage vers elle et *le regardait* au fond des yeux jusqu'à ce que le silence se fît dans la classe et que le garnement cédât.

Néanmoins, les fossettes ne tardaient jamais à réapparaître, annonçant que tout était de nouveau au beau fixe.

Tora aimait l'école. Elle aimait l'odeur de poussière et de craie. Et il suffisait de faire son travail pour avoir la paix. Du moins pendant les cours.

On pouvait interroger Gunn sur n'importe quoi. Ou presque.

Et on obtenait une réponse.

Mais l'étalon du pasteur et le péril faisaient partie des questions que l'on ne posait pas aux adultes. Et, sur le chemin, il n'y avait pas toujours un enfant à qui en parler. C'était uniquement quand les circonstances s'y prêtaient. Comme devant l'enclos.

Cet automne-là, Tora effectua sa scolarité avec Soleil. On avait en effet regroupé les élèves des deux dernières années.

Soleil était dans la classe au-dessus de Tora, mais n'en affichait nulle supériorité pour autant. Dans la maison des Mille, on avait rarement le loisir de sacrifier une amitié à ce genre de vétilles.

Quant à Jørgen, par rapport aux années précédentes, il avait moins de prestige aux yeux de Tora. La vie de tous les jours et les années avaient apporté leurs changements. A présent, Jørgen s'amusait à verser de l'eau dans leurs chaussures et à cacher les manuels de Soleil. De plus, il avait pris l'habitude de jurer en l'absence de sa mère et allait sans cesse traîner sur les quais.

Soleil demeurait silencieuse, mais elle était au courant de presque tout ce qui pouvait se passer entre quatre murs et se dissimuler dans les dédales de l'existence. Elle était l'aînée des sept enfants d'Elisif et avait été plus ou moins volontairement le témoin auditif des conceptions et naissances qui, tout au long des semaines et des années, avaient jalonné les nuits de la maison des Mille.

Mais il était impossible à Tora de poser à Soleil des questions de ce genre. Celle-ci l'aurait prise pour un enfant.

6

Enfant de boche !

Tora avait fréquemment entendu ces mots, de mauvaise résonance, lancés comme une condamnation.

Henrik les avait prononcés lui aussi. Et s'il ne s'était pas adressé à elle, elle ne les en avait pas moins entendus à travers la mince cloison.

Elle aurait bien voulu questionner sa mère, mais à ces mots s'attachait une partie du péril. Aussi s'efforçait-elle de les oublier, car ils lui étaient insupportables. Et il pouvait s'écouler des semaines, voire des mois entiers sans qu'elle les entendît.

Un jour ou l'autre ils finissaient cependant par revenir. Et elle éprouvait alors la même sensation qu'au moment où les enfants du bourg lui avaient fait dévaler à ski une pente raide sans la prévenir qu'ils avaient aménagé un tremplin à mi-pente et répandu plusieurs seaux d'eau en contrebas pour faire de la glace.

Une fois en l'air, il n'y avait pas d'échappatoire possible. On ne sentait autour de soi que vide et aspiration. L'inéluctabilité de l'atterrissage était la seule certitude.

Sur le chemin, les enfants avaient leur propre loi. Qui n'était pas toujours celle des adultes. Et jamais celle qui régnait dans les foyers.

Mais cette loi ne faisait mal que sur le moment. Comme une écorchure ou un doigt pincé. Si les larmes jaillissaient, elles ne tardaient pas non plus à sécher. Et point n'était besoin de s'en faire car chacun y passait à tour de rôle.

Ole était le plus grand et le plus fort, mais pas le pire. Il avait ses faiblesses. La nuit, il faisait pipi au lit. Et il lui arrivait d'empester quand il n'avait pas le temps de se nettoyer avant d'aller à l'école. Le ballot !

Tora faisait le compte des faiblesses. Chez les autres.

Elle ne leur en disait cependant rien, car c'eût été répandre la zizanie. Elle n'y pensait pas moins.

Parfois, elle rêvait de leur rendre la monnaie de leur pièce en les atteignant au point le plus sensible. Mais elle n'en faisait jamais rien. Car Tora était mince, fluette et petite. Il n'y avait que sur la balle de caoutchouc qu'elle pouvait affirmer sa force.

En cas de besoin, elle courait plus vite que n'importe qui. Ou s'esquivait sans que personne ne s'en aperçût.

Et le rose de la honte venait alors colorer chacune de ses joues grises. Mais elle avait également droit à sa part des coups qui s'échangeaient sur le chemin. Toutefois bien différents de ceux que lui donnait Henrik.

De l'autre côté du Vågen, là où bruyères et taillis poussaient dru jusqu'au bord du chemin, Tora pouvait voir la vieille maison des jeunes. Non pas qu'elle fût *vraiment* vieille, mais elle était dans un triste état d'abandon. Jadis, elle avait été peinte en rouge. Avant la guerre.

La guerre, c'était déjà bien loin. Mais Tora savait qu'elle en était une partie.

On avait raconté beaucoup d'histoires en sa présence.

Et, à partir de ce qu'elle avait entendu, s'était imposée cette sorte de déplaisante certitude que maman en était également une partie.

Lorsqu'Henrik se mettait à parler de la guerre, maman s'en allait à l'autre bout de la pièce et restait le dos tourné. Henrik maudissait la guerre plus que quiconque, car c'était elle qui lui avait presque arraché l'épaule gauche et à moitié enfoncé les poumons.

— Saloperie de boches ! disait-il, tandis que se creusaient de profonds sillons entre ses sourcils broussailleux.

Lorsqu'Henrik faisait ainsi un éclat, il n'était personne pour le contredire. Mais tout le monde regardait ailleurs, non sans aussi jeter de bizarres petits coups d'œil en direction d'Ingrid.

Un jour, tante Rakel avait laissé entendre que la naissance de Tora avait tué la mère d'Ingrid. N'étant pas censée avoir entendu, Tora n'avait pas posé de questions.

Mais elle trouvait bizarre qu'on la rendît ainsi responsable de la mort de sa grand-mère, car elle se rappelait très bien son visage maigre et blafard reposant sur un oreiller blanc. C'était dans la petite chambre de Bekkejordet, chez tante Rakel et oncle Simon.

Tora n'ignorait pas que tout était rationné et que les gens n'avaient pas grand-chose pour se nourrir et s'habiller. Peut-être avait-elle mal entendu : la tante n'avait-elle pas voulu dire que c'était ça qui avait tué la grand-mère ?

Tora s'imaginait souvent Almar de Hestvika se promenant nu et affamé sur le pont de sa barcasse en pleine période de rationnement. Ç'avait dû être une vision étrange, froide. Et c'était toujours Almar qu'elle voyait. Jamais personne d'autre.

Sur l'étendue de bruyère s'élevait donc la maison des jeunes. Elle était, elle aussi, une partie de la guerre.

C'était là qu'on avait un jour coupé les cheveux de maman, qu'on l'avait complètement tondue.

Tora avait entendu beaucoup de gens en parler, chacun à sa manière. Mais c'était la version de Soleil qu'elle trouvait la plus plausible : c'était parce que Tora était née pendant la guerre que l'on avait coupé les cheveux de sa mère.

Pourtant, Tora se disait que c'était en fait parce que sa mère avait fait des jaloux. Car elle se rendait bien compte qu'elle avait une chevelure exceptionnellement brune et épaisse, la plus belle de tout le bourg.

Mais pourquoi avoir été si méchant ?

Elle avait un jour posé la question à tante Rakel.

Celle-ci l'avait alors serrée bien fort contre elle en lui expliquant que la guerre avait rendu beaucoup de gens fous et qu'il ne fallait pas qu'elle ennuie sa mère avec ses questions.

Mais, chaque fois que Tora passait devant la maison des jeunes, elle avait l'impression que des mains invisibles cherchaient à l'agripper pour lui faire mal.

A voir le bâtiment avec ses petites fenêtres aux allures d'yeux craintifs et ses rideaux fanés aux motifs de traviole, il était curieux que Tora perçût ainsi les choses. Mais, par ailleurs, il lui paraissait inimaginable que les gens qu'elle rencontrait sur le chemin, dans la boutique d'Ottar ou sur les quais, pussent en avoir voulu à sa mère au point de lui couper les cheveux. Mieux valait dès lors en reporter tous les torts sur la maison.

C'était là que ça s'était produit. Et la maison n'avait plus qu'à rester là, toute seule, offerte à la vue de tous avec son grillage à moitié arraché et ses murs délavés coincés contre les envahissants marécages.

Jamais sa mère ne l'y emmenait.

Pas une fois, avant d'aller à l'école, Tora n'avait participé avec les autres enfants à la fête nationale du 17 mai ou à l'arbre de Noël.

Tora pensait que, s'ils n'avaient pas été coupés par la « maison », les cheveux de sa mère lui seraient descendus jusqu'aux hanches. Elle revoyait sa mère dans le vent, en train de rincer du linge dans la rivière. Les cheveux se dispersaient parmi les pierres de la rivière pour aller directement rejoindre la mer.

Elle le fit remarquer à Soleil.

Mais Soleil, de presque deux ans son aînée, n'eut que mépris pour cette observation : — Y a personne qui peut avoir des cheveux aussi longs. C'est seulement dans les contes qu'on voit des choses comme ça.

Soleil et les autres enfants d'Elisif habitaient juste au-dessus de la tête de Tora. Le matin, les tuyaux de leur étage lâchaient de longs et puissants mugissements. C'est que, sous l'œil sévère d'Elisif, ils étaient foule à remplir la cuvette en fer-blanc, puis à se laver au-dessus de la caisse de tourbe près du poêle.

Là-haut, on entendait gratter et cogner, tousser et pleurer. Et on savait que c'était dans l'ordre des choses.

Mais il y avait bien sûr pas mal de gens pour

penser que tous ces enfants d'Elisif, ça faisait quand même beaucoup.

Leur géniteur était un petit bonhomme tout gris qui jamais ne claquait les portes ni n'élevait la voix sans nécessité. Une sorte d'ombre inoffensive qui ne comptait guère à côté de la forte et dominatrice Elisif.

Et, dans la boutique d'Ottar, les hommes se demandaient en ricanant si, cette année encore, Elisif en aurait un avant Noël. Ce n'était cependant pas toujours le cas ; pour sa part, Jørgen était né le 18 mai. Les remarques désagréables qui suivaient ces naissances n'étaient pas sans mettre du baume au cœur de Tora : ainsi donc, il y en avait d'autres qu'elle à être dans le malheur.

Quand elle était petite, Tora venait de temps en temps s'asseoir au bord de la mer et observer la lumière qui s'élevait du gris et du bleu pour aller colorer le ciel.

— C'est l'ciel qui donne la lumière à la mer et à la terre, disait Ingrid lorsque Tora essayait de lui faire comprendre ce qu'elle voyait.

Elles s'asseyaient près de l'embouchure de la rivière pour prendre leur repas, tandis que le linge bouillait dans l'énorme chaudron, « le coin à café », disaient les gens. Car, à cet endroit, on pouvait remplir la bouilloire avec l'eau douce de la rivière tout en gardant devant les yeux le spectacle du vaste océan.

Tora ne croyait pas vraiment ce que disait sa mère sur la lumière et le ciel. Car la mer était d'une profondeur incommensurable. Elle pouvait engloutir comme un rien des foules et des bateaux entiers, et avait encore toute la place nécessaire pour le reste : poissons et algues, pêcherie et pierres.

Elle ne contredisait cependant pas sa mère,

et se contentait de regarder avec surprise les scintillements de l'eau jaunâtre, suivant des yeux les courants et tourbillons jusqu'au moment où ils rejoignaient l'eau grise salée pour former des scintillements verts couronnés d'écume frémissante.

Un jour, ignorant qu'il y avait une différence entre l'eau de la mer et celle de la rivière, Tora avait bu de l'eau salée.

Elle n'en avait ensuite jamais oublié le goût.

Un goût qui lui avait fait redouter les bains de mer.

Elle préférait les trous dans la rivière, même si l'eau y était plus froide. Et, lorsqu'elle apprenait que quelqu'un s'était noyé en mer, le goût salé et nauséabond lui revenait dans la bouche.

Ainsi savait-elle un peu ce que c'était de mourir.

7

L'automne était le temps du chauffage aux fagots et à la tourbe.

Se préparant à la saison d'hiver, les gens s'affairaient chez eux.

Car tout le monde attendait plus ou moins le grand flux, le moment où le poisson atteindrait la côte.

Nerfs et muscles étaient tendus à l'extrême, et il n'était personne pour demander si c'était le jour ou la nuit, si l'on préférait travailler ou se reposer. Certains, qui choisissaient d'aller sur place, se faisaient éclabousser par la mer. D'autres regardaient par la fenêtre de la cuisine ou avaient l'oreille collée contre le haut-parleur à l'écoute des indications de la radio. Désormais, les femmes étaient seules à s'occuper des gosses qui pleuraient ou des bêtes qu'il fallait nourrir et soigner. Mais personne ne songeait à s'en plaindre. La saison de pêche devait à tout prix rapporter le profit maximum. Pour beaucoup, c'était une chance de gagner de l'argent. La seule.

Il fallait régler à Ottar et Grøndahl une nourriture peut-être déjà épandue à l'état de fumier sur les lopins de terre gelés, ou finissant en des endroits cachés et secrets, ballottée par l'eau au milieu de filaments d'algue.

Il fallait équiper les enfants de neuf, leur acheter bottes et pantalons de ski, sans compter les vêtements d'intérieur dans lesquels ils viendraient s'exhiber pour les fêtes de Noël.

La tourbe ne servait qu'à allumer le feu, et il fallait également régler son dû au charbonnier. Pour ceux qui pouvaient abattre au cours de l'hiver des moutons élevés à l'étable, tout allait bien. Mais, pour qui voulait acheter de la viande, il fallait se saigner aux quatre veines. Et dès lors, il ne restait plus qu'à guetter la mer. Quant à la viande de porc, elle était hors de question. Car, pour se permettre d'en manger, il fallait, soit être dans l'aisance, soit avoir une femme assez énergique pour nourrir un cochon à la maison.

Simon de Bekkejordet affirmait qu'une femme capable, c'était déjà la moitié de la nourriture.

En quoi il avait bien raison, renchérissaient ceux qui connaissaient Rakel.

Car tout le monde savait qu'elle n'était pas de ces femmes qui passent leur temps à coqueter.

Rakel gérait les biens de Simon, ainsi que la dette de Simon. A l'occasion, elle prélevait bien une petite partie de ce qu'il gagnait. Mais c'était pour la bonne cause, uniquement pour n'avoir pas à le harceler et le tanner lorsqu'elle voulait acheter des choses dont il ne pouvait comprendre l'utilité.

Rakel gardait dans le secrétaire une petite caisse de réserve. Qui, avec le temps, n'était du reste plus si petite que ça.

Lorsqu'il le *fallait*, elle y puisait. Sans regret. Mais elle n'allait jamais jusqu'à la vider. Car, avant Simon, Rakel avait connu des temps difficiles.

Tout en se permettant de sourire en catimini du secrétaire de Rakel, Simon se gardait bien de s'ingérer dans les affaires de celle-ci. Et, pour sa part, jamais elle ne s'avisait de lui faire comprendre qu'elle s'y entendait en matière de pêcherie, bateaux et équipage.

Mais il y avait aussi le puits caché de Bekkejordet.

Le puits, Simon avait un jour failli s'y noyer. Et c'est Rakel qui, s'extrayant de la chaleur de la pièce, était venue l'arracher au froid.

Dans son for intérieur, Simon savait que si par malheur un naufrage venait à se produire, Rakel serait la dernière à sombrer.

Et c'était précisément parce qu'elle n'était pas d'ordre physique que la force de Rakel le troublait et le surprenait. Elle était d'une nature bien plus inattaquable.

Il ne l'avait jamais aussi bien compris que le jour où, revenant de la ville, elle lui avait annoncé qu'elle ne pourrait avoir d'enfant.

Il l'avait vue devant lui, habillée d'un manteau neuf à grands carreaux et faisant le geste d'ouvrir les mains dans sa direction.

C'était le docteur qui l'avait affirmé. Au bout de sept ans de mariage, il n'y avait plus d'enfant à espérer. Dès lors, autant s'acheter un manteau neuf. Tout cela, elle l'avait dit les yeux secs, sans manifester plus d'émotion que s'il lui avait fallu relaver le plancher après le passage des journaliers venus pour l'arrachage des pommes de terre.

Pas d'enfant ! Une tare qu'elle avait.

Il l'avait vue à la pêcherie, dans l'encadrement de la porte bleue du bureau. Elle avait pris sur elle ce qu'il savait être sa faute à lui.

Car Simon de Bekkejordet avait une semence sans vie.

Il avait plusieurs fois été sur le point de le lui dire, mais les mots lui étaient pour ainsi dire restés dans la bouche.

Sachant combien elle était désireuse d'avoir un enfant, il préparait chaque fois ce qu'il allait lui dire. Le moment venu, il n'en disait pourtant rien.

Ainsi en alla-t-il plusieurs fois. Et, à la fin, il s'en trouva si bouleversé qu'il en vint à éviter de la rejoindre au lit.

Prétextant qu'il était retenu à la pêcherie par des obligations toutes plus importantes les unes que les autres, il ne revenait qu'à l'heure où elle était censée dormir.

Et peut-être était-ce ce qui avait amené Rakel à ouvrir le secrétaire et à se rendre en ville.

Car, apparemment, Rakel administrait tout aussi bien ce que Simon n'avait pas que ce qu'il avait.

Il l'avait vue dans son nouveau manteau, et elle lui avait menti bien en face, en braquant sur lui ses yeux d'une parfaite honnêteté.

— J'peux pas avoir d'enfant, Simon. Il va falloir qu'on s'organise autrement, ou que tu sois libre !

Le soir, il l'avait prise, d'abord un peu honteusement, comme un chien reconnaissant. Mais, comme elle lui avait fait comprendre que ce n'était pas ce qu'elle voulait, il s'était enfoui en elle, éprouvant un profond sentiment de sécurité à avoir contre lui quelqu'un qui, par le corps et la volonté, était au moins son égal.

Ils restèrent éveillés jusqu'au lever du jour, alors que les attendaient dehors tous les grands travaux.

Tous deux vécurent dans la chaleur et l'intimité l'un de l'autre.

Tous deux savaient.

Rakel se procura un chat.

La pluie les avait assaillis, et un brouillard à couper au couteau enveloppait les hauteurs.

Au sud, les montagnes n'appartenaient plus au monde visible.

Les gens allumaient les poêles, fermaient les portes des couloirs et ronchonnaient contre les fenêtres qui laissaient passer le vent. Sortant bas et lainages des placards, ils commençaient à appréhender les moments où il leur fallait aller dans la petite maison pour satisfaire aux besoins de la nature.

Et, avant de sortir, ils reboutonnaient bien tout ce qu'ils avaient sur eux.

Engoncés dans leurs vêtements, ceux que l'on croisait montraient des visages luisants et blafards.

Mais la plupart préféraient se pelotonner chez eux entre leurs quatre murs. Maintenir l'extérieur à bonne distance.

C'en était terminé des cris qui s'échangeaient par-dessus les grillages sales des jardins et les cliquetants séchoirs rouillés.

On avait rentré les pommes de terre, tout en abandonnant chrétiennement les groseilles restantes aux petits oiseaux.

Au milieu des caleçons, il y avait bien encore de-ci de-là un drap ou une taie d'oreiller pour s'agiter au vent. Mais, la nuit, il leur arrivait souvent de se figer et de craqueter, d'avoir des balancements de pendus abandonnés aux intempéries.

Dans le Nord, la différence est grande entre sous-vêtements d'hiver et d'été.

S'il rapetisse intérieurement, l'homme hivernal n'en est que plus volumineux extérieurement.

Sur les quais, la vie semblait tourner au ralenti. Comme si l'on épargnait le carburant pour la pêche d'hiver.

Les gars traînaient leur cafard à proximité des écoutilles.

Leurs grandes mains oisives qui pendaient le long de leur pantalon de ciré trouvaient parfois à s'occuper un peu en roulant une cigarette ou en bourrant une pipe.

Par moments, ils se colletaient ou battaient très vite des bras contre leur vareuse, jusqu'à devenir brûlants sous l'effet conjugué de la circulation du sang et du froid.

— Tu veux bien m'dire c'que tu fiches là ? pouvaient lancer certains à un gosse qui était venu s'égarer parmi les baraques ou derrière les abris à bateaux.

Mais la plupart des hommes étaient de bonne humeur en cette période de l'année. Ils n'oubliaient pas qu'ils avaient eux-mêmes été enfants.

Et ils faisaient souvent un petit clin d'œil ou blaguaient lorsque passaient Tora et la bande de la maison des Mille.

L'automne était tout alternance. Si un jour ce n'étaient que visages rosissants sous la pluie et chaussures clapotantes, le lendemain apportait l'onglée et la goutte au nez.

Aux caoutchoucs maintenus par des élastiques à bocaux succédaient ainsi les gros chaussons de laine.

Durant les mois d'octobre et de novembre, le bon Dieu nappait la région d'un épais brouillard ; les nuits n'en demeuraient pas moins hostilement glaciales, et la lune se montrait exaspérante en ne tenant pas les promesses qu'elle faisait pour le jour suivant. Car, bien avant que, s'imaginant voir poindre le jour, les poules d'Anna-gouttes-de-camphre ne se fussent mises à tapager dans leur appentis, un ciel rabat-joie s'était mis à déverser de l'eau que l'on entendait clapoter et dégouliner dans les gouttières délabrées de la maison des Mille.

Les hommes se réunissaient dans la nouvelle boutique de Nordvika ou dans la vieille baraque obscure d'Ottar. Pour bavarder et traînasser. Et si, au bout de quelques heures, l'un d'eux s'avisait de faire ses achats, c'était sans aucune hâte. Personne n'était jamais pressé.

Debout derrière son comptoir, Ottar pesait et mesurait bien posément.

Il faisait ses comptes et, lorsqu'il n'avait rien d'autre en train, il y allait lui aussi de sa lamentation sur le temps.

— Mais qu'est-ce qui m'a foutu un temps pareil ! pouvait-il lui arriver de dire en toute sincérité quand il lui fallait enfiler son suroît pour aller à l'entrepôt du quai chercher du hareng, de la mélasse ou tout autre produit.

Car Ottar se coiffait avec un cran.

Les cheveux rares à la couleur indéfinissable étaient soigneusement peignés avec une raie sur le côté droit.

C'était ce qui se faisait à Bodø à l'époque où il y était vendeur, expliquait-il fièrement.

Bien sûr, dans la vie de tous les jours, il ne pouvait passer son temps à se peigner ; aussi mettait-il pour sortir un ample suroît jaune accroché d'habitude à une vieille bobine transformée en patère et que l'on avait clouée près de la porte où était fixée une petite plaque ovale en émail solide portant le mot : PRIVÉ.

Mais Ottar trouvait le suroît assommant, que ce fût celui qui soufflait dehors ou celui qui l'attendait à la patère.

Il y avait des jours où il ne se rappelait sa coiffure qu'une fois parvenu au quai. Et, pour peu qu'il y ait du vent, ce qui était le plus souvent le cas, il arrivait tout ébouriffé.

Dès lors, il ne lui restait plus qu'à se précipiter dans le « privé » pour s'arranger et se peigner. Ainsi laissait-il perdre quelques minutes pour le commerce, mais il lui fallait coûte que coûte dissimuler la naissante et secrète calvitie.

À présent, le temps était tel qu'il n'était même pas possible à un pauvre bougre de sortir en bateau. Les puissances célestes semblaient avoir décidé que tous resteraient plantés là à mourir de faim alors que la mer leur offrait son garde-manger juste au bout du quai.

Chiqueurs ou non, tous les hommes crachaient dans la cuvette près de la porte pour affirmer ce même point de vue.

Assise sur un tonneau, Tora attendait dans le coin le plus obscur. Elle tenait bien serrée dans la main la liste des courses qu'elle avait à faire. Ses bas de laine la grattaient. Cette année encore, sa mère l'avait obligée à les mettre.

Chaque fois que la porte s'ouvrait, elle sentait le courant d'air, juste à l'endroit où la peau était nue, entre la culotte et des bas qui ne montaient plus jusqu'en haut parce qu'elle avait beaucoup grandi au cours de l'été.

Elle ne le remarquait cependant pas tout de

suite, car il fallait d'abord que celui-ci remonte le long de ses cuisses avant de pouvoir la piquer de ses aiguilles de glace.

Elle redoutait le moment où Ottar lui indiquerait d'un signe de tête que c'était son tour. Car, aujourd'hui non plus, elle n'avait pas d'argent. Rien qu'un bout de papier mouillé par la sueur et la pluie. Où était inscrit de la main d'Ingrid :

250 gr de café
1 kg de farine de froment
100 g de levure
1 litre de mélasse

Est-ce que tu peux noter ça jusqu'à ce que je passe ?

Ingrid.

Le visage d'Ottar se creusa et s'assombrit un peu lorsqu'elle tendit le papier. S'étant raclé la gorge, l'homme sortit le grand livre épais. Jadis vert et couvert de marbrures de toutes les couleurs.

Lentement et comme à regret, il chercha d'un index menaçant le nom d'Ingrid Toste. Puis il ajouta la nouvelle somme à toutes celles qui précédaient. Enfin, poussant un gros soupir, il ferma le livre d'un bruit sec.

Pendant ce temps, croyant sentir des fourmis lui courir sur la peau, Tora faisait reposer le poids de son corps tantôt sur une jambe tantôt sur l'autre.

Elle avait constamment envie de faire pipi, encore que, juste avant d'entrer dans la boutique, elle se fût accroupie derrière la grande palissade de bois.

Mais, les denrées, elles les obtenait toujours.

Car jamais Ottar n'avait refusé à quiconque ce qui lui était nécessaire pour préparer son pain.

Se faisant toute petite, Tora se faufila entre les hommes dont les visages haut placés se confondaient entre eux. Des yeux, encore des yeux. Des bouches qui mâchaient, des bouches qui serraient une pipe entre des dents jaunies ou des bouches entrouvertes de curiosité au-dessus d'elle. Et le léger tintement de la clochette de laiton en haut de la porte pouvait être de bon ou de mauvais augure. Selon que Tora sortît ou entrât.

Hors d'haleine et toute tremblante, elle s'arrêta dès qu'elle le put derrière la palissade, puis s'engagea en courant sur la route qu'elle descendit jusqu'à la maison des Mille. Ses achats lui battant les mollets, elle sautillait par-dessus les flaques, et le vieil imperméable noir, qu'elle n'avait pas boutonné tant elle était pressée, se déployait derrière elle comme une voile. Elle ignorait à vrai dire ce qui se serait passé si elle n'avait pu sortir. Son imagination n'allait pas jusque-là.

Mais, dans sa boutique, Ottar lui paraissait être tout à la fois Jésus et Dieu, le pasteur, le vieil instituteur et Henrik.

Et il y avait là quelque chose d'insupportable. Il fallait à tout prix qu'elle y échappe.

A son retour, sa mère ne lui reprocha ni d'avoir fait du bruit en montant les escaliers, ni d'avoir gardé ses bottes. Elle se contenta de prendre les commissions et d'effleurer furtivement Tora de sa main libre. Arborant un vague sourire, elle sembla sur le point de dire quelque chose.

Mais, ses rigides tresses rousses voltigeant comme deux bouts de sisal colorés, Tora dégringola l'escalier sans attendre ; elle éprouvait une joie étrange et fugitive.

Elle se sentait tirée d'affaire. Cette fois

encore. La conscience tranquille, elle pouvait ne plus penser à la prochaine course qu'on l'enverrait faire. La garder enfouie au fond du ventre !

Bien sûr, lorsque se rapprochait le jour, elle sentait parfois comme un rat la ronger de l'intérieur. Surtout lorsqu'elle était couchée dans la solitaire et chaude obscurité du lit. Mais, une fois que c'était terminé, elle ne s'en souciait plus du tout.

Le soir, les mains gelées et le bout des oreilles tout rouge, elle rentra à la maison et sentit l'odeur de pain frais qui emplissait la cage d'escalier. L'eau à la bouche, elle monta les degrés quatre à quatre.

Quand il le fallait, ses jambes droites et maigres lui donnaient une incroyable vélocité. Les pains tout fumants étaient encore alignés sur le plan de travail.

Tora ne connaissait rien de mieux que l'odeur du pain préparé par sa mère. En la humant, Henrik lui-même avait le visage qui se faisait presque avenant. Et il lui arrivait de venir s'asseoir près du plan de travail pour s'occuper à de petits riens. Sa main valide était d'une prodigieuse dextérité, et il pouvait au besoin s'aider de l'autre. Mais uniquement quand c'était lui qui en avait décidé ainsi.

Tante Rakel affirmait qu'habile comme il l'était, il aurait pu se faire de l'argent à réparer des filets de pêche. C'était seulement qu'il lui aurait fallu une femme qui ne rapportait pas déjà de quoi vivre. Ingrid ne répondait cependant jamais à ce genre de réflexions. Elle faisait tout simplement celle qui ne les entendait pas. Tora se rendait parfaitement compte que s'il n'y avait pas eu tante Rakel au moment où sa mère était au chômage, ç'aurait sans doute été beaucoup plus difficile à la maison.

Ce soir-là, elles étaient seules, elle et sa mère. Henrik était dans la baraque d'Arntsen. En jouant à cache-cache au milieu des tonneaux, elle avait entendu sa voix par une fenêtre ouverte.

C'était ainsi que certains trouvaient à s'occuper le samedi.

Ayant mis le linge à sécher près du poêle, Tora enfourna dans celui-ci quelques pelletées de charbon. Uniquement pour montrer à sa mère qu'elle était prête à l'aider.

Ingrid faisait de la couture. Elle était penchée au-dessus de la vieille machine à coudre noire qu'elle avait héritée de sa mère.

A un moment, elle se leva lentement et s'étira en s'appuyant la main droite contre le dos. Bien que pâle et l'air fatigué, elle souriait. D'un vrai sourire, comme si elle pensait à quelque chose de bon. Puis elle alla jusqu'au plan de travail et y prit l'un des pains. En gestes rapides et experts, brisant à chaque coup de couteau la résistance de la croûte dorée, elle découpa des tranches dans le pain frais. Celui-ci croustillait, rendant chaque fois un son qui ressemblait à une supplication.

Ingrid beurra copieusement les tartines puis, ayant doucement agité une cuiller de sucre au-dessus, les saupoudra d'une fine pluie blanche.

— Et qu'est-ce qu'il a dit, Ottar ? demanda-t-elle, en saupoudrant une deuxième tartine.

— Eh ben... il a rien dit... j'veux dire qu'il causait aux autres hommes qu'étaient là.

Tora hésita tout juste assez pour que sa mère se retourne et exhibe le visage qu'elle avait le moins envie de lui voir ce soir-là.

— Pourquoi tu dis les choses comme ça ? Pourquoi tu ne les dis pas comme elles se sont passées ? Il y avait un peu de colère et d'anxiété dans sa voix.

— Et que veux-tu donc que j'te dise ? Tora

avait pris une toute petite voix. Elle n'en allongea pas moins la main pour prendre la tartine que sa mère lui tendait.

— Va t'asseoir au bout de la table et ne mets pas du sucre partout !

Tora alla se glisser à la place assignée, tout en prenant soin de placer sa tartine sur une petite assiette pour ne pas déplaire à sa mère.

Pourquoi était-elle toujours à mettre sa mère de mauvaise humeur ! Elle ne faisait jamais ce qu'il fallait. Comme un fait exprès ! Et, par-dessus le marché, c'était le soir où elles étaient seules et auraient dû être si bien ensemble.

— Ottar, il m'a rien dit. C'est la pure vérité. Si tu crois qu'il a dit quelque chose pour le crédit, eh bien, il a rien dit. Parole d'honneur !

Le silence se fit. Ingrid s'était retournée vers le plan de travail. Le sucre crissait entre les dents de Tora. Elle n'y pouvait rien. Tellement c'était bon. Et puis elle avait faim.

La pluie s'était mise à tambouriner contre la fenêtre, les enfermant l'une avec l'autre. A présent, maman paraissait elle aussi se rendre compte que chacune n'avait que l'autre. Car elle se retourna soudain et, regardant Tora avec gentillesse, lui dit : — Non, tu as p't-être bien raison. C'est un brave type, Ottar. D'ailleurs, la semaine prochaine, je te donnerai de l'argent pour lui. Avec les lessives que j'viens de faire chez le chef de la police, j'vais avoir un petit supplément. Et puis, tu sais, on va m'donner mon salaire du mois. T'auras l'argent qu'il faut.

Tout en mastiquant, Tora arborait un sourire. Mais, en son for intérieur, elle pensait qu'il y avait au moins dix chiffres dans le livre d'Ottar. Elle n'en dit cependant rien et se contenta de s'agiter un peu nerveusement tout en se léchant un doigt qu'elle avait appuyé très fort contre l'assiette pour en récupérer le sucre.

— Arrête donc, dit la mère. C'est pas bien de se lécher les doigts en mangeant.

Baissant la tête, Tora cessa son manège. Elle avait l'estomac noué et trouva bien trop grande la tranche de pain qu'on lui donna ensuite. Elle se sentait si misérable qu'elle ne trouva rien d'autre à faire que de sourire encore une fois à sa mère. Mais sans y réussir vraiment. Au reste, Ingrid n'en vit rien, car elle s'était mise à débarrasser la table.

Au bout d'un instant, elle alla se réinstaller devant sa machine, tournant de nouveau le dos à Tora.

Celle-ci ressentit un grand vide.

Elle avait l'impression que le dos de sa mère n'avait cessé de lui être hostile.

— Maman, tu veux que j'te fasse du café ? demanda Tora d'un ton hésitant.

S'étant retournée sans hâte, Ingrid regarda la fillette comme si elle n'avait pas encore remarqué sa présence. Habituée à la puissante lumière qu'elle utilisait pour coudre, elle plissait les yeux en paraissant vouloir percer la pénombre.

— Non, ma chérie. Mais tu peux m'aider à essayer cette veste. J'ai eu un peu de mal pour les manches. La Rakel, elle est plus p'tite que moi. Plus mince. Et il faut que j'ajoute un morceau de tissu par ici. Mais, pour le retourner ç'a été facile ; et le vêtement l'est maintenant comme neuf.

Et elle montra à Tora la vieille veste du dimanche de Rakel qu'elle avait retournée. Tora s'essuya promptement la bouche et se précipita vers elle.

— Oh oui ! Qu'est-ce que j'peux faire ?

Ayant donné des explications, la mère prit la direction des opérations. Elle enfila la veste, puis se mit à tourner devant la glace qu'elle était allée chercher dans la salle et avait appuyée contre le dos d'une chaise. Tora mit les épingles aux endroits que lui indiquait Ingrid. L'ampoule nue qui se trouvait au-dessus de la table entourait d'une froide auréole les deux têtes penchées l'une vers l'autre.

L'essayage terminé, Ingrid se rassit à sa machine, qui se remit à ronronner. Penchée au-dessus de la table, Tora regardait. Elle osait à présent. Elle avait rapproché sa chaise le plus possible afin de mieux suivre les opérations. Sa mère était contente. La veste présentait bien, et le travail était presque terminé. Le pli qui s'était creusé entre les yeux d'Ingrid s'estompait. Il s'effaça même tellement bien que Tora en fut toute ragaillardie.

Puis sa mère la pria de réchauffer le café qu'elle avait d'abord refusé. Sur quoi, elles se mirent à parler de tante Rakel et de la tête qu'elle allait faire en retrouvant sa veste comme neuve.

Elles étaient encore en train de travailler lorsqu'Henrik rentra.

Comme c'était tôt pour un samedi, elles n'avaient pas fait attention au bruit de la porte du bas.

Tora put constater qu'il n'était pas complètement soûl. Il avait envie de bavarder et s'assit à la table.

A un moment, il donna à Tora les ciseaux qu'elle avait laissés sur la table après avoir coupé les fils pour sa mère. Tora eut l'impression que les ciseaux n'étaient plus les mêmes. Ceux-là étaient plus froids. Etrangers. Elle éprouvait une bizarre répugnance à les toucher. Et elle dut faire un effort pour les prendre comme si de rien n'était. Calmement. Sans le regarder.

— Merci ! dit-elle à haute voix.

Par la suite, il lui demanda encore comment ça se passait à l'école. Mais à ce moment-là, le sommeil l'avait déjà gagné, et Ingrid abandonna sa machine pour l'aider à se mettre au lit.

Une fois Henrik et sa mère dans la pièce, Tora fut brusquement prise de nausée en les voyant à travers la porte entrouverte — ensemble. Elle se dépêcha de regagner sa chambre et ferma précautionneusement derrière elle.

Il y faisait froid. Mais elle y était tranquille et il n'y avait personne pour la voir. Elle resta un instant au milieu de la pièce et s'apitoya sur l'ange encadré derrière son verre. Il avait la joue appuyée sur une de ses mains potelées mais ne voyait rien.

Il était tout seul.

8

Tora étant allée chercher les journaux à l'autocar, la Jenny du kiosque l'avait gratifiée d'une sucette.

Et elle revenait maintenant à la maison sans se presser.

La luminosité du ciel avait quelque chose de miraculeux, et elle savait que si les mouettes paradaient au-dessus des claies du séchoir, c'était à son intention. Elle percevait leurs cris avec une telle intensité ! Les mouettes, elle pouvait les entendre à tout moment et en tout lieu. Elle portait leur bruit en elle.

Mais il y avait des moments où leur résonance était plus claire et plus agréable que d'habitude.

Comme en ce jour. Un jour à tout recommencer à zéro. Un jour à penser à de bonnes choses. Un jour à courir très vite et à rire très fort ou à seulement marcher toute seule avec sa sucette. En route vers nulle part, même si c'était pour revenir à la maison.

Jenny était gentille. Parfois bourrue et forte en gueule. Mais gentille. C'était sans doute les yeux. Des fentes étroites au fond desquelles il y avait quelque chose de vert. Toujours pleins de vie, qu'elle fût gaie ou en colère.

Jenny exhibait des joues qui avaient un air de famille avec les pommes qu'elle vendait. Elles étaient rouges, les unes et les autres. Quant à son tablier aux rayures jaunes et marron, il n'était jamais impeccable. Sur les poches, il y avait des taches de crayon à encre. En permanence.

La porte d'entrée était ouverte, mais il n'y eut personne pour lui crier de se déchausser. Tora s'arrêta pile. Elle sentit son estomac se recroqueviller jusqu'à ne plus former qu'une boule compacte. Quelqu'un était là. Et pourtant il n'y avait personne.

Henrik se serait-il donc soûlé en plein milieu de la journée ?

En entrant, elle vit Ingrid assise à la table de la cuisine et encore habillée de son vieux manteau usé. Gardant les yeux baissés, elle ne paraissait pas l'avoir vue. Elle avait conservé son foulard et ses gants !

Le visage était effacé. Le nez était comme une tache d'encre qu'une intervention malhabile aurait rendue plus visible encore.

Semblant animée d'une vie étrange au milieu de tout ceci, des mèches de l'abondante chevelure noire dépassaient du foulard.

— Ils veulent plus d'moi. Ils disent que j'me la coule douce parc'que j'veux plus travailler dans l'équipe du soir. J'suis au chômage, Tora ! Ingrid avait parlé d'une voix perçante. Où s'exprimait une sorte de rage impuissante, qui paraissait ne pas oser montrer sa force de peur de n'en avoir pas assez.

— J'sais pas d'quoi qu'on va vivre, ajouta-t-elle doucement et sur un ton plaintif que Tora lui avait déjà entendu.

— Maman, j'mets les pommes de terre à cuire ?

Ce disant, Tora était complètement hors d'haleine.

En faisant semblant de n'avoir rien entendu, sans doute s'apercevrait-elle qu'elle avait tout inventé. Si elle arrivait à compter jusqu'à cent en courant chercher les pommes de terre à la cave, ce ne serait peut-être qu'un rêve, et elle retrouverait sa mère comme si de rien n'était, en train de faire rissoler les croquettes de poisson.

Mais, une fois revenue en haut, elle avait oublié de compter, et sa mère était toujours au même endroit.

— Si encore tu pouvais te débrouiller toute seule le soir, j'aurais pu le prendre, ce travail, geignit la mère.

A ces mots, Tora eut l'impression de recevoir un coup dans le dos.

Pour ne plus avoir à les subir, elle ouvrit le robinet au maximum et, de toutes ses forces, se mit à tourner les pommes de terre boueuses dans la cuvette. Elle sentit quelque chose éclater derrière ses yeux, mais n'en lava pas moins les pommes de terre comme s'il en allait de sa vie. Comme si elle ne pouvait se débrouiller seule, autant de soirs qu'il le faudrait !

Pourtant, l'accusation était grave et juste, puisqu'elle venait de maman.

Juste ! Est-ce qu'elle, Tora, n'avait pas...

Elle éprouva la bizarre sensation d'être dépouillée. Le corps entier. Et elle n'osa pas se retourner. Son visage l'aurait trahie. Cela commença par les yeux, se manifesta ensuite au bout des doigts puis gagna très rapidement l'ensemble du corps. Cette même sensation froide et moite qu'elle avait eue l'année dernière en touchant sa grand-mère morte.

D'une certaine manière, peut-être avait-elle, elle aussi, commencé à mourir ?

Cette odeur d'œillet ?

Lorsqu'il lui fallait se lever devant toute la classe pour être interrogée. Elle savait qu'elle avait appris ses leçons, mais ses mains n'en devenaient pas moins moites et ses aisselles humides. Puis venait cette douceâtre odeur de mort et d'œillet.

A présent, Ingrid était lancée. Tout le temps qu'elle prépara le dîner elle ne cessa de parler. Encore habillée de son manteau et de son foulard, elle rabâchait. Tora n'écoutait pas ce qu'elle disait ou s'empressait de l'oublier. Ça valait mieux comme ça. Pour toutes les deux.

Déjà, Tora se ménageait une planche de salut pour le reste de la journée. Après avoir fait ses devoirs, elle se dépêcherait d'aller au kiosque de Jenny pour l'aider à l'étiquetage.

C'était déjà promis !

Aujourd'hui elle demeurerait invisible.

Mais d'abord elle rangerait bien la cuisine pour permettre à sa mère de se reposer un peu.

Si Jenny ne voulait pas la garder toute la journée, elle pourrait toujours aller dans le grenier de l'exploitation avec ses cahiers de brouillon.

Dans le grenier de l'exploitation d'oncle Simon, il y avait une fenêtre avec quatre carreaux sales qui donnaient sur un bon pan de ciel. C'était à travers eux que Tora recevait la lumière du jour, pour autant qu'il y en eût. Et c'était là son seul éclairage.

De temps en temps, elle pensait bien prendre une bougie mais n'en faisait rien.

Sa mère l'avait suffisamment mise en garde contre les dangers du feu. Aussi ne pouvait-elle ni lire ni écrire en l'absence de jour. Cependant, personne ne pouvait l'empêcher de s'installer sous la vieille bâche déchirée à l'encoignure de la fenêtre. Là, elle restait à écouter les souris faire leur remue-ménage entre les éléments de bois et de carton de la cloison, tandis que, du dehors, lui parvenait le bruit de la mer et des mouettes.

A l'intérieur, on trouvait des caques, des tonneaux et des objets au rebut permettant de composer toutes sortes de mobiliers bizarres.

En vérité, ce n'était plus de son âge. Mais il n'y avait personne pour la voir.

Tora n'emmenait jamais personne dans le grenier de l'exploitation. Même pas Soleil. Mais, comme Soleil était bien trop grande pour ce genre de chose, Tora n'avait pas l'impression de la priver de quoi que ce soit.

Elle disposait aussi là-haut d'un morceau de laine feutrée qui avait son utilité contre le froid, les jours où sa bouche rejetait une lugubre et solitaire fumée. Elle s'imaginait alors être un monstre ou un dragon transformé, qui ne devenait véritablement lui-même qu'une fois seul.

Et pourtant, elle demeurait Tora.

Dès lors qu'elle pouvait rester un petit moment là-haut, il se formait dans sa tête beaucoup plus d'histoires qu'elle n'en pouvait retenir. Et certaines étaient chargées d'une insupportable tension. Bon nombre commençaient de la même manière mais se terminaient différemment.

Parfois, elle se faisait elle-même souffrir en inventant une fin si triste qu'elle se mettait à sangloter. Sans cependant verser de pleurs. C'était si difficile de pleurer. Les larmes étaient comme enfermées et se refusaient absolument à sortir.

Ces histoires se trouvaient là toutes prêtes contre les murs, à l'ombre des caisses qui faisaient office de meubles, entre les chevrons.

Dans les plus belles, il y avait toujours un père qui revenait.

Certaines comportaient une mère malade qui mourait. Et, lorsque le père l'apprenait, il revenait d'un lointain pays pour aller chercher sa petite fille qu'il n'avait pourtant encore jamais vue. Les mères, elle les faisait mourir sans aucun problème, étant cependant bien entendu qu'elles étaient plus heureuses au ciel.

Seule.

Cette idée lui était un doux secret.

Elle cachait ses trésors sous une caisse de margarine renversée. Trois cahiers de brouillon donnés par Gunn et un crayon à encre. Mais il ne lui arrivait pas souvent de mettre ses histoires par écrit. Ou bien il ne faisait pas assez clair, ou bien les épisodes se succédaient à une telle allure qu'elle n'avait pas le temps de trouver les mots.

Parfois, ce qu'elle avait écrit lui paraissait si maladroit qu'elle rayait tout.

Mieux valait alors laisser les pensées sortir de dessous le feutre et flotter dans l'air. Les pensées, elles étaient grandes en soi : Tora ne connaissait rien de mieux. Et tant pis s'il y en avait parfois une qui était insupportable.

Entre autres histoires, Tora en avait une très belle où il était question d'un chemin que l'on parcourait avec une clef dans la poche. La clef d'une petite pièce fermée. Fermée à tout le monde. Chaque fois qu'elle arrivait à un endroit précis du chemin, Tora faisait demi-tour et rentrait chez elle dans la pièce, quelle que soit sa destination. Elle ouvrait la porte, entrait et verrouillait derrière elle.

Nulle voix ne se faisait entendre.

Le péril ? Le péril ne pouvait pénétrer dans ce genre de pièce.

Mais, dès lors qu'il était par hasard quelqu'un pour mentionner son nom *à lui*, le péril manifestait sa présence et assombrissait la journée entière, même quand elle s'était exercée à ne pas y penser.

Lorsqu'il entrait dans une pièce où elle était seule, Tora avait la sensation qu'on jetait sur elle un chiffon crasseux et humide.

Elle demeurait alors raide et figée jusqu'à ce que quelque chose vînt dissiper l'enchantement.

Parfois, elle cherchait le salut en devenant un personnage d'un conte qu'elle inventait en toute hâte.

Elle était une princesse ensorcelée que le malheur avait frappée. Mais s'il se passait *telle* ou *telle chose*, le maléfice cessait de produire ses effets, et le péril n'était plus.

Pour gâcher sa journée, il suffisait parfois qu'elle le voie accrocher ses vêtements à côté des siens dans le couloir ou que son assiette soit mise sur la sienne après le repas.

D'autres fois, alors qu'elle croyait avoir l'esprit tout à fait ailleurs, elle pouvait se sentir prise d'une inexplicable nausée à la seule vue de la mousse à raser qui flottait dans la cuvette.

C'était dehors qu'elle était le plus souvent le mieux.

La vie y était d'une tout autre nature. On pouvait courir ! courir loin de tout.

Par mauvais temps, quand le vent soufflait

assez fort, elle avait l'impression de voler. Il lui suffisait de courir spécialement vite et de sauter spécialement haut pour immédiatement se transformer en Tora volante.

— Attends donc d'être assez grande ! avaient coutume de dire tante Rakel et maman.

Tora comprenait qu'elle commençait à l'être, assez grande. Tant le péril était maintenant proche, plus proche qu'il ne l'avait jamais été. Et le péril n'était plus seulement rêves et imagination. Il existait en elle. Et il lui fallait s'en arranger. C'était son affaire.

Ainsi en allait-il.

En attendant, elle courait du plus vite qu'elle pouvait. Et, au jeu, elle était la plus rapide de tous.

Les grands garçons du bourg l'avaient admise à jouer à la balle avec eux. Elle attrapait la balle pour la relancer ensuite avec force et précision. Et, quand elle était de bonne humeur, elle avait une manière de la faire tourner qui provoquait l'admiration.

Personne ne lançait la balle aussi fort que Tora. Bien que son corps donnât l'impression de pouvoir à tout moment se casser en deux, et bien qu'elle sentît le poisson.

Avançant son petit menton pointu, elle conservait une ou deux secondes la balle en caoutchouc dans sa main osseuse et dure comme de la pierre, puis la projetait. Au moment même où sa main la lâchait, elle était animée d'une force sauvage qui l'entraînait à la suivre. Son corps était comme un ressort tendu. Et elle sentait alors une joie mauvaise l'envahir.

Puis la balle prenait son vol tandis qu'elle restait sur place.

Mais celui qu'elle atteignait sentait sa douleur.

9

Tora tira le rideau de la fenêre devant l'opacité
bleutée de l'après-midi. Ayant rempli d'eau
tiède la grande cuvette en fer-blanc, elle l'avait
ensuite posée sur un tabouret à l'extrémité du lit
et était maintenant tout à la joie de la regarder.

Tora avait chauffé tout au long de l'après-
midi depuis que sa mère était partie travailler.
En fait, elle n'en avait pas le droit : Ingrid trouvait qu'il était bien suffisant d'allumer le poêle
une ou deux heures avant de se laver. Le charbon était cher. Et, comme disait Einar dans son
grenier, on n'était pas assez riche pour brûler le
charbon. Mieux aurait valu le manger.

Tora avait mis sur le lit le grand couteau usé
par l'affûtage qu'on utilisait d'habitude pour
éplucher les pommes de terre. La lame brillait
d'un éclat débonnairement dangereux.

Il n'y avait qu'une seule clef pour tout
l'appartement, et c'était celle de la grande porte
d'entrée marron. Celle-ci se composait de deux
panneaux massifs recouverts de nombreuses couches de peinture. Le chambranle en était plus
massif encore, de même qu'étaient plus nombreuses encore les couches de peinture qui le
recouvraient.

La grande clef à l'ancienne ne servait que
lorsqu'on partait en voyage. Sinon, elle restait
accrochée près de l'interrupteur de la cuisine.
Dans les différentes pièces, il y avait un couteau
de cuisine pour bloquer les portes. Mais c'était
plus pour avertir que pour fermer.

Tora avait sorti le beau tricot de corps blanc
qu'elle ne mettait que dans les grandes occasions.
Sa mère l'avait autorisée à s'en servir, car il y

avait deux semaines qu'elle n'avait pas fait la lessive.

Tora sentit la joie l'envahir. Et comment qu'elle allait le mettre, ce tricot !

Du reste, au cours de cette dernière année, tout était devenu trop petit pour elle. Son corps maigriot s'était développé dans toutes les directions imaginables. A désespérer !

Elle trouvait honteux de grandir aussi vite et d'obliger ainsi sa mère à acheter des habits neufs, alors que les vieux n'étaient pas encore usés ; il allait lui falloir du temps avant de comprendre qu'il était inutile de rentrer sa poitrine, de courber la nuque et d'avoir honte.

Elle passa la main sur son nouveau tricot de corps blanc. Sous la lumière de la lampe de chevet, il avait un reflet bleuâtre. Tellement plus blanc, tellement mieux que l'ancien !

Elle s'était déshabillée et mise près du petit poêle noir. Elle sentait la chaleur lui envelopper le corps. Quel bien-être !

Si seulement on pouvait se passer de vêtements. Devant la chaleur du poêle. Sur les rochers. Au soleil. Etre telle que l'on était, sans qu'il y ait personne pour trouver ça bizarre ou laid.

Tora se dit qu'il ne devait rien y avoir de mieux.

A chaque mouvement, ses longues tresses rigides lui chatouillaient le dos.

Il y avait un espace à la jointure de la porte, et Tora sentit soudain passer sur son corps un courant d'air glacial qui la fit frissonner. Plongeant alors ses mains dans la cuvette, elle s'aspergea lentement de l'eau chaude qui sentait bon le savon. Les tresses n'arrêtaient pas de vouloir tomber dans l'eau, mais ce serait pour un autre jour. Généralement elle se lavait les cheveux avec l'aide de sa mère. C'était très difficile de les rincer, et il fallait tant d'eau qu'on était obligé d'aller se mettre la tête sous le robinet de la cuisine.

Vivre nue… toujours… C'était presque une mauvaise pensée. Que jamais elle ne confierait à qui que ce soit. Même pas à Soleil ou tante Rakel.

Pourtant, Rakel parlait ouvertement d'un tas de choses dont sa mère ne soufflait jamais mot.

Quand elles étaient toutes trois à bavarder dans la cuisine, il arrivait à Ingrid de faire la bouche en cul de poule et de dire :

— Quand même, Rakel, fais attention, il y a une petite fille !

Tante Rakel était d'une autre espèce.

Il est vrai aussi qu'elle pouvait se le permettre, elle qui avait mari, bateau et exploitation, ainsi qu'une petite maison blanche en dessous du Veten et une étable avec des moutons. Assurément, elle pouvait rire tout à son aise.

Tante Rakel est une grande enfant, disait la mère. Mais Tora ne comprenait pas bien pourquoi il aurait fallu empêcher la tante d'être une grande enfant. Dès lors qu'il n'y avait pas d'enfant à Bekkejordet.

Rakel savait rire. Une vraie avalanche.

La première fois qu'on l'entendait, on ne manquait jamais d'être surpris. Elle avait un rire formidable qui gargouillait dans son ventre tout en lui sortant de la bouche. Et, lorsqu'elle renversait la tête en arrière pour rire à gorge déployée, on voyait son indéfrisable rousse former un nuage qui lui enveloppait la tête. On racontait qu'elle avait tellement ri à l'église le jour de son mariage que Simon avait dû répondre oui pour les deux. Et ce, parce qu'ayant un nouveau dentier, le pasteur n'arrivait pas à parler distinctement en leur demandant s'ils voulaient être mari et femme.

Soudain, Tora entendit des pas dans l'escalier.

Tout de suite, elle prit le couteau pour bloquer la porte. Peut-être n'était-ce pas pour chez eux. Tout en tendant l'oreille, des deux mains elle serrait le morceau de savon contre sa poitrine. De son cou et de son nez, des gouttes tombaient à intervalles réguliers et presque silencieusement sur le plancher de bois. Par moments, il y en avait une qui arrivait sur sa maigre poitrine et la faisait frissonner.

La poignée de la porte de la cuisine ! Lui ! Il aurait pourtant dû être à l'entrepôt de Dahl, et pour plusieurs heures encore ! Elle alla se glisser à l'extrémité du lit.

Lorsqu'on voulait l'ouvrir, la porte s'entrebâillait d'abord avant que le couteau ne la bloque. Mais celui-ci pouvait se repousser de l'extérieur. A présent, Tora pouvait entendre Henrik longer le mur de la cuisine.

— Ingrid ! cria-t-il dans la pièce vide.

Il était donc ivre. En plein milieu de la journée !

Maintenant, il était dans l'encoignure de la pièce. Poussant des gémissements, il essayait d'enlever ses chaussures.

S'il se contentait de se coucher, il ne tarderait pas à s'endormir. Et, dès lors qu'elle l'entendrait gémir et ronfler à travers la mince cloison, elle pourrait finir de se laver. Le bas du corps et les pieds. Mais il ne fallait surtout pas qu'elle se lève ou se remette à se laver avant qu'il ne se soit endormi.

De fait, il se traîna jusqu'à son lit.

Tora restait totalement immobile dans son coin. A travers la jointure de la porte du poêle, elle ne voyait plus rien brûler, mais elle s'obligea à ne pas recharger. Quelque chose lui disait de ne pas trahir sa présence. Il ne fallait pas qu'elle soit là. Il fallait qu'elle soit ailleurs, chez la tante, dans le bourg. N'importe où. Jusqu'à ce qu'Henrik se soit endormi.

Et elle aurait à ce moment-là toute la maison pour elle. Comme s'il n'existait pas. Toutes portes fermées, elle pourrait s'asseoir sur la caisse de tourbe de la cuisine, heureuse d'être propre, nette, comme neuve. A moins qu'ayant allumé la lampe qui était au-dessus de la table de la cuisine, elle ne se mette à lire le beau livre triste que lui avait prêté Gunn.

La vie pouvait encore avoir du bon.

A force de rester sans bouger, elle avait les cuisses tout ankylosées. Son corps, où l'eau avait séché d'elle-même, était agité de petits frissons. Elle n'entendait pas encore Henrik ronfler. Peut-être était-il même trop soûl pour ça ? Peut-être était-il mort ? Dans ce cas aurait-elle de la peine ? Sans doute. Puisque maman en aurait.

Henrik était. Elle n'avait pas à s'en étonner. Elle l'appelait Henrik. Alors que les autres enfants disaient papa à l'homme de la maison. Tora se sentit soudainement heureuse de ne l'avoir jamais appelé papa. Sans savoir exactement pourquoi. C'était lié à ses mains rudes, au rêve et à la réalité dont l'inextricable et sinistre enchevêtrement lui devenait insupportable.

Un nœud pesant, une pression irrépressible, jusque dans l'entrecuisse.

Dans ces moments-là, elle souhaitait que ce fût l'été, que le jour ne s'interrompît jamais. Et, en même temps, elle souhaitait se dissimuler dans l'obscurité de l'hiver, dans le coin le plus secret qui fût.

Bon ! A présent elle pouvait recharger le poêle. Henrik avait dû s'endormir.

Comme il ne restait plus que des braises, elle mit du papier et de la tourbe pour ranimer la flamme.

La pièce s'était refroidie entre temps, et, comme Tora ne s'était pas séchée, elle grelottait de froid.

Dans la cuvette, la mousse du savon flottait comme des œufs de grenouille agglutinés. L'eau était froide. Pourtant, elle tordit son gant de toilette pour se laver l'entrecuisse devant et derrière. Très vite, silencieusement, sans presque respirer. Là où passait le gant, elle avait la chair de poule. Maintenant il ne restait plus que les pieds.

Sa mère veillait toujours soigneusement à ce que les opérations se fassent dans l'ordre. Après le visage venaient les oreilles puis le cou, la poitrine, les bras et le dos. A la suite de quoi, on pouvait passer au bas comme elle disait.

C'était par ses pieds et ses mollets graciles que se terminait la séance. Mais il fallait toujours remonter jusqu'aux genoux, même si l'on était à la fin de l'automne et qu'il faisait un temps à porter des bottes.

Jamais elle n'osait tricher.

Tora avait l'impression que sa mère pouvait voir à travers ses vêtements de quelle manière elle s'était lavée.

C'est au moment où, ayant posé la cuvette par terre, elle venait de mettre les deux pieds dedans, qu'il se fit entendre près de la porte.

Elle crut sentir sa tête se dilater. S'agrandir, se déformer et se mettre à flotter dans le vide, sans qu'elle pût rien faire pour l'en empêcher. Elle cessa brusquement de penser.

Les veines de son cou se mirent à battre furieusement. Dans sa tête, qui n'était plus là, elle crut sentir sa langue s'enfler puis lui remplir tout le gosier.

— Tora… appela-t-il d'une voix incertaine
et hésitante.

Elle ne répondit pas. Il n'y avait plus personne au monde à s'appeler Tora. Elle s'était
envolée dans le néant. Il n'y avait plus qu'un
grand silence.

Sous la porte, le couteau s'était mis à remuer
lentement. Elle n'arrivait pas à en détacher son
regard. Et elle vit la porte qui s'ouvrait. Et elle
le vit se précipiter à l'intérieur tel une grande
masse velue. Elle tenait le morceau de savon tout
contre son corps. C'est avec ses deux bras maigres et un morceau de savon qu'elle essaya de se
protéger.

Puis il n'y eut plus qu'un halètement dans
la pièce. Un halètement qui, dans la maison des
Mille, n'appartenait qu'à la nuit. Maintenant,
c'était le jour, mais…

L'homme était sans visage. La cuvette se renversa. Le bras valide était prêt à tout faire pour
deux.

A un moment, elle entendit une voix tout
contre sa tête :

— N'aie pas peur. J'vais seulement… J'vais
pas l'rentrer vraiment. J'vais seulement…

Le chat écorché sur la route.

Il était désormais inutile de se cacher dans
une encoignure. Il n'y avait pas de cachette.

C'était cette même main qui l'avait sauvée
au bord du quai, la même qui l'avait tenue au
bord du vide sur le Hesthammer, la même qui
l'avait poussée sur la balançoire accrochée entre
les grands bouleaux de derrière la maison, la
même qui lui avait donné des taloches, la même
qui l'avait aidée à faire tant de choses. Et la voilà
maintenant qui grandissait à côté d'elle, autour

d'elle, en elle. Pour se transformer en quelque chose d'informe et de douloureux qui lui collait au corps et partout.

Lorsqu'il la quitta, les vêtements en désordre, il n'avait toujours pas de visage. Seul un ricanement figé vint traverser l'air entre lui et le ballot qui était sur le lit.

Tora comprit que, d'une certaine manière, elle était morte.

Elle n'en prit pas moins le gant pour effacer les traces à moitié séchées qui apparaissaient sur la couverture de laine du lit. Elle frotta, s'acharna à frotter pour tout faire disparaître.

Le chat écorché. Le chien de Bertelsen l'avait quand même déniché. Il l'avait traîné dans la boue et les saletés. Après quoi, son corps était resté longtemps dans le fossé.

Sans doute était-ce la faute du chat lui-même. Parce qu'il n'avait pas de maître, qu'il n'avait personne pour le surveiller. Et, en le voyant, les gens avaient eu envie de l'écorcher. Et, en le voyant, les chiens avaient eu envie de le traîner dans la boue.

Ainsi en allait-il. D'aucuns avaient décidé depuis longtemps que ce serait comme ça. C'était inéluctable.

10

Bekkejordet se trouvait juste en dessous du Veten, dont on voyait les taillis de bouleaux et les rochers descendre jusqu'aux terres cultivées. Les maisons se trouvaient à mi-pente. Elles étaient peintes en blanc, bien entretenues et pourvues de fenêtres à deux battants aussi bien au salon qu'à la cuisine. L'étable se distinguait des autres bâtiments par sa couleur rouge et la fenêtre en forme d'éventail percée à hauteur du grenier à foin.

On racontait qu'ayant vu une fenêtre de ce genre lors d'une visite chez sa sœur dans la vallée du Gudbrandsdal, l'oncle de Simon, pris d'une idée de riche, avait décidé de faire de même dans son étable.

Simon avait hérité de la ferme, des champs et du quai. Il n'en était pas précisément vaniteux pour autant, mais n'était pas non plus du genre à se découvrir devant quiconque. Il louait des gens à l'époque de la fenaison et menait bien sa petite exploitation.

C'est qu'il en avait les moyens, disaient les médisants. Simon se faisait beaucoup d'argent. Et sans même avoir besoin de se risquer lui-même en mer pour pêcher. Il louait l'équipage avec son capitaine et se réservait, pour sa part, tout ce qui touchait la paperasse, les achats de poisson et les contrats. De l'avis des gens du bourg, il s'en tirait un peu trop bien, sans jamais y laisser de plumes. Hormis le pasteur, Simon de Bekkejordet était le seul à avoir les moyens d'engager des gens pour la fenaison ! Encore que, pour la petite récolte de pommes de terre, cet honneur revînt à Rakel.

Car, à part le labourage, c'est elle qui faisait tout. Si le pasteur avait des vaches laitières en grand nombre et même un bouvier, Simon, lui, avait l'étable pleine de moutons qu'il lâchait dans la montagne en été. Il fallait cependant bien qu'il y eût une différence entre Simon et le pasteur. Il n'aurait plus manqué que ça !

Quant à Rakel, personne ne pouvait l'accuser de fainéanter ou de passer sa semaine à aller boire du café chez les autres. Elle connaissait le nom de chacun de ses moutons et s'en occupait personnellement. Tous les automnes à l'époque de l'abattage, elle louait les services du meilleur boucher de Breiland et ne laissait à personne d'autre le soin de brasser le sang ; ce qu'elle faisait avec force reniflements, en pleurant d'abondance et houspillant quiconque s'approchait.

Chaque année au début du printemps, on pouvait la voir à quatre pattes dans sa bergerie bien briquée. Pleurant tout aussi abondamment et s'essuyant le nez du revers de la main, elle aidait à faire venir au monde les pauvres petits avortons visqueux. Contre tout usage, Rakel faisait son propre carême. Elle ne mangeait pas de mouton à l'époque de l'abattage.

Là-haut, dans le grenier qui aurait dû héberger tous les enfants auxquels elle avait prévu de donner le jour, se trouvait à présent le métier à tisser. Il était peint en vert et de si grandes dimensions qu'une fois installée Rakel donnait l'impression de s'y perdre.

Tous les ans, lors du tirage de la loterie de Noël organisée au profit de la Mission des marins, la grande question était de savoir qui allait gagner le lot offert par Rakel. Celui-ci se composait, en effet, de plusieurs aunes de lirette exécutées en continu et aux couleurs bien assorties, dépassant de cent coudées ces bariolages que les autres femmes tissaient au hasard. C'était en fait une véritable œuvre d'art où couleurs et motifs, bandes et rayures revenaient régulièrement en compositions identiques.

Avant que l'électricité ne fût installée dans l'île, il y avait, en hiver, deux lampes à acétylène qui ronronnaient simultanément dans le grenier. Et tous ceux qui empruntaient le raccourci conduisant d'Øvergården au bourg pouvaient entendre avec quel entrain le métier fonctionnait là-haut.

Parfois, le silence se faisait, mais la lumière n'en continuait pas moins de briller avec la même intensité à travers les fenêtres. Dans ces moments-là, Rakel était penchée au-dessus de ses boîtes à tissus, comparant les bobines entre elles et procédant avec tout le soin requis au choix des épaisseurs et des couleurs.

Si lui manquaient d'aventure celles qu'elle s'était mise en tête d'avoir, c'était la course de maison en maison pour les mendier ou les échanger contre d'autres. A moins qu'étant allée chercher la grande bassine elle ne se mît à faire de la teinture.

Combien de fois, lui reprochant d'avoir négligé ses commandes de couleurs, n'était-elle pas allée houspiller Ottar dans sa boutique. Certes, celui-ci se fâchait de temps à autre, mais il se gardait bien de le faire savoir avant que Rakel et son cabas ne fussent à bonne distance.

— L'est quand même drôlement exigeante, la bonne femme à Simon ! lâchait-il alors.

Mais, s'il y avait des clients pour l'entendre, il ne tardait jamais à apporter un correctif :

— C'est pas qu'elle soit vraiment fière. L'est même souvent serviable et de bonne humeur. Mais l'est plutôt forte en gueule. Et pour quelqu'un comme Rakel qu'a les moyens, ça va pas. Et puis, elle vient pas de chez les riches. Mais ça, c'est déjà loin. C'est pas moi qui vais commencer à ressortir toutes les misères du temps des boches. La pauvre Ingrid… C'est déjà loin. Et elle, *la Rakel*, elle paie comptant. Mais fallait entendre comment qu'elle a engueulé un des pêcheurs de Simon. Parce qu'il était entré dans le bureau sans s'essuyer les pieds. Elle l'a traité de voyou et lui a demandé s'il était né sous une tente. Tu t'rends compte ? Quand même, ça n'se fait pas. Et l'Simon, qui reste là à sourire en leur disant de bien obéir à Rakel parce que c'est elle le chef du nettoyage. Moi, je m'occupe que du poisson, qu'il dit. Tu t'rends compte ?

La neige tourbillonnante avait entouré les maisons de congères et, à peine disparu le jour parcimonieux, les lumières des fenêtres se mettaient à projeter de solitaires et bleuâtres reflets sur la croûte glacée.

A son tour enfin, la maison des Mille était devenue la proie du gel. Le gel qui vous mordait hargneusement dans les couloirs ou s'engouffrait par le trou des cabinets pour se précipiter brutalement sur vous. Et il n'était plus personne pour reconnaître que, ce gel, on l'avait réclamé au moment où les humides brouillards automnaux étaient le plus désagréablement ressentis. Maintenant qu'il était là, tout le monde le reniait pour se recroqueviller entre les murs ou descendre à la cave chercher de quoi alimenter le feu.

Peu avant Noël, Rakel engagea Tora comme aide-pâtissière.

Rouge et heureuse, celle-ci s'activait à beurrer les moules à gâteaux. Et, dans leur coquille métallique, les génoises mises à refroidir sur le banc fleuraient bon. Rakel les destinait au repas du lendemain de Noël. Pour la circonstance, elle tirait les deux rallonges et recouvrait la table d'une abondance de mets qu'elle destinait tant à la famille qu'aux amis. Et, tout l'après-midi, les gens allaient et venaient, selon le temps que leur laissaient les bêtes à l'étable ou les enfants qu'il fallait débarbouiller et coucher. Bien entendu, c'était avant tout des amis que l'on voyait, car Tora et Ingrid n'étaient qu'elles deux. Et *lui*, il n'était jamais là.

Tora croyait qu'il avait peur de tante Rakel

et qu'il n'aimait pas Simon parce que celui-ci avait ses deux bras valides. Mais elle n'en était pas tout à fait sûre.

Tora s'acquittait consciencieusement de sa tâche, veillant à bien passer le papier beurré dans chacune des rainures du moule.

— J'ai pensé inviter la Jenny du kiosque cette année. Elle est toute seule dans son grenier de la maison des Mille, et j'crois bien qu'elle a personne à qui parler. Elle a beau s'être fait faire un petit bâtard, c'est pas la mauvaise fille.

Tora se sentit devenir brûlante. Un bâtard !

— Je trouve qu'elle s'en sort pas mal toute seule. On peut pas dire qu'elle coûte cher à l'assistance.

— Comment ça ? Tora s'était enfin ressaisie.

— Elle gagne sa vie au kiosque.

— Et d'où... d'où ce qu'elle le tient, son bâtard ?

Rakel se mit à rire et jeta un rapide regard en coin vers Tora.

— Eh bien, il est venu avec une petite goutte d'amour, tout comme d'autres. C'est seulement que le père, il en a pas voulu de la Jenny.

— Et pourquoi qu'il n'en a pas voulu ? demanda timidement Tora.

— T'en as des questions. A ce qu'je crois, il était déjà marié. On dit qu'il est pas d'ici. On dit que c'est lui qui fait marcher le cinéma itinérant. Ça s'peut. J'suis la dernière à apprendre les ragots. C'est pas à moi qu'on vient les raconter. On sait bien...

Rakel se tut soudainement et se mit à déplacer énergiquement les moules que Tora venait d'enduire de beurre.

Tora eut l'impression que la chaleur feutrée de Bekkejordet s'était brutalement dissipée. Les mots et la honte la poursuivaient jusque dans la cuisine de tante Rakel.

La honte ! Celle qui, dans la rue, donnait aux enfants le droit de lui crier : — Au feu, y a le feu dans les cheveux de Tora, y a le feu. Y a sa mère qu'a couché avec un chleuh !

Le mot chleuh, c'était ce qu'il y avait de pire au monde. Pire que d'habiter dans les baraques de Nordsund. Pire que de se soûler pendant la saison de pêche. Pire que d'être le bâtard de la Jenny du kiosque.

C'était l'incarnation du froid.

Sur toute l'île, il n'y avait guère que Tora à être allemande.

Un jour, à l'école, Ole s'était fâché contre elle parce qu'elle refusait de lui prêter sa nouvelle gomme. C'était pendant la dictée.

— Sale radine de p'tite chleuh ! lui avait-il lancé.

A ce moment, ils avaient soudain entendu entre les pupitres les chaussons de feutre de Gunn, qui s'étaient arrêtés entre Ole et Tora.

Elle n'avait rien dit, n'avait pas même regardé Tora. Mais l'oreille d'Ole avait été pincée jusqu'à en devenir écarlate, et, pendant un bon moment, on n'avait plus vu du garçon que les cheveux de sa nuque.

Curieusement et à l'encontre de l'effet escompté, c'est à partir de ce moment-là que Tora avait réalisé combien il était fâcheux d'être un enfant d'Allemand. Car jamais elle n'avait vu Gunn dans cet état. A vous faire rentrer sous terre.

Et Ole passa d'ailleurs toute l'heure à écrire, sans jamais lever les yeux ni gommer la faute.

Par-dessus la table aux gâteaux, Rakel observait la fillette.

A un moment, elle dit doucement : — Je

t'ai pas blessée au moins ?… A cause de ce mot que j'ai employé ?

Tora était au bord des larmes ; toute cette sollicitude qu'il y avait dans la voix de sa tante…

Mais, au lieu de pleurer, elle se mit à parler d'abondance. Les mots sortirent soudain à toute vitesse, comme s'ils étaient restés longtemps devant une porte verrouillée, prêts à bondir dès lors qu'elle s'ouvrirait un tant soit peu : — Et c'était qui, mon père ?

Sa voix n'avait pas le ton voulu. Elle était trop essoufflée, usée…

Rakel se figea. Quelqu'un semblait l'avoir débranchée. On n'entendait même plus ce petit souffle qu'elle laissait toujours échapper du coin de la bouche lorsqu'elle effectuait un travail qui lui plaisait bien.

— Qu'est-ce… qu'est ce que tu veux dire ? fit-elle d'un ton indécis, avant tout pour gagner du temps.

— J'veux dire, mon vrai père.

Tora s'était jetée à l'eau. Il s'agissait à présent de ne pas couler. Il n'était plus temps de revenir en arrière. Rakel s'essuya soigneusement les mains sur son tablier immaculé puis alla lentement s'asseoir sur la chaise la plus proche.

— Ta mère t'a jamais rien dit sur ton père ?

Toutes deux se jaugeaient d'un regard incertain, hésitant.

— Eh ben… c'est-à-dire que maman, elle a tellement, elle a tellement de choses à faire. Elle a pas le temps !

Elle prononça cette dernière phrase à toute vitesse, comme si elle avait trouvé une planche de salut.

Même si c'était trahir sa mère, il fallait qu'elle soit informée. Il fallait qu'elle sache. Dès lors qu'elle saurait, elle trouverait la force de faire front aux insultes qui lui pleuvaient dessus sans qu'elle sût comment réagir.

Restant assise, Rakel ne cessa de garder les yeux fixés sur Tora, comme pour l'obliger à ne pas détourner le regard. Puis elle finit par lâcher :

— Bon ! Eh bien, sors les gâteaux du four, Tora. Et viens t'asseoir ici. Aujourd'hui, on va pas seulement s'occuper de gâteaux.

Et Tora fit ce que lui disait Rakel. Mais elle avait l'impression d'avoir les bras attachés au corps par un mauvais élastique et les jambes comme enracinées dans les nattes qui recouvraient le sol.

— Ton père, commença Rakel d'une voix hésitante, était un homme comme beaucoup d'autres. Il avait des cheveux bruns, des yeux bleus et une solide carrure. Un homme bien. Ta mère et lui sont tombés amoureux. Ce n'était pas un simple soldat.

Rakel s'arrêta. Son regard se déplaça vers la cuisinière. Puis elle reprit d'un ton ferme et résolu : — Mais on l'avait envoyé ici pour nous attaquer, et il était l'ennemi. Peu importaient son comportement et son aspect, peu importait de qui il allait être le père ! A l'époque, il était l'ennemi ! Même s'il aimait ta mère et... Après ça, le grand-père n'a jamais pu s'en remettre. Il est mort de tuberculose, tu le sais ; au cours du printemps qui a suivi la paix. La grand-mère, elle a pleuré, et, dès qu'on a appris que tu allais venir, ç'a été un boucan de tous les diables. Il faut comprendre, Tora ! Par beaucoup de côtés, c'était une époque difficile. Il y en avait de la haine ! Les gens avaient appris à haïr et à survivre. Plus tard, une fois la paix revenue, les gens ont trouvé des boucs émissaires, et ils ont trouvé à l'assouvir, leur haine. Ta mère a été embarquée là-dedans et j'suis incapable de te dire si, à l'heure qu'il est, elle s'en est complètement sortie.

La dernière phrase était presque inaudible.

Le silence régna un instant dans la cuisine de Rakel.

— Mais qui c'était ? Où... où est-ce qu'il est maintenant, tante ? chuchota Tora.

— Attends donc un peu, dit Rakel en se raclant la gorge. Ta mère aurait dû l'accompagner à Oslo où elle avait des amis chez qui elle aurait pu rester jusqu'à ta naissance. Ici, c'était pas un endroit pour vous. Ils croyaient que la guerre allait bientôt finir, eux aussi. Après, ils seraient allés à Berlin où il habitait et avait sa famille.

— Et alors ?

— Ils n'y sont jamais arrivés. A Trondheim, ils ont supprimé ton père, Tora...

— Supprimé ! Mais qui ça ?

— On n'a jamais réussi à le savoir. Ces choses-là, on s'est jamais inquiété de les élucider, la manière dont les ennemis avaient été liquidés. L'essentiel, c'était qu'ils aient disparu ! Mais ç'a pu tout aussi bien être les siens...

— Les siens ?

— Oui, il avait pas le droit de faire ce qu'il a fait. Il s'est libéré pour accompagner ta mère chez ses amis. Et, pour un homme qui portait l'uniforme allemand, ce n'était pas rien. Ta mère a reçu une lettre qu'on avait glissée sous la porte de la pension où elle habitait. Avec plein d'injures et pour annoncer qu'il était mort.

— Mort ! Tora semblait tout à coup réaliser.

— Oui, Tora. Mort. Et puis ta mère a retraversé la moitié de la Norvège. Presque entièrement à pied. Car, l'argent, c'était *lui* qui l'avait. Toi, tu étais dans son ventre, et j'imagine que le soleil ne brillait guère.

— Mais est-ce qu'il est mort, tante ? Est-ce qu'il est *encore* mort ?

Rakel regarda la fillette d'un air incrédule puis, ayant fait le tour de la table, alla la rejoindre.

— Chère Tora, chère Tora. Tu sais combien nous t'aimons. Ton grand-père était déjà mort, mais tu te rappelles bien ta grand-mère. Elle était gentille, Tora. N'est-ce pas ? On n'avait pas le droit de toucher à un cheveu de ta tête.

Rakel tenta un sourire. Mais ses paroles semblaient se perdre dans le vide.

— Et ce n'était pas un mauvais homme ton grand-père, tu peux m'croire... C'est Ingrid elle-même qui a voulu partir, tellement tous ces racontars lui pesaient. Je me suis souvent demandé comment ça se serait passé si, tout comme Simon, ton vrai père avait été le fils de Vilar, s'il avait été norvégien et tout le reste.

Tora n'entendait rien. Elle voyait seulement les lèvres de Rakel remuer à toute allure. De plus en plus vite. Comme si leur mouvement allait l'étouffer.

Ainsi donc ce n'était qu'un rêve, tout ce qu'elle avait imaginé là-haut dans le grenier de l'exploitation. Imaginé et rêvé. Et elle qui lui avait donné un nom. Un visage. Tout.

Papa.

Il n'y avait pas de papa. Il n'avait jamais existé. Il était mort, avant même qu'elle ne naisse !

Elle n'aurait donc droit à rien ? C'était donc cela qui l'attendait ? Sa bouche se tordit comme si elle allait pleurer, mais rien ne vint. Se levant de la chaise où Rakel l'avait rejointe, elle traversa la pièce pour gagner la porte. Oubliant qu'elle avait accroché sa veste au mur du couloir, elle s'enfonça directement dans la tourmente de neige, après avoir bien fermé la porte derrière elle.

Un grand vide s'était creusé en elle. Il était désormais inutile de grimper au grenier pour y rêver.

MORT !

Pour Tora, ce fut à ce moment pire que le péril. Parce qu'était perdu à jamais quelque chose de bon. Tout ce qu'il y avait de mauvais, on pouvait se contraindre à l'oublier. On pouvait le fuir, en courant à toute allure à travers les champs du presbytère, en hurlant comme un fou contre la tempête, en tapant dans la balle à en faire gémir celui qui la recevrait, quand bien même on lui arrivait tout juste au menton. Dans son grenier, elle pouvait parfaitement rester assise au chaud dans sa couverture de laine avec tous les périls du monde, puis se mettre à contempler le ciel gris jusqu'à ce que tout finisse par se dissiper dans une indifférence ouatée. Mais ceci, c'en était trop. C'était sa joie — la seule chose dont elle se fût réellement souciée — qui était morte et disparue à tout jamais.

Tora ressentit une lourde, une pesante envie de taper, de donner des coups de pied. D'étrangler. *Ceux* qui lui avaient fait ça !

Et, brusquement, elle comprit qu'il ne servait à rien d'imputer la faute de ce qui était ou n'était pas à une vieille maison de jeunes. C'était des hommes qu'il s'agissait, et la faute, c'était la leur. C'étaient les hommes qu'il fallait redouter et fuir.

C'étaient eux qui répandaient partout la mort.

Rakel la retrouva recroquevillée sur elle-même contre le mur de l'étable. Telle un sac de foin oublié. La neige glacée mordait avec hargne. Fouettait les mains nues et les visages. Se déposait dans les cheveux avant d'être aussitôt balayée par la bourrasque suivante.

C'était la tempête. Qui mordait. Mais aucune des deux ne s'en souciait. Elles avaient autre chose en tête.

Pour la première fois depuis longtemps, Rakel s'interrogea sur sa façon de faire.

Sans rien dire et sans la lâcher un seul instant, elle ramena Tora à l'intérieur, la réchauffa et l'habilla.

Pour arriver à la maison des Mille la route était longue.

— Nous ne sommes plus que trois femmes dans la famille, dit Rakel avec autorité.

S'il fallait que quelqu'un prenne la parole ce devait être elle. Elle le savait.

— Il y a tant de choses dont nous aurions dû parler.

Ayant versé le café qu'elle venait elle-même de préparer, elle fit passer aux deux autres la boîte qui contenait les précieux gâteaux de Noël d'Ingrid. Celle-ci ne souffla mot. En voyant arriver sa fille accompagnée de Rakel, elle avait tout de suite compris que quelque chose n'allait pas.

Henrik était sorti, comme toujours lorsqu'arrivait Rakel. Et c'était elle qui avait mis Tora sous l'édredon, puis annoncé qu'on prendrait le café à son chevet.

— Ingrid, je ne sais pas si c'est moi qui suis allée trop loin ou bien si c'est toi qui n'as pas fait ce qu'il fallait pour qu'elle sache qui était son père. En tout cas, elle en sait maintenant autant que moi. Et je voudrais bien t'entendre dire que tu es d'accord avec ce que j'ai raconté, car je ne tiens pas à ce qu'on m'accuse plus tard d'avoir menti. C'est quand même toi sa mère. C'est à toi de lui expliquer que, dans cette affaire, on s'est tous battus côte à côte et qu'elle n'a pas à avoir honte de celui qui aurait été son père si tout s'était bien passé ! Que le bon Dieu, les hommes et le diable fassent la guerre et autres choses du même genre, ce n'est pas à nous les femmes d'en avoir honte. Ce n'est pas à nous de courber la tête. C'est à nous de voir au-delà des mensonges et des silences, de veiller à nous soutenir mutuellement. Tu m'entends, Ingrid ?

Simon rentra tard dans la soirée, trempé et fatigué mais apportant le cabillaud de Noël. Bateau et équipage étaient arrivés à bon port. Quant à Rakel, elle était encore en train de préparer ses gâteaux. Car, dans la maison des Mille, l'après-midi s'était prolongé.

Sa chevelure rousse s'entêtait à sortir du fichu blanc. Son visage farineux avait une expression dure. Et sa petite bouche en demi-lune s'étirait en une sorte de rictus involontaire lorsqu'elle regardait son mari.

Simon vit bien qu'elle était extrêmement tendue, mais il s'approcha doucement par derrière pour la dérider en lui faisant le petit baiser taquin dont il avait l'habitude de la gratifier avant d'aller se changer.

— Fiche-moi le camp ! Aujourd'hui les hommes me font vomir. J'fais des gâteaux pour Noël, et j'continuerai jusqu'à c'que me viennent d'autres idées.

S'il eut un ricanement caché, Simon n'en resta pas moins perplexe devant cet éclat. Il devait y avoir quelque chose de grave. Il connaissait bien sa Rakel.

S'étant débarrassé de ses vêtements mouillés, Simon remplit d'eau chaude la grande bassine de zinc et l'apporta dans l'ancien garde-manger qu'ils avaient fait transformer en une sorte de salle d'eau où il y avait un lavabo moderne avec eau chaude et froide. Mais, lorsqu'on souhaitait se livrer à des ablutions plus sérieuses, il fallait avoir recours à la grande bassine de zinc. Pour l'été prochain, il avait songé à faire installer une baignoire. Ils n'étaient pas légion à en avoir dans le bourg. Et point n'était besoin d'aller le crier sur les toits...

Simon se brossa avec soin et se garda bien de demander qu'on lui lave le dos ou lui apporte des vêtements propres. Pour finir, il alla mettre son linge sale dans la caisse de l'appentis. En rentrant dans la cuisine, il fit comme si de rien n'était et entreprit de parler de la pêche de la journée. Mais comme, poursuivant son travail, Rakel faisait celle qui n'entendait pas, il se mit à parler du maudit hameçon rouillé qu'il avait eu la bêtise de s'enfoncer dans la main.

Aussitôt, Rakel ne fit qu'un bond vers la porte, pour en revenir ensuite munie de teinture d'iode et de gaze et le panser comme un enfant.

Dans le four, les sablés de Noël avaient suffisamment brûlé pour que Simon et le chat se les voient abandonner au moment du café nocturne.

Et c'est alors que Rakel se déchargea de tout ce qu'elle avait sur le cœur. Simon eut droit à toute la triste histoire et apprit l'étrange comportement de la fillette Tora retrouvée contre le mur de l'étable.

Quant à Simon, il pardonna instantanément à Rakel de l'avoir pris comme bouc émissaire. De l'avoir chargé de toutes les guerres, misères et paternités du monde. Encore que la paternité fût son désir le plus cher.

Une fois qu'ils se furent couchés, Rakel fut comme une frémissante prairie de chaude et ruisselante pluie printanière, de terre et de fleurs. Et Simon prit tout ce qui s'offrait, remplissant ses mains rudes et sa paume blessée de toutes les

magnificences de la terre. Malgré que l'on fût en
plein Avent.

Simon était un homme heureux.

11

Dans la maison des Mille, il n'était pas un bruit,
il n'était pas un rythme qui ne trouvât un
auditoire.

Et l'on n'était jamais assuré de la tournure
qu'allaient prendre les bruits : toujours il y avait
des surprises et des moments d'incertitude.
Lourds de significations cachées, les bruits vespé-
raux et nocturnes étaient souvent révélateurs
d'instincts secrets. Et qui se risquait à interpréter un bruit qui ne lui était pas destiné avait
toute chance de se tromper.

Pour les rires et les pleurs, il n'y avait pas de
problèmes. De même pour les jurements et les
psaumes. Mais, dès lors qu'il s'agissait de bruits
de robinet ou de pas, de conversations à mi-voix,
de raclements contre les murs ou les planchers,
l'affaire se compliquait quelque peu.

N'ayant apparemment pas grand-chose à
cacher, certains habitants laissaient les bruits
s'échapper librement par les fenêtres ou dans la
cage d'escalier. C'était surtout eux qui étaient à
l'origine des bruits diurnes.

A l'approche de Noël, lorsqu'à la fin des longues soirées s'éteignaient les lumières, les bruits
paraissaient se feutrer sous une couverture
ouatée.

Un soir, vers onze heures, quelqu'un ouvrit
brusquement la grande porte d'entrée et monta
l'escalier d'un pas rapide et décidé. Sans faire

preuve de la moindre discrétion. C'était le milieu de la semaine, et la plupart des hommes s'étaient absentés, soit pour se rendre dans le bourg, soit pour aller bricoler ailleurs.

Tora et Ingrid étaient seules à la maison, celle-ci cousant une robe qu'elle destinait à celle-là pour les fêtes de Noël. C'était une ancienne robe de Rakel qu'Ingrid avait retournée. Mais, trouvant la chaude couleur verte à son goût, Tora pensait qu'elle lui plairait bien, même si le tissu devait un peu la gratter.

Là-haut, la soirée avait été des plus calmes. Elisif assistait sans doute à une réunion religieuse et, comme elle en avait l'habitude lorsqu'elle était seule avec eux, Soleil avait dû coucher les petits.

Tora alla prudemment entrebâiller la porte pour voir ce qui se passait. Mais Ingrid la rappela sur-le-champ. Car, à un bout de manteau et aux caoutchoucs passés par-dessus les pantoufles, elle avait bien reconnu la vieille sage-femme.

C'était donc qu'Elisif allait accoucher de son petit dernier. Torstein, comme le voulait son rôle de père, était sorti peu auparavant. Mais il n'y avait eu personne pour s'en apercevoir.

Au fur et à mesure que, là-haut, s'amplifiaient les gémissements, Ingrid multipliait les soupirs tout en jetant vers le plafond des regards anxieux. En général, Elisif n'était pas du genre à se plaindre pendant les naissances. Il est vrai qu'elle en était coutumière, la pauvre.

Il est vrai aussi que, depuis la dernière fois, elle s'était convertie. Touchée par la grâce divine, qui est réservée aux seuls bienheureux, elle avait été admise chez les Pentecôtistes. Et baptisée dans la rivière Hestvikelva pour la joie et la magnificence céleste. Dans un bocal vert posé sur la vieille commode de chêne qu'elle avait héritée d'un parent, elle conservait « des graines de manne » bien à l'abri des enfants qui sévissaient en permanence sur le plancher.

Chaque jour, elle en tirait une « graine » collée sur un bout de papier où étaient imprimées les références d'un verset biblique. Et c'était ce verset qui présidait aux activités de la maisonnée. Le pire était de tomber sur un passage de l'Ancien Testament. De temps à autre, Elisif essayait d'expliquer au Seigneur qu'il était difficile de lire aux pauvres enfants innocents des histoires d'adultère, de lapidation ou d'agissements sataniques. Et le Seigneur semblait parfois consentir à l'exaucer, car, pour lui faire honneur, elle sortait une nouvelle graine puis cherchait à toute vitesse le passage indiqué.

Tora avait souvent entendu Elisif déclarer qu'elle se reposait entièrement sur Dieu du soin de tout faire. Mais elle se rendait très bien compte que, s'il n'y avait pas eu Soleil, Dieu se serait passablement sali les mains. Car ce n'était pas le travail qui manquait chez Elisif.

Tora n'arrivait pas à comprendre que, pour n'avoir plus à y penser, l'on se déchargeât sur Dieu d'une chose aussi dégoûtante qu'un accouchement.

Et sans doute Ingrid n'était-elle pas non plus sans estimer que des mains de femmes étaient plus utiles, car, lorsque la sage-femme descendit précipitamment lui demander de l'aide, elle mit un tablier propre et grimpa aussitôt les escaliers quatre à quatre.

Ceux qui assistèrent Elisif cette nuit-là racontèrent ensuite qu'ayant eu à souffrir des heures durant, elle n'avait cessé de prier. Elle avait prié pour obtenir un grand garçon bien constitué qui ferait honneur à Dieu et pourrait ainsi devenir missionnaire afin d'aller convertir les païens.

Mais, vers les six heures du matin, un cri de

bête vint déchirer l'air et se vriller dans toutes les têtes de la maison des Mille. Chacun se mit à supputer.

C'était Elisif qui, n'arrivant plus à se contenter de l'aide céleste, s'abandonnait au seul recours qui lui restait. Le cri originel. Le premier cri véritable de l'histoire universelle. Le hurlement arraché à un être dans la détresse, abandonné de Dieu, seul avec sa douleur. Le combat auquel les livres n'accordent aucune importance particulière parce que la vie nouvelle n'est pas le fait des grands généraux.

Elle mit au monde une petite fille mort-née ; qui était toute bleue et avait la tête de travers.

Lorsqu'ils l'apprirent, les gens de la maison adoptèrent un comportement discret de circonstance.

Car, Pentecôtiste ou pas, Elisif était l'une des leurs, et ils auraient souhaité qu'elle sortît victorieuse de ce combat. Ils invitèrent chez eux les sept enfants qui étaient en vie, leur offrant du cacao à l'eau et s'inquiétant de savoir s'ils avaient reçu pour Noël un chandail ou tout autre chose. Et les pauvres petits de secouer alors la tête, tout en buvant, mangeant et se laissant habiller avec les surplus sortis des armoires et cartons.

Le matin où Torstein sortit en portant sur l'épaule la petite caisse de bois qui faisait office de cercueil, les femmes et les enfants qui le pouvaient le suivirent. Silencieusement. Il n'y eut personne pour entonner un psaume avant que le pasteur n'en donne le signal. Debout sur un tas de terre gelé dans ses souliers noirs bien trop minces, il chanta seul les premières strophes. Jusqu'au moment où, paraissant se ressaisir, les femmes le reprirent à leur tour. Mais, plus qu'un psaume, c'était une sorte de grondement qui semblait proférer une vaine menace contre une force supérieure bien trop puissante.

12

Ingrid procédait au lessivage de la cuisine, tandis qu'installée dans sa chambre, sa fille répondait à vingt-cinq questions sur « Les hommes, les animaux et la civilisation de l'Asie ». La porte étant restée ouverte, la vapeur dégagée par l'eau brûlante se répandait d'une pièce à l'autre, et Tora sentait les âcres effluves d'ammoniaque mêlés à l'agréable et rassurante odeur de savon noir.

Debout sur un tabouret posé au milieu de la table de la cuisine, Ingrid appliquait du plat de la main le chiffon contre le plafond jaune sale. Les taches ressortaient clairement, et l'on voyait très bien la différence entre les endroits où l'eau savonneuse avait rempli son office et ceux où six mois de fumée, de tabac, de cuisine et de chauffage au charbon avaient imprimé leur marque.

— Dire qu'il suffit de trois personnes pour faire tant de saletés ! soupira Ingrid en s'étirant un instant.

Ayant effectué un petit pas en avant, elle provoqua une dangereuse oscillation du tabouret et de la table. Mais le mouvement s'arrêta, et elle rétablit l'équilibre, le sien puis celui de l'échafaudage. Seul se fit encore entendre à intervalles réguliers le flic-flac du chiffon que, de temps à autre, elle tordait ou changeait pour effectuer le rinçage. Dans ces moments-là, paraissant soulagée d'avoir progressé, elle avait des mouvements plus légers et plus prestes.

Le travail qu'effectuait Tora sur les pays, les populations et la civilisation de l'Asie n'avançait guère. Et, pour finir, après avoir lancé un furtif regard en direction de sa mère, elle sortit de son cartable un volume de la grande encyclopédie. C'était Gunn qui le lui avait prêté. Et, comme il contenait les lettres A et B, il n'avait pas été difficile de l'obtenir ce jour-là.

Pourtant, ce n'est pas à la lettre A de « Asie » qu'elle l'ouvrit. Elle avait déjà fait une petite marque à la lettre B.

Ainsi posé devant elle, le livre paraissait étonnamment vivant, mais il en émanait aussi quelque chose de lointain et d'étranger.

De l'index, elle suivit les entrées jusqu'à ce qu'elle ait trouvé. Le mot en majuscules était suivi de plusieurs colonnes, de cartes, d'illustrations et d'une myriade de toutes petites lettres. Berlin. « L'ancienne capitale du Reich se trouve sur la Havel et la Sprée », lut Tora.

La carte, où apparaissaient trois nuances de gris, fourmillait de noms aux consonances étrangères. D'autorité, elle mit son doigt sur un point situé à la périphérie : Schönhausen, puis s'établit là avec tout ce qu'elle possédait. C'était la maison de sa grand-mère paternelle ! Très exactement *là* ! Comme si figurait sur le papier un point invisible, juste entre la Frankfurter Allee et le Greifswalder Strasse. Tora sourit.

Elle ouvrit la bouche, paraissant vouloir articuler tous ces noms difficiles et inconnus, mais ne laissa pas échapper le moindre son.

Puis, suivant le texte du doigt, elle se mit à lire tout ce qui était écrit sur les constructions ou les rues et s'appliqua au fur et à mesure à les situer sur le plan. Après quoi, ayant gardé un instant les yeux fermés en pensant à autre chose, elle les rouvrit pour s'efforcer de retrouver immédiatement le nom sur le plan et se réciter tout ce qu'elle avait lu à son propos.

Sa grand-mère paternelle lui était apparue la veille dans le grenier de l'exploitation. Mordillant son crayon à encre, Tora était alors en train de penser à la soirée où elle avait appris la mort de son père. A cette occasion, on lui avait révélé qu'il était originaire de Berlin et qu'il avait parlé d'un frère et d'une mère. Sinon, Ingrid ne savait rien, ni sur sa famille, ni sur son adresse, qu'il lui avait pourtant donnée mais qu'elle ne se rappelait pas.

Rakel avait proposé que l'on entreprenne des recherches pour retrouver sa famille. Elle savait que d'autres l'avaient fait. Et, depuis dix ans que la paix était revenue, Rakel trouvait qu'il était temps.

Mais, gardant les yeux baissés sur ses mains, Ingrid secouait la tête :

— Ils vivent leur vie et moi la mienne...

Le ton était dur et amer, sans espoir.

— Et puis, j'suis avec Henrik, ajoutait-elle. Et j'suis pas sûr qu'il aimerait ça...

— Oui mais, Ingrid, faut qu'tu penses à ta fille. C'est quand même normal qu'elle ait envie de savoir quelque chose sur la famille de son père ! Quelle sorte de gens c'était ! Je trouve qu'on devrait l'aider à le savoir.

— Non ! La voix d'Ingrid retentit comme un cri.

Rakel se redressa et dit d'un air pincé :

— J'espère que tu le regretteras pas un jour ou l'autre !

Bien installée sous sa couette, Tora regardait les deux femmes. Elle n'y pouvait rien mais éprouvait plus de joie à voir tante que maman.

Lorsqu'elle dirigeait les yeux vers sa mère, elle

sentait une boule lui monter du ventre dans la gorge. Une sorte de pitié.

Qui la rendait indécise, qui lui enlevait tout sentiment de sécurité.

Et il fallait que Tora vive avec cette angoisse, car, sa mère, elle ne pouvait l'éviter. Mais, dès lors qu'elle trouvait sur son chemin la moindre parcelle de sécurité, elle la ramassait précautionneusement, tout en sachant qu'elle ne lui était prêtée que pour une heure ou deux.

Ce soir-là, lorsqu'assise au bord du lit elle avait appris la vérité, c'était Rakel qui l'avait précipitée dans la mer ; mais c'était également elle qui l'en avait sortie pour la remonter sur le bateau où l'attendait une sorte de sécurité. Car, avec tante Rakel, il était possible de parler.

Et sa grand-mère existait !

Elle était, en effet, bien vivante au moment où elle était entrée dans le grenier et s'était mise à parler avec Tora. A elle aussi la mort de son fils causait du chagrin. Elle ne l'avait jamais oublié. Sitôt que Tora aurait terminé sa scolarité elle lui enverrait un billet pour Berlin. Car mieux valait qu'elle aille à l'école là où l'on parlait sa langue, Tora en convenait. Et puis il y avait tellement de choses à régler. Ce fut le meilleur moment que Tora passa jamais au grenier.

Lorsque, la nuit tombée, elle revint à la maison, elle savait exactement ce qu'Elisif voulait dire en parlant de paix du cœur.

Mais il ne lui vint pas à l'esprit d'y mêler Dieu.

Rinçant et essuyant selon les brèves consignes que lui donnait sa mère, elle l'aida à lessiver les murs. Non sans l'avoir quelque peu bâclé, elle s'était débarrassée de son travail sur les pays et les populations d'Asie.

— La tante Rakel, elle a dit qu'elle m'offrirait un rôti pour Noël, affirma-t-elle.

La mère se retourna. Il ne restait plus grand-chose à faire à présent.

La sueur lui dégoulinait du front.

— Elle a dit que c'était pour me récompenser de l'avoir aidée à faire des gâteaux !

Tora s'aperçut trop tard qu'elle avait mentionné *ce soir-là*.

Depuis ce jour, Ingrid n'avait jamais parlé du père. Comme si la blessure s'était refermée. Et Tora n'osait pas se risquer à poser d'autres questions. Elle avait peur que la croûte ne se craquelle et que le sang ne se remette à couler.

Mais personne ne pouvait empêcher Tora de prononcer au fond d'elle-même le nom de Wilhelm. Elle cachait ce nom tout près d'elle, tout près, tout près, comme s'il s'agissait d'un oisillon blessé dont il ne fallait pas révéler l'existence, de peur que des gens ne s'avisent de le tuer à coups de pied.

Finalement, Ingrid et Tora se retrouvèrent assises sur un banc à boire du thé. Silencieuses et satisfaites, les mains rougies et les yeux fatigués. Pendant ce temps, de la pièce nouvellement lavée, la vapeur s'envolait par la fenêtre entrouverte puis, après avoir flotté dans le froid vespéral, allait se déposer sous l'avancée du toit pour y former de petits glaçons ondulés. Au fur et à mesure qu'au fil des heures les remuait précautionneusement le vent glacé, de mélancoliques craquements se faisaient entendre.

Enfin s'éteignirent les lumières de la maison des Mille. Les unes après les autres. Tora leva vers Ingrid son petit visage pointu planté d'un grand nez. Elles avaient bien travaillé. Il régnait une odeur de propreté, et Tora avait devant elle un

beignet bien mérité. C'était assez pour ce soir.
Berlin était si loin.

13

Elisif donnait l'impression de ne pas comprendre ce qui était arrivé à son enfant. Elle refusait de se faire aspirer le trop-plein de lait qui lui gonflait les seins. Tant Ingrid que les autres femmes de la maison des Mille s'efforçaient tour à tour de lui faire entendre raison. Et la vieille sage-femme voulut même employer la contrainte. Mais, geignant tout ce qu'elle savait, Elisif se cramponnait au torchon aigre qu'elle avait mis sous sa chemise de nuit pour essayer d'endiguer la marée montante. Il ne faut pas gaspiller les dons du Seigneur, gémissait-elle. Ces mots n'avaient cependant aucun sens, car les dons débordaient et s'écoulaient en un flot d'abondance, alors que demeurait plutôt rare ce qui était nécessaire aux enfants appelés à vivre.

A quoi s'ajoutait qu'Elisif refusait également de se faire laver. Et de se lever. La sage-femme fulminait, lui prédisant qu'à se laisser ainsi aller elle aurait bientôt le bas-ventre complètement gangrené. Mais Elisif affirmait que le Seigneur donnait et reprenait, que son nom devait être loué à jamais !

En attendant, le torchon devenait de plus en plus aigre, tandis qu'autour du visage ravagé les cheveux s'agglutinaient en mèches disgracieuses. Au milieu de toute cette misère, l'intérieur semblait se nettoyer de lui-même. Car Elisif saignait copieusement. La teinte rouge, qui avait progressivement gagné l'ensemble de la literie, avait ensuite viré au marron foncé. Mais, juste à côté du corps, il y avait toujours une source de sang rouge et frais. Comme si ce corps cherchait désespérément à garder un passage ouvert. Elisif finit par avoir des escarres et en loua Dieu. Elle ne versa pas une seule larme et soutint qu'elle n'avait pas besoin de manger.

Au bout d'une semaine, la sage-femme entra comme une furie dans la cuisine d'Ingrid.

Les points de suture s'étaient infectés. En voulant retirer les fils, elle avait dû employer la force rien que pour arriver à voir ce qu'elle faisait.

Et elles durent s'y mettre à trois, Ingrid, Johanna et la sage-femme. Il n'y avait pas d'autre solution.

La sage-femme fit ce qu'elle avait à faire, et l'on brûla le matelas dehors.

Mais, lorsque ce fut terminé, toutes, sauf Elisif, se mirent à pleurer. Car jamais on n'avait vu pareilles couches.

Quant à Torstein, on le voyait traîner comme un chien battu. Et, au bout d'un certain temps, il n'eut même plus le courage de pénétrer dans la chambre de sa femme.

Dès lors, ce fut Soleil qui apporta à boire et à manger à sa mère. Et ce fut elle aussi qui dut trouver les subterfuges nécessaires pour l'amener à absorber un minimum de nourriture. Chaque fois qu'elle entrebâillait la porte, s'échappaient de douceâtres et écœurants effluves de sang frais et séché. Auxquels venaient s'ajouter des remugles d'urine et de lait tourné.

La veille de Noël, Soleil et Tora allèrent ensemble au cabinet.

Les cloches se mirent à sonner au moment

même où elles s'y trouvaient. Soleil pleurnichait doucement, sans cependant avoir assez d'énergie pour éclater en sanglots. Assise au-dessus de son trou, Tora ne disait mot. Voir Soleil pleurer dépassait son entendement.

Ayant terminé, Soleil s'essuya avec un vieux journal qu'elle ne prit même pas la peine de froisser pour faciliter les opérations.

Lorsqu'elles furent sorties dans la neige de la cour, Tora toucha le bras de Soleil qui était complètement réfrigérée. Et, tandis qu'elles se brossaient dans la véranda, elle dit d'un ton décidé :
— Ce soir, après avoir couché les petits, tu descendras avec Jørgen. J'allumerai la bougie de ma chambre.

Le visage de Soleil s'illumina une seconde ou deux, puis s'assombrit de nouveau. Elle secoua lentement la tête et se mit à monter les escaliers quatre à quatre. Arrivée au tournant du dernier palier, elle se retourna brusquement pour regarder d'un air désemparé les traits blafards de Tora où s'incrustait la lumière crue du plafonnier. Se trouvant plus haut, son visage à elle demeurait dans une solitaire obscurité.

A son tour, le pasteur entendit parler d'Elisif.

Et, un jeudi matin, les suaves consonances de son dialecte méridional se firent entendre dans la cage d'escalier. Tora le reconnut bien à ses intonations. Soleil aussi. Quant à Einar, vu la manière dont il claqua la porte de son grenier, il était manifeste qu'il l'avait également reconnu.

Il y avait déjà près de trois semaines qu'Elisif était couchée, et le mois de janvier était bien avancé. A l'époque où elle était jeune et encore préoccupée des choses de ce monde, Elisif avait donné naissance à une fille qu'elle avait tout simplement appelée Soleil.

Mais, pour la jeune fille de quatorze ans, le

soleil se faisait plutôt rare. Dehors il faisait sombre et, à la maison, régnait une noirceur d'encre.

Ayant dit bonjour, le pasteur envoya Jørgen chercher Torstein. Celui-ci arriva et, muet de saisissement à la vue de ce visiteur de marque, demeura tout confus au milieu de la cuisine à tourner et retourner sa casquette entre ses doigts. N'ayant même pas le réflexe d'inviter son hôte à s'asseoir et faisant bientôt tourner sa casquette comme une roue, il restait planté là sans rien faire. Et pourtant, il en aurait eu des choses à lui dire, au pasteur qui venait ainsi les voir au milieu de leur misère ! Mais il avait l'impression que les mots n'arrivaient pas à se frayer un passage jusqu'à la sortie. Au demeurant, il n'était pas sûr qu'un homme aussi intelligent et savant arriverait à bien comprendre.

— C'est toute cette religiosité, cette conversion. Vous pouvez m'croire, pasteur. C'est ça qu'a tout chambardé !

A présent, c'était dit. Mais Torstein eut confirmation de ses craintes. Le pasteur ne saisit pas l'allusion.

— Ta femme est sans doute une bonne personne et une bonne chrétienne, je n'en doute pas, répondit distraitement le pasteur.

Il ne s'était guère attardé chez la malade. C'était une affaire de femmes. Certes, il avait fait ce qu'il fallait pour apporter son réconfort. Mais la femme ne s'était guère montrée coopérante. Elle n'avait pas arrêté de chanter des psaumes. Ce qui l'avait troublé, le pasteur. Forcément.

En définitive, il emmena Torstein dans le couloir et referma la porte derrière eux. Il souhaitait lui parler seul à seul.

Ce fut pour lui dire qu'il fallait éloigner les enfants.

— Et où donc ? se risqua à murmurer Torstein.

Le pasteur n'avait pas encore de solution à proposer. Mais on en trouverait bien une. C'était du ressort du bureau des affaires sociales. Quant à lui, son rôle de pasteur se limitait à recenser les foyers où régnait la misère et où ne se faisait pas sentir avec suffisamment de fermeté une main d'éducateur. Il allait falloir placer les enfants dans une famille d'accueil pendant un certain temps.

Sur quoi il rentra pour dispenser quelques aimables paroles à la horde d'enfants et tapoter Soleil sur la tête en lui demandant quand elle ferait sa confirmation.

Mais les portes du couloir étaient loin d'être hermétiques et, dans tous les recoins, oreilles et yeux étaient aux aguets. Aussi une demi-heure ne s'était-elle pas écoulée que la conversation de Torstein et du pasteur était connue dans toute la maison des Mille. En retournant aux filets qu'il avait entrepris de réparer, Torstein était gris d'émotion.

Tora et Soleil finirent la vaisselle.

Tout à côté d'un baquet de zinc posé sur un tabouret, elles avaient coiffé un escabeau d'un grand couvercle de lessiveuse où, en gestes lents et mesurés, Soleil mettait les récipients brûlants préalablement renversés.

Pour sa part, Tora essuyait le modeste service avec un torchon usé. Il y avait longtemps qu'il était trempé, mais, ne voulant pas en réclamer un autre, elle se faisait aussi invisible que possible. Quelque chose lui disait qu'il ne devait pas y avoir, comme chez sa mère, de réserve de linge.

Soleil présentait un visage inexpressif. C'était souvent le cas lorsqu'elle avait beaucoup de choses en tête. Sous la petite frange coupée presque au ras de la racine des cheveux, les traits étaient lourds. Les mains étaient anormalement grandes. Mais il fallait bien ça.

Soleil passait un temps fou rien qu'à faire la lessive.

Ce qui lui revenait en qualité d'aînée et de fille. De surcroît, elle était gentille. C'était la malédiction qui pesait sur elle. Elle était incapable de dire non. Incapable d'une vraie révolte.

Tora mit l'un des petits à balayer le sol, lequel s'exécuta à sa manière, mais sans pour autant s'attirer de réprimandes. Ensuite, elle découpa le mouton salé en petits dés, tandis que Soleil changeait le benjamin.

Il n'y eut pratiquement pas un mot de prononcé.

Dans la pièce, le psaume avait cessé. Elisif avait dû s'endormir.

Jørgen et Tor rentrèrent, silencieux et pleins de honte, parce que tout le monde savait dans la maison des Mille que le pasteur était venu les voir. En définitive, Soleil décida d'occuper les petits en les faisant jouer avec le carton à bois, tandis que, s'étant assis à la table de la cuisine, les cinq grands faisaient honte commune au-dessus d'un échiquier dessiné par leurs soins. Ayant rassemblé les boutons et bouts d'allumettes qui leur étaient nécessaires pour jouer, ils constituèrent des équipes. Et, comme les deux filles ne cessaient de gagner, Jørgen se fâcha tout rouge. Ainsi lui fut-il donné de penser à autre chose qu'au bureau des affaires sociales.

Pour sa part, Tora se sentait étonnamment bien. Presque heureuse. Elle n'était pas la seule à avoir une tare.

Le soir, alors que, munies chacune de leur seau brinquebalant, Tora et Soleil s'en allaient acheter du lait au bourg, Soleil dit d'une voix ferme :

— Ça s'fera pas !

— Et quoi donc ?

— On va pas nous renvoyer.

— Beuh…

Incertaine, Tora hésitait.

— Y a personne qui voudra d'nous. On est trop nombreux !

— Ça, c'est bien vrai, dit Tora.

Elles se regardèrent. Et, tout d'un coup, Soleil se mit à rire. D'une sorte de bon gros rire qui surprit Tora. Avant de la faire rire à son tour. Ça, elle pouvait quand même se le permettre. Et, avec leur pot brinquebalant, elles se mirent à descendre la pente à toute vitesse.

Des congères ayant obstrué la route, le camion à lait n'était pas encore arrivé.

Et elles les trouvèrent tous agglutinés. Beaucoup d'enfants et quelques vieillards. Bien contre le mur pour trouver un abri. Au-dessus de leur tête était clouée une pancarte que quelqu'un avait bricolée à la maison : « VANTE DE LAIT ».

Tout grelottants, ils se poussaient les uns les autres et inventaient des farces pour passer le temps. Ils étaient nombreux. Six rien que pour la maison des Mille.

C'est ensemble qu'ils attendaient et avaient froid.

Enfin le camion arriva. Les enfants de la maison des Mille semblaient particulièrement doués pour se mettre en tête de file au moment où l'on distribuait le dessus des grands pots. Car c'était là que le lait était le plus crémeux. Et les enfants de la maison des Mille le savaient, sans qu'il y ait jamais eu personne pour le leur avoir dit.

Ils payèrent de leurs mains engourdies ou firent inscrire la somme due dans le cahier de brouillon posé sur la tablette de bois brut qui surplombait la rampe à lait.

14

Soleil avait raison.

Il fut impossible de trouver des parents nourriciers pour autant d'enfants. Tout au moins en hiver et à si bref délai.

Usant de contrainte, quatre femmes entreprirent de retourner et de laver Elisif. Mais jamais celle-ci ne consentit à se lever.

Un jour, Ingrid s'assit sur le rebord du lit et essaya de lui parler de l'enfant mort. Elisif eut un regard d'illuminée et loua la sagesse du Seigneur dans cette affaire. Ingrid en eut froid dans le dos. Seule Soleil parvenait d'une certaine manière à percer l'écorce de dévotion, et à établir un contact avec le pauvre être.

A la fin du mois de janvier, le temps s'adoucit, et l'on se mit à patauger. Au printemps et à l'automne, il n'y avait jamais assez de chaussures dans le couloir pour tous les enfants d'Elisif. Mais qu'il fallût faire face à cette situation dès janvier !

Elisif restait dans une heureuse ignorance. Et Torstein essaya à une ou deux reprises de gérer les paires de chaussures, mais sans grand succès. A la fonte des neiges, jamais ils ne pouvaient aller tous les quatre en même temps à l'école, les enfants d'Elisif. Soleil veillait cependant à répartir les absences avec une certaine équité. Et, pour que l'obtus Jørgen pût lui aussi profiter de la sagesse de Gunn, elle le faisait réviser.

Sinon, c'était sur le dernier levé que retombait la honte de devoir rester à la maison. Car les quatre aînés ne disposaient que d'une paire de vraies chaussures et de deux paires de bottes découpées dans leur partie supérieure. Alors qu'ayant eu la chance d'hériter de ce qui était devenu trop petit pour les autres, les benjamins pouvaient tous sortir, les grands n'avaient que trois paires de chaussures pour quatre paires de pieds identiques. Ainsi n'étaient-ils chaque jour que trois à aller à la ferme et à bénéficier des corrections en rouge de Gunn Helmersen.

Confrontée à cette situation, Soleil décida de s'occuper désormais des tâches ménagères, des trois petits et de sa mère. Tout à la réparation des filets, Torstein ne se montrait que rarement dans l'escalier.

Jamais Gunn ne fit la moindre remarque sur cette absence. Mais, un jour, sans s'être fait annoncer, elle arriva le cartable plein de livres et de devoirs pour Soleil. A la longue, il s'avéra que c'était la solution la plus profitable.

Gunn demeura longtemps dans la puanteur de la pièce d'Elisif.

Le lendemain, elle fit savoir au pasteur, au bureau des affaires sociales et à tout ce que le bourg comptait de gens bien intentionnés et de bons juristes que ce n'étaient pas les enfants qu'il fallait éloigner. C'était en fait Elisif qui était malade et avait besoin d'aide.

Alors que la sage-femme parlait de « maléfices » et que le pasteur la jugeait « bonne mais inapte à élever ses enfants », Gunn affirmait sans sourciller qu'il s'agissait d'une « dépression mentale ». Elle écrivit des lettres dans les formes, eut des entretiens téléphoniques et finit par obtenir gain de cause.

On trouva une place pour Elisif à Bodø. En

un endroit dont personne ne prononça jamais le nom à haute voix.

Mais, dans la boutique d'Ottar, tout en achetant leur margarine ou leur café, les bonnes gens n'hésitaient pas à dire que l'Elisif l'était devenue dingo et qu'il fallait l'emmener.

A quoi ils ajoutaient que c'était la faute au prédicateur. A l'heure qu'il était, il devait encore être en train de traîner ailleurs et de faire perdre la tête à d'autres simplettes. C'était vraiment honteux de laisser des gens sévir comme ça.

Vint le jour choisi pour emmener Elisif. Il fallut l'habiller et la lever de force.

D'une voix tonitruante, elle menaça des pires châtiments Torstein, Gunn et Ingrid qui osaient ainsi porter la main sur la plus humble servante du Seigneur.

L'infirmier de Bodø, quant à lui, en avait manifestement vu d'autres. Demeurant d'un calme imperturbable, aussi solide que le roc, il se refusa à la gratifier de la moindre réponse. Et une fois dans le panier, elle s'effondra et se mit à pleurer.

Pendant ce temps, Soleil était restée avec les petits dans la cuisine. Mais, en entendant sa mère pleurer, elle rentra. L'espace d'un instant, semblant lutter intérieurement, elle resta au milieu de la pièce, puis alla enfin jusqu'au panier. Se penchant tout contre le visage d'Elisif, elle chuchota : — Maman, tu seras bien mieux là-bas. Y aura des gens qu'auront le temps de chanter avec toi et de lire la Bible toute la journée. Et tu pourras prier sans qu'on s'moque de toi, maman. Et puis, quand tu s'ras guérie, on viendra te rechercher, pour sûr ! Tiens, maman, voilà tes graines de manne...

Elle glissa sous la couverture un sachet en

papier gris graisseux et prit la main d'Elisif pour lui dire au revoir. Elle arborait alors un visage fermé de vieille femme. On n'y voyait ni sourire ni larmes.

Les adultes se détournèrent, l'espace d'un instant. Ils venaient de voir une adulte de quatorze ans, aux yeux bien trop vieux pour elle, et dont le nom était comme une dérision.

Soleil !

15

Du haut de son estrade, Gunn se mit un jour à parler de la haine. Et Tora s'efforça d'éprouver ce sentiment.

Mais elle n'éprouva rien. Rien qui correspondît à la description qu'en donnait Gunn. Là où elle comptait trouver la haine, il n'y avait que le vide. Ce même vide que l'on ressent lorsque, fixant un soleil tout neuf, les yeux perçoivent un scintillement de minuscules cercles ouatés et que l'éclat du soleil devient blancheur absurde.

Gunn leur parla ensuite de la guerre.

Se recroquevillant et gardant la tête baissée, Tora entreprit alors de ranger soigneusement son plumier. Elle pensait qu'on allait prononcer le mot Allemand et espérait en être débarrassée au plus vite.

La guerre atomique ! dit Gunn. C'est pire que tout ce que les hommes ont pu faire jusqu'ici. Tous les gens informés redoutent la guerre atomique.

Là-dessus, elle se mit à leur parler des explosions atomiques et de toutes les catastrophes qu'elles pourraient provoquer. L'explosion atomique dégageait autant de lumière que cent soleils. Elle était comme une boule de feu à quinze mille mètres au-dessus du désert du Nevada ! Et tout ce qu'il y avait autour devenait radioactif !

Tora laissa son corps se détendre sur le vieux pupitre qu'elle partageait avec Soleil. Indiciblement soulagée, elle posa ses paumes moites sur ses genoux.

La guerre atomique ! C'était bien pire que les Allemands ! Gunn venait de le dire explicitement, devant tout le monde.

Sans la moindre raison, sans même avoir faim, Tora pensa avec plaisir aux tartines qu'elle avait dans sa boîte métallique bleue et au fond de lait qui restait dans la bouteille. Elle éprouvait une telle sensation de chaleur et de légèreté en regardant Gunn !

Le jour même où Ingrid annonça qu'elle pourrait être reprise à l'atelier si elle acceptait de travailler à nouveau dans l'équipe du soir, Gunn leur fit savoir que le cabillaud était arrivé aux îles Vesterålen. A Øveregga, on avait déjà fait d'excellentes prises.

Tora comprit alors que sa mère aurait à travailler tard le soir...

Et elle se mit à regarder fixement le visage de l'institutrice, jusqu'à ce qu'elle vît la tête racée de sa grand-mère maternelle se glisser dans le col de la blouse de Gunn.

Demeurant toute raide, Tora continua de regarder jusqu'à ce qu'elle parvienne malgré tout à croire que la journée recélait peut-être un peu de chaleur.

A personne n'était le chat,
Personne pour s'en soucier,
Il avait honte le chat,
Il a fini dans le fossé.

16

Pestant et jurant, les hommes réunis dans la boutique d'Ottar affirmaient qu'il serait enfin temps d'attribuer de l'essence détaxée aux pêcheurs.

Dans le ferme espoir que le poisson serait au rendez-vous, beaucoup s'étaient mis sur un grand pied en achetant quinze à vingt filets de nylon.

Car, l'année précédente, c'est avec des filets de nylon qu'avait été réalisé le tiers des captures au filet.

Suçotant pensivement sa cigarette roulée, ses yeux plissés dirigés vers les étagères, Almar affirmait d'une voix où perçait la colère : — D'ailleurs, y aura bientôt plus grand-chose à prendre. Ça fait des années qu'y a des gars qui prennent tout le gros poisson à la seine. Maintenant, il reste plus qu'du jeune merlan. Et puis, la morue, on lui a tellement fait peur qu'elle ose même plus ouvrir la gueule pour s'accrocher à un hameçon. Les pêcheurs à la seine, y z'ont empêché de travailler les malheureux qu'ont qu'des lignes. C'est eux qu'ont dispersé les bancs de morue. Et, maintenant, le pêcheur au filet, il lui reste que le menu fretin.

Almar souligna d'un éloquent bruit de bouche l'importance de ses propos.

— Mais ils ont quand même protégé Hopsteigen, avança prudemment Ottar.

— Oui, pour les minus qu'ont pas pu s'procurer le capital pour s'acheter un soixante pieds avec seine et sondeur à ultra-sons. Comme ça, ils peuvent pêcher à leur guise, comme dans un conte de fées. Pêcher sur un timbre-poste ! Tu parles !

Deux hommes de l'équipage de Simon se dépêchaient de quitter les lieux avec la caisse à provisions. Ils n'allaient pas se mettre à discuter avec le vieux de Hestvika quand il était dans ces dispositions-là.

Pourtant, l'un des deux n'y put résister. Etant revenu chercher le bidon d'huile qu'il n'avait pu prendre avec le reste, il lança au moment de sortir : — Ça, il peut faire la grève, l'Almar ! Il peut s'le permettre ! Il n'a qu'à placer à la banque c'que lui donne la commune et attendre les intérêts, bien tranquille. Ça, il a pas besoin d'investir gros et de tirer une langue longue comme ça quand y a pas d'poisson !

Après cette salve, les autres jugèrent inutile de poursuivre Almar de leur vindicte. S'étant, comme il se devait, retournés vers le comptoir et Ottar, ils se mirent à parler d'autre chose.

Le Dahl, il allait avoir besoin de gens en plus pour la semaine prochaine. Il allait avoir un bateau à charger pour les U.S.A.

Ça, c'était une bonne nouvelle.

Mais, même s'ils n'engagent pas ouvertement le combat, les utilisateurs de lignes ne désarment pas. Et, dans les baraques, s'échangent au-dessus des toiles cirées des propos sans aménité. Qui se répandent ensuite dans le bourg et pénètrent jusqu'au fin fond des cuisines. Les femmes prennent parti, les enfants se lancent des grossièretés et, au fur et à mesure que se dessinent deux fronts, les nez se mettent à saigner. D'un côté, il y a les tenants de la seine à poche. En face, il y a tous les autres.

Et, parfois, ça tourne mal. Le samedi à la maison des jeunes, c'est pratiquement la rixe assurée dès que les affaires de pêche viennent sur le tapis.

Cependant, 783 chalutiers ont obtenu des concessions pour pêcher à la seine à poche au cours de la prochaine saison. Du coup, qu'ils se servent de lignes ou de filets, les autres pêcheurs réagissent comme du levain sans pâte à pain. Ils menacent de rester bien au chaud à la maison auprès de leur femme si les autorités ne diffèrent pas la date d'ouverture de la pêche à la seine.

A présent, les hommes ont leurs grandes mains fébriles plongées dans leurs poches. Les temps sont incertains. Et pourtant, sans qu'on sache très bien d'où vient l'argent, il arrive que l'un d'eux fasse l'acquisition d'une radio.

Le vent souffle de plus en plus fort. Le bon Dieu veille à garder les gens à terre et à créer des conditions idéales pour écouter la radio. Bien que ce ne soit guère du goût de ceux que préoccupent leurs revenus.

Sur le point de savoir si c'était à Dieu ou au Diable qu'il fallait imputer le prix du poisson, les opinions divergeaient. Et d'aucuns avançaient aussi certains noms à Oslo. Si la morue des Lofoten était cotée à 67 øre, l'aiglefin et le colin n'en étaient encore qu'à 61 øre.

Et les femmes soupiraient devant le prix du café : 17 couronnes 70. Mais, dès lors que la tempête épargnait les gens et les bateaux, elles étaient contentes. En Finnmark, il y avait six bateaux qui avaient disparu. Bon Dieu, non ! Ce n'était pas le moment de se plaindre des prix...

Chez Dahl, l'atelier où se préparaient les filets de poisson tournait à plein rendement.

Dahl n'était pas un mauvais patron. Mais il tenait à ce que le travail se fasse. C'était pour le bien commun. Surtout s'agissant du conditionnement. Car il payait alors au rendement.

Et il ne manquait jamais une occasion de le faire rappeler aux « dames » par le contremaître. Pour sa part, il ne se montrait guère dans ces occasions-là.

Håkon-regard-céleste (il louchait) n'aimait

que modérément cette mission, et c'était sans
dureté excessive qu'il s'en acquittait.

C'était un contremaître populaire qui savait
se mettre à la portée des gens. Jamais il ne manquait de prodiguer consolations et encourage-
ments lorsque, pour une raison ou une autre, le
travail était retardé et que le rendement baissait
jusqu'à rapporter moins de 13 couronnes l'heure.

Mais les rouages fonctionnaient. C'était
l'essentiel. Et elles étaient heureuses, celles qui
avaient leur place assurée dans le hall où l'on
découpait les filets de poisson. Tel était le cas de
Frida, Grete, Hansine et Ingrid qui, au moment
de la pause-repas, allaient l'une après l'autre se
laver les mains dans le lavabo craquelé. Et
n'oubliaient jamais de bien se savonner pour
atténuer l'odeur en mangeant leurs tartines.

Toute une précieuse demi-heure !

Dans la cantine, il y avait juste ce qu'il fallait de place pour les six chaises cannées et la
table recouverte de formica. Près de la porte se
trouvait le lavabo surmonté d'une glace. Mais
celle-ci ne renvoyait d'elles qu'une sorte d'ombre
grise sans forme lorsqu'elles mettaient leur petit
bonnet ou se passaient un coup de peigne à la
fin du travail.

En revanche, la lampe qui était au-dessus de
la table éclairait d'une lumière crue les visages
blafards et désarmés. Chaque ridule s'accentuait
jusqu'à devenir balafre mal cicatrisée. Le moindre bouton prenait une allure de nauséeuse et
indécente provocation.

Ayant enlevé son bonnet, Ingrid prit place
sur le banc, juste au-dessus du thermos cabossé.
Elle entendait distraitement les plaisanteries gras-
ses que Grete lançait à Frida.

Mâcher. Parler par monosyllabes. Se réchauffer les deux mains autour de la tasse de bakélite grise.

Les premières minutes, on ne pouvait rien faire d'autre.

Les quatre heures de travail à peine entrecoupées de courtes pauses de cinq minutes s'étaient déposées sur les épaules et sur la nuque avant de former comme un voile qui obstruait le regard.

Au bout d'un moment, Frida lança une remarque : comme patron, il y avait pire que Dahl. Et puis ce n'était pas lui qui payait le plus mal.

La moitié de la pause-repas s'était maintenant écoulée. La porte et la lucarne laissaient passer un courant d'air qui glaçait les mollets. Grete n'est pas assez chaudement vêtue, se disait Ingrid avec mépris. Faut toujours qu'elle s'habille pour la galerie.

Hansine étant sortie pour aller au cabinet, Grete en profita pour murmurer qu'il leur faudrait quelqu'un de plus rapide dans l'équipe.

Hansine les retardait… les rendements étaient mauvais à cause d'elle.

Les deux autres échangèrent un regard puis continuèrent de mastiquer sans rien dire. À ce moment, des voix se firent entendre dans le couloir, et des hommes entrèrent dans la pièce. Ingrid en éprouva un immense soulagement. Ce jour-là, elle supportait particulièrement mal les attaques de Grete contre Hansine.

Il y avait des monceaux de poissons qui les attendaient et, ce soir, c'était surtout ça qui comptait pour Ingrid. Peu lui importait qu'on soit samedi et que les hommes puissent se dispenser d'aller travailler.

Ingrid savait qu'elle n'était pas la seule à avoir du travail qui l'attendait à la maison.

Frida avait confié qu'un de ses enfants avait

vomi et qu'elle n'avait pas eu le temps de faire la lessive. De plus, elle avait sa mère malade qui habitait chez elle, et son mari était en mer.

Hansine, quant à elle, avait une vache atteinte de mammite. Elle habitait de l'autre côté du Vågen, et sa vieille bicyclette avait crevé. Si elle ne trouvait personne pour la ramener en bateau, elle ne pourrait pas être chez elle avant la nuit.

— Cette fois, on va avoir une enveloppe bien remplie !

Grete parlait avec les hommes. Elle croisait ses jambes gainées de nylon et faisait saillir sa poitrine. Elle enlevait toujours ses collants de laine lors de la pause-repas.

Ingrid se demandait d'où elle pouvait bien tenir toute cette énergie et cette vitalité. Seigneur Dieu !

Il est vrai aussi qu'elle était la seule d'entre elles à ne pas être mariée. Elle avait bien un enfant, mais il habitait chez sa grand-mère à Breiland. Grete était libre et indépendante !

Libre et indépendante ! Les mots produisirent un choc sur Ingrid.

— Demain, j'vais faire la grasse matinée. Ah ça, plutôt que j'vais la faire ! Sacredieu ! Avec café et brioche ! D'habitude, c'est les hommes qui y ont droit ! Grete était en grande forme ce soir-là. Inhalant énergiquement la fumée de sa cigarette de marque, elle dirigeait vers le plus jeune des hommes un regard extrêmement parlant.

— Qu'est-ce que tu veux dire ? demanda-t-il.

— Je pense qu'y en a qui découpent des filets et qui n'ont pas besoin de revenir suer sang et eau le samedi soir pour trois fois rien.

— Ah voilà que tu recommences ? dit

Hansine qui venait tout juste de rentrer. Comme il n'y avait pas de chaise pour elle, elle alla s'appuyer contre le lavabo.

L'un des hommes lui proposa son genou. Mais Hansine refusa en riant. Eh ben, t'as qu'à t'mettre aut'chose à la place de ce que t'as en haut des cuisses et t'attifer autrement. Comme ça, le Dahl, il pourra croire qu't'es un gars et t'confier un travail d'homme, lança le plus âgé en ricanant.

Le visage de Grete se figea l'espace d'un instant. Il y eut dans son expression quelque chose de dur et disgracieux.

— Ah oui ! Tu trouves ça normal que, pour être payé à l'heure, y ait besoin d'avoir tout un attirail qui vous pende entre les jambes !

Aux commissures de ses lèvres apparut un peu d'écume. Ses yeux lancèrent des éclairs. Elle en oublia complètement d'étendre devant elle ses jambes de nylon, et, écrasant sa cigarette dans le cendrier en fer-blanc, eut un mouvement si brusque que la cendre vint s'éparpiller sur la tartine de fromage de Hansine. Les hommes se levèrent et sortirent en riant.

— Va falloir que tu t'mettes à la colle avec un type, comme ça t'auras pas besoin d'gagner ta vie et t'iras pas prendre la place des gens qu'ont envie de s'faire de l'argent ! lui cria-t-on du couloir.

A son grand étonnement, Ingrid vit que Grete était sur le point de pleurer.

— C'est pourtant vrai, c'qu'elle raconte la Grete, s'entendit affirmer Ingrid. C'est nous les femmes qui devons rester à nous occuper du poisson, et, pendant ce temps-là, les hommes, ils se reposent. C'est nous qu'on aurait dû être au conditionnement.

— Oui, mais maintenant on n'est plus que quatre, dit Frida d'un ton las.

— Et faudrait accepter ça ? dit Grete avec colère. On a quand même bien un contremaître à qui se plaindre !

Frida s'apprêtait à partir. C'était bientôt l'heure.

— On n'est pas organisées, et rien ne l'oblige à aller présenter nos réclamations, dit Ingrid découragée.

— Pff ! Vous vous laissez drôlement faire ! De vrais moutons ! dit Grete.

— Et pas toi, peut-être ? rétorqua Frida d'un ton grinçant.

Le silence se fit.

— Si encore t'avais pas été foutre tes cendres sur nos tartines et nous assommer avec tes gueulantes, on aurait sans doute mieux bossé !

Se retournant brusquement vers elle, Grete eut une expression étrangement douloureuse. Mais elle n'ajouta rien.

— J'crois qu'on est fatiguées. Vaut mieux faire la paix maintenant. On a beau s'disputer, faut bien qu'on fasse le boulot ensemble. On va quand même pas passer la pause-repas à s'étriper.

Hansine regarda les autres d'un air suppliant.

Grete fut la dernière à sortir de la cantine.

— C'est quand même pas les hommes qu'on fout à la porte dès qu'y a plus de poisson, leur cria-t-elle.

— Les hommes, c'est eux qui nous nourrissent, cria Frida en retour.

— Et moi aussi, j'nourris, hurla Grete à qui revint le dernier mot.

Là-dessus, elle alla se venger sur son dernier mégot qui, bien que déjà éteint, n'en fut pas moins torturé, broyé et réduit en miettes contre le cendrier en fer-blanc.

En sortant du réfectoire, Ingrid s'aperçut qu'il y faisait plus chaud qu'elle ne l'avait cru.

Dans le couloir, les courants d'air venaient de partout. Glacés et humides.

Elle en éprouva une irritation qu'elle ne put elle-même s'expliquer et s'arrêta pour attendre Grete. Par simple défi. Elle se sentait en fait découragée et misérable. Mais, en elle-même, il y avait un fond de rage. *Voilà* ce que Grete avait réussi à faire.

— Je voulais simplement mettre un peu d'vie, expliqua Grete en rejoignant Ingrid. Tu comprends ça, Ingrid ?

— Mais oui, j'comprends bien. Et les autres aussi. C'est seulement qu'elles n'ont pas la force. Moi aussi, j'ai des gens à nourrir, ajouta doucement Ingrid.

Ce n'était pas tous les jours qu'Ingrid faisait de telles confidences. Grete en fut sidérée. Elle lui donna une petite tape amicale dans le dos et affirma :

— J'aimerais bien qu'on puisse un peu se voir ailleurs qu'entre ces murs, Ingrid. J'crois qu'on est faites un peu pareilles.

Ingrid sourit.

— Peut-être bien…

— J'ai envie de vivre et de m'offrir un peu de luxe. J'ai pensé m'acheter une fourrure. Mais oui, c'est sérieux. J'irai leur en mettre plein la vue en allant me promener dans le bourg avec une fourrure que je me serai payée moi-même. J'vais leur montrer à ces pouilleux ! J'ai vu des annonces dans les journaux. « Beaux manteaux de phoque brun et noir : 400 couronnes. Qualité supérieure : 850 couronnes ». Sans doute que j'prendrai le moins cher, ajouta-t-elle.

Son visage s'éclaira. Son regard se détacha d'Ingrid et alla se perdre dans un rêve.

Le *Torstein jarl* était à quai dans l'attente de son chargement. Passant devant la dernière fenêtre de l'étroit couloir, Ingrid y jeta un coup d'œil. Eh bien, il y avait au moins quelques hommes qui étaient obligés de travailler le samedi soir.

17

Almar de Hestvika était propriétaire d'un bateau de 21 pieds.

L'ayant depuis bon nombre d'années, il avait eu l'occasion de se rendre compte que, dans les uliginaires immensités du Seigneur, c'était là un outil dont l'efficacité pouvait se vérifier quotidiennement.

A le voir, il n'était pas toujours des plus rutilants. Mais il démarrait n'importe quand au quart de tour.

A ses heures perdues, Almar pêchait un peu. Etre chauffagiste de la ferme ne lui rapportait pas des fortunes.

De plus, il estimait qu'il ne fallait pas manger sur-le-champ le pain que vous donnait la commune. Celui que l'on recevait à Noël, mieux valait le conserver pour avoir encore quelque chose à se mettre sous la dent le Noël de l'année suivante.

Oui, Almar s'en tenait à ce principe et pêchait.

Par ailleurs, le bateau était bien utile les jours où il n'y avait pas de service régulier et que quelqu'un avait à se rendre sur l'île de Storøya ou sur le continent. Ainsi pouvait-il arriver que, prenant en défaut le savoir de la sage-femme, des parturientes se mettent à expulser leurs enfants en double exemplaire et les pieds devant, ou ne

126

s'avisent, de quelque autre manière, de jouer les trouble-fête.

Et Almar était toujours fidèle au poste. Affirmant qu'on ne pouvait pas se permettre de rester là sans rien faire en attendant que le service recommence, il faisait chauffer son moteur.

Il avait longtemps pensé s'acheter un bateau neuf et de meilleure qualité, mais, l'argent ne poussant pas le long des chemins, il avait fini par y renoncer. Il trouvait cependant honteux d'avoir une superstructure si ouverte et si petite que les futures mères avaient souvent les pieds exposés aux courants d'air que laissait passer la petite porte de la cabine.

En bas flottaient d'âcres relents d'huile, de vieux café et de graisse rancie sur le poêle.

La table trapézoïdale, bordée de chaque côté d'étroits bancs marron, était recouverte d'une toile cirée toute couturée et craquelée. C'était à peine si l'on pouvait distinguer la succession de roses qui en avaient jadis constitué les motifs. Par endroits, la surface s'était tellement écaillée qu'elle laissait apparaître le brun crasseux de la trame.

Au-dessus du poêle était accroché depuis toujours le même torchon à carreaux rouges. Marqué de couleurs diverses par les aléas de l'existence, il faisait partie du mobilier.

Et personne n'y trouvait rien à redire. Excepté Rakel.

— Je t'ai donné un torchon neuf à Noël, qu'est-ce qu't'en as donc fait ?

— Ben, l'est si beau que j'le garde dans un tiroir à la maison.

— J'avais pourtant bien mis sur le paquet que c'était pour le bateau !

— Ben oui, c'était bien marqué mais...

— Dis donc, l'est pas question que j'boive du café dans ton bateau si j'peux pas laver et

127

essuyer la tasse. Et avec un torchon propre ! Tu comprends donc pas ?

— J'en ai rien à foutre !

— Tu vas quand même pas t'fâcher, Almar ?

— Heu !

— Mais si, t'es fâché, j'le vois bien. Qu'est-ce que tu peux être bête !

— Heu !

Rakel essaya de se rattraper. Elle promit un torchon pour le tiroir, un autre pour le bateau et, en manière de plaisanterie, promit de broder un monogramme.

Mais, ayant donné un coup de manivelle rageur, Almar démarra et s'engagea à pleins gaz dans le Vågen.

C'est seulement lorsque le bateau eut atteint l'ultime balise qu'il tourna la tête pour lancer dans la cabine :

— Tu fais du café, Ingrid ?

Il évitait de regarder dans la direction de Rakel.

Cependant, ayant levé sur lui un œil moqueur, celle-ci remarqua :

— Avec le trajet qu'il nous reste à faire, t'as encore bien le temps de bouder !

Ignorant la remarque, Almar tourna rageusement la barre. Tora se rembrunit. Mieux valait ne pas asticoter Almar. Elle le savait d'expérience.

Et elle ne voulait à aucun prix qu'on vienne lui gâcher sa sortie.

Devant se faire réparer les dents à Breiland, Rakel n'avait pas eu envie d'y aller seule et avait offert le voyage à Ingrid qui, de toute façon, était libre le reste de la semaine. Pour Tora, Gunn avait accepté de lui accorder une dispense.

La tante avait mis son ample manteau à

grands carreaux. Laissant son regard s'attarder sur elle, Tora la trouva très élégante.

Après quoi, elle jeta un rapide coup d'œil sur le manteau démodé et retaillé de sa mère. Il avait été repassé de la veille, et l'on avait soigneusement enlevé la tache du bas. Pourtant, Tora avait l'impression de l'y voir encore. Comme si tous les gens rencontrés ce jour-là à Breiland devaient aussi la *voir* et se dire : « Mais il y avait bien une tache ici ? »

Par-dessus ses chaussures, Rakel avait mis des caoutchoucs à la dernière mode. De ces caoutchoucs verts que l'on appelait des « polaires ». Quant à sa mère, elle avait ses bottes larges et basses, garnies à l'intérieur de semelles de laine. Celles-là mêmes qu'elle mettait à l'atelier. Et Tora se disait qu'on devait les sentir de loin.

Avait-elle honte ? honte de sa mère ? Non ! Mais, à voir la différence qu'il y avait entre tante et maman, elle se sentait prise au fond d'elle-même d'une sorte de vertige.

Pour sa part, au-dessus de la robe qu'on lui avait retaillée pour Noël, Tora portait un anorak confectionné à la maison.

Et, bien qu'elle les eût remontés jusqu'en dessous des bras, ses collants de laine bleu marine aux coutures idiotement tournées vers l'intérieur lui remontaient en accordéon sur les mollets.

En fait, ça n'avait pas tellement d'importance. Dans le bateau d'Almar, il n'y avait personne à qui se comparer.

Elle aurait cependant bien voulu avoir une mère un peu élégante. Elle aurait bien aimé que sa mère fût comme tante Rakel.

Tante Rakel donnait l'impression de constamment jeter des étincelles. Et ce n'était pas du seul fait de son habillement. Elle débordait de vie. Perpétuellement. Qu'elle fût en colère ou de bonne humeur, il y avait toujours autour d'elle comme un mouvement de houle. Dès qu'elle entrait dans une pièce, tous les regards convergeaient vers elle. Tora avait pu le constater à plusieurs reprises.

Et elle trouvait que c'était injuste, même si elle était des mieux disposées à l'égard de sa tante. Que sa mère ne pouvait-elle se montrer un peu plus gaie !

Etait-ce vraiment si simple ? La joie embellissait-elle donc les gens ?

A présent, ils naviguaient entre les îlots. Ayant bloqué la barre, Almar descendit les deux marches pour avoir son café.

Il y avait un fort tangage.

Bien que remplie à moitié seulement, la grande tasse laissa échapper une partie de son café sur la toile cirée.

Almar prit un morceau de sucre entre deux doigts rugueux qui étaient condamnés à ne jamais retrouver leur couleur primitive. Car, ayant chauffé et graissé toute sa vie durant, Almar en avait à présent le corps et l'esprit totalement imprégnés.

D'une blancheur immaculée, le morceau de sucre produisit un effet des plus bizarres lorsqu'il se retrouva entre deux chicots jaunis. Mais, restant en place lorsque l'homme se mit à aspirer gloutonnement son café, il ne tarda pas à calquer sa couleur sur celle de l'environnement.

Tora resta à le regarder jusqu'à ce qu'Ingrid finisse par lui donner un coup de coude. Sur quoi, après que chacun se fût fait servir sa ration de café amer, Almar plongea une cuiller rouillée dans la boîte de lait en poudre et, se comportant avec l'hospitalité requise, répandit généreusement ce curieux produit dans la tasse de Tora.

— Pour jeunes femmes seulement, plaisanta-t-il en entrouvrant la bouche sur un sourire.

Là-dessus, il remonta vers la barre, laquelle lui donna largement de quoi faire. Protégées par le bruit du moteur, les deux femmes purent dès lors se parler en toute quiétude.

Les paumes à plat sur le bois dur et les doigts tendus vers l'extérieur, Tora avait pris appui sur le banc. Avec le bateau qui tanguait de plus en plus, c'était la meilleure manière de garder l'équilibre. Elle avait l'impression que, se propageant dans ses cuisses et ses mains, le rythme lui permettait de rester bien calée à sa place. Depuis cette année, elle avait les pieds qui touchaient le plancher. Elle se rappelait que, l'année dernière, lorsqu'elle avait accompagné sa mère à Vestbygda, il lui avait fallu tendre les orteils pour y arriver.

Le bruit de l'eau contre la proue et les battements monotones du moteur assoupissaient Tora. Le jour commençait tout juste à poindre ; il n'était pas encore six heures. C'était le bus qui déterminait l'heure de leur départ, et Almar prenait toujours tout son temps. Il était lent et méthodique. Plutôt que de pousser sa machine à fond et de risquer des ennuis, il préférait faire une demi-heure de surplace en attendant le bus.

Ainsi était-il amené à faire tout à la fois office de transporteur et de salle d'attente.

Car, à Grunnvoll, il n'y avait pas le moindre abri pour protéger ceux qui, souhaitant aller plus loin, s'usaient le regard à guetter l'apparition rouge.

Pour ce qui était du chauffage de l'école, Almar s'était occupé de l'allumer bien avant de monter dans son embarcation.

Et Gunn avait accepté, d'abord de se lever un peu plus tôt, puis de charger les poêles au cours de la matinée. De ce point de vue, elle était bien plus accommodante que le vieil instituteur. Car celui-ci avait toujours donné l'impression d'être à la fois si chétif et si dédaigneux que, dès lors qu'il ne s'agissait pas de livre ou d'écriture, il aurait semblé inconvenant de lui demander un coup de main. A écouter Almar, il passait le plus clair de son temps à déambuler entre les pupitres et à se moucher dans des mouchoirs impeccables.

Pour assurer sa succession, on avait engagé deux femmes. Car, avec l'ardeur que les gens mettaient maintenant à se reproduire, *un seul* maître ne suffisait plus.

L'une des dames semblait coulée dans le même moule que le vieil instituteur ; elle n'était vraiment pas du genre causant. Mais voilà qu'on leur avait également envoyé cette fille épatante qui venait du Sud du pays. Toujours souriante. Petite, rondelette, surprenante. Qui allait jusqu'à rire ! Il l'avait même entendue rire en classe avec ses élèves.

Parfois, quand Almar venait allumer le chauffage, il lui arrivait de la voir marcher dans le couloir glacé en simple chemise de nuit.

Et elle, comme si elle était tout habillée en jupe et pull-over, lui lançait un « bonjour » parfaitement dépourvu de gêne.

Ainsi restait-elle toujours merveilleusement naturelle.

Au plus profond de son cœur, Almar la vénérait, et, pour que personne ne vienne lui prendre ce sentiment, il y veillait avec un soin jaloux.

Suivant le cas, il lui apportait des sébastes ou des morues. Un jour, elle l'avait même fait entrer pour qu'il lui apprenne à préparer le poisson à la manière des gens du Nord. Ce devait rester pour Almar un moment inoubliable, qui, derrière la peau tannée du visage, resplendissait encore de tout l'éclat d'un chromo et allait même jusqu'à irradier les différentes parties de son corps trapu et vigoureux.

Au vrai, Almar n'en parlait pas plus que ça. A l'occasion, il en faisait état à des gens de connaissance, mais sans spécialement s'y arrêter, exactement comme le fait un chasseur expérimenté qui garde pour lui le nom des bons coins à gélinottes.

Pour Almar, Gunn était comme le soleil d'été. Il avait besoin d'elle.

Et il était loin de se sentir vieux, Almar. Il avait eu quarante-sept ans au mois d'octobre, savait mener sa barque et penser par lui-même.

Tora se serait crue sur un cheval. Suivant de tout son corps les balancements du tangage, elle s'était arc-boutée de tout son poids contre la paroi inclinée de la proue, les semelles bien à plat contre un montant.

Ils étaient maintenant parvenus à l'entrée du fjord. L'océan venait régulièrement submerger les îlots plats, sans que l'on remarquât pourtant le reflux. Au fond d'elle-même, Tora éprouvait une légère nausée.

Dans la cabine, la chaleur était étouffante. Le poêle du bateau ronronnait joyeusement. De temps en temps, lorsque le mince tuyau relié au réservoir de pétrole se mettait à alimenter la combustion, Tora apercevait une flamme vive entre les anneaux de fer rouillé.

Tante Rakel s'était tue. Elle était à présent presque aussi pâle que l'était habituellement Ingrid.

Tora regarda sa tante et se demanda si elle avait mal au cœur. Curieusement, elle n'avait jamais imaginé qu'elle pût avoir des faiblesses. Elle était celle qui se sortait de toutes les situations, celle qui était de bonne humeur, celle qui avait la réplique facile, celle qui savait débrouiller les écheveaux les plus compliqués et rendre blanc ce qui était noir. Ce devait être la première fois qu'elle était dans le même bateau que sa tante par gros temps.

Sinon, Rakel était toujours à se déplacer de-ci de-là, allant faire des courses ou rendre visite à tous ses parents et amis qui habitaient aux alentours.

Elle avait beau appartenir à la même famille qu'Ingrid et Tora, elle paraissait avoir plus de parents qu'elles.

Pour leur part, ces dernières sortaient rarement.

L'été, il arrivait à Tora d'emprunter une barque aux gars du quai et de se mettre à ramer jusqu'aux îles.

Ramer, ramer toujours, ramer jusqu'à ce que les mains lui brûlent et que l'océan vienne à sa rencontre. Tel un troll qui, même par temps calme, venait lentement frotter contre elle ses dos larges et marbrés. C'était tout à la fois angoissant et merveilleux.

Ainsi livrée à elle-même, il pouvait lui arriver de hoqueter de plaisir lorsque, voyant la mer arriver trop brutalement, elle n'osait plus ni avancer ni même présenter le bateau de flanc le temps qui aurait été nécessaire pour virer.

Sa mère ignorait tout de ces sorties. Point n'était besoin de lui en parler.

Eh oui ! Rakel avait bien mal au cœur. La tête appuyée contre la cloison, elle avala plusieurs fois sa salive.

— J'aurais pas dû boire d'ce café, murmura-t-elle en s'efforçant de sourire.

— T'es malade ? Ingrid était inquiète. Elle avait la même voix geignarde que quand il y avait du grabuge à la maison. Tora se sentit trembler en se rendant compte que sa mère avait emporté cette voix sur le bateau.

— Ben oui, tu sais bien comme j'suis, fit piteusement Rakel.

— Je l'avais oublié, répondit Ingrid étonnée d'elle-même. C'est qu'ça fait longtemps qu'on n'étaient pas sorties toutes les deux ensemble.

Rakel se contenta de hocher la tête. C'était tout ce qu'elle avait le courage de faire. Le spectacle qu'elle offrait avait quelque chose de contre nature.

Assise bien droite, les doigts enserrant son sac à main usé, Ingrid était aussi pâle que d'habitude. Malgré sa voix inquiète et geignarde, elle paraissait cependant calme, presque heureuse. Ce n'était pas souvent qu'il lui était donné de voyager. Mais, dès lors que Rakel tenait absolument à se faire accompagner et qu'elle payait tout le voyage, Henrik n'avait plus rien à dire.

Les yeux d'Ingrid étaient légèrement voilés, mais pas de la même manière que ceux de Rakel. Ingrid se sentait en sécurité et un peu lasse. Installée là dans le bateau d'Almar, elle profitait de la vie de façon inattendue.

Tora se repaissait du spectacle qu'elle offrait. Sans s'en lasser. Allant jusqu'à en oublier sa tante, elle demeura un long moment immobile à s'imprégner secrètement des traits de sa mère.

Tout d'un coup, Rakel se leva, monta d'un pas vacillant les trois marches qui conduisaient au pont, puis bouscula presque Almar. Mais, à peine avait-elle passé la tête à travers l'ouverture de la porte qu'elle dégorgea ; tout ce qu'elle avait à l'intérieur. Lourdement et en produisant toute une série d'horribles éructations. Qui semblaient provenir d'un autre monde, d'une autre Rakel.

D'un bond, Ingrid se leva pour la rejoindre. Tora la suivit. En arrivant, elle vit sa mère qui entourait Rakel penchée par-dessus le plat-bord. Celle-ci, pitoyablement recroquevillée, ne lâchait plus à présent que des sons gutturaux. Complètement vidée, elle s'efforçait péniblement d'apaiser son ventre.

Ingrid la fit s'asseoir sur le panneau d'écoutille, l'enveloppa ensuite d'une bâche pour lui assurer un minimum de protection, puis noua son foulard autour du chapeau de sa sœur, sans même se préoccuper de son propre chignon qui se défit et vint l'entourer comme une misaine.

— Allons, allons, le pire est passé. Reste donc ici à t'reposer à l'air frais. Maintenant qu't'as tout rendu, ça va bien passer. Mais oui, mais oui...

A son tour, Tora vint s'asseoir tout contre sa tante pour la soutenir de l'autre côté. Et c'est ainsi qu'elles restèrent toutes trois assises sous la bâche, tandis que la mer déferlait sur le petit pont. Parfois, le temps de laisser passer une grosse vague, Almar devait diminuer le régime du moteur. Sachant ce qui allait se passer, les deux autres s'inquiétaient alors pour Rakel. Et Ingrid était bien là, maigre et rassurante. Tora avait l'impression de sentir sa force et sa ténacité à travers le corps de sa tante.

C'est toute leur vie qu'elles auraient dû ainsi passer sur le panneau d'écoutille d'une petite embarcation, pensait Tora. Et par grand vent. Comme maintenant.

La proue du bateau creusait la mer, semblant vouloir chercher quelque chose tout au fond. Quelque chose qu'elle aurait un jour perdu ou oublié. Puis elle remontait comme mue par la curiosité, mais devait alors subir l'assaut des éléments avec plus de violence qu'elle ne l'avait prévu. Et, dans cette situation, le bateau pratiquait d'abord l'esquive, il virait à gauche puis à droite, cherchant à présenter le flanc pour se protéger des intempéries.

Mais, devant son gouvernail, Almar représentait lui aussi une puissance. Il surveillait les vagues et les devançait. Une fois dans le creux de la vague, il ralentissait pour attendre. C'était ainsi qu'il fallait faire.

Et ils étaient jetés sur la vague suivante mais ça passait. Déferlant sur le pont, sur les nouveaux caoutchoucs de la tante, la mer leur aspergeait les mollets et formait des taches sombres sur les vêtements, là où le vent avait soulevé la bâche. Le sel de l'eau faisait pleurer les yeux et raidissait les visages.

Sous le mince tissu de ses nouveaux gants, Tora ne sentait plus ses mains. Ils n'étaient pas faits pour ça, ces gants. Elle les avait mis uniquement pour faire bien. Et pourtant, elle ressentait joie et chaleur au fond d'elle-même.

Car maman avait tout pris en charge. Elle n'était pas la même qu'à la maison. Ici, elle allait jusqu'à s'occuper de tante Rakel. Elle était comme une reine, pensait Tora. A la voir ainsi, son ample chevelure engagée dans une lutte titanesque contre le vent, elle donnait l'impression de renaître superbement au milieu de la tempête.

Oui, c'était très exactement ça : elle renaissait !

Et ça n'avait rien à voir avec ce qu'on racontait chez les piétistes. Elle était tout simplement forte et invulnérable en soi, elle faisait face à tout sans avoir à implorer personne.

Sa mère avait une grosse goutte qui lui

pendait sous le menton. Tora vit qu'elle n'y faisait pas attention ; elle continuait de regarder
tranquillement la tempête. Quant à Tora, tout
en ne cessant de grelotter, elle se sentait
brûlante.

— Ben l'est devenue plutôt forte. Mais faut
pas s'inquiéter, on l'aura, le bus. Et puis vous
allez pas rester dans la tempête à crever de froid.
Vous allez rentrer, même si c'est pour dégobil-
ler. Avec un temps pareil, j'préfère avoir les femmes et les enfants à l'intérieur !

Almar avait sorti la tête de la cabine. A travers les embruns, il hurlait des paroles de réconfort à l'intention des trois femmes. Par moments,
celles-ci se faisaient copieusement arroser mais
elles ne le remarquaient pas. De toute façon,
elles étaient déjà trempées par le déferlement des
vagues.

Là ! juste entre la lumière du phare et la
bande de terre, tout en haut du ciel déchaîné,
Tora put apercevoir une unique et scintillante
étoile à travers les embruns. C'était un miracle !
l'annonce d'un changement. Un signe.

Se laissant ballotter sans retenue, elle suivait
de tout son corps le mouvement des vagues et du
bateau. Elle n'avait plus la nausée. Elle avait
l'impression que le vent et la mer lui soufflaient
à travers la tête, lui pressaient les paupières, lui
brûlaient les joues et lui mordaient les extrémités des oreilles. Elle avait la bouche entrouverte
et pouvait nettement sentir l'étrange goût salé de
la mer. L'étrange goût salé de la mort. Mais ça
n'avait plus rien d'effrayant.

Tora avait à présent une certitude ancrée en
elle, la certitude que sa mère avait subi une
transformation. Désormais, tout allait être différent. Car, lorsqu'il le fallait, maman était plus
forte que tante Rakel !

18

— Pas question que je rentre aujourd'hui si le temps s'améliore pas.

En montant dans le bus qui fumait, Rakel redressa son chapeau et brossa la neige qui s'était déposée sur ses vêtements. Blême et mal fichue, elle se munit de quelques-uns des sacs gris qui se trouvaient à l'avant, dans le filet à bagages.

Le chauffeur eut un sourire. Il avait vu pire, et les gens qui débarquaient tenaient souvent des propos du même genre.

— Ici, sur c'bateau-là, ça remue pas autant, si ça peut t'consoler.

Il attendit patiemment que Rakel ait sorti son porte-monnaie et lui ait réglé son dû.

Voulant accélérer le mouvement, des jeunes gens qui se rendaient à la pêcherie de Sørfjord pour y couper des langues de poisson se mirent à pousser Tora dans le dos. Mais Ingrid s'interposa.

Tora éprouva pour elle un brusque élan de tendresse.

Ainsi assise sur le siège moite à côté de sa mère, et sentant le moteur la porter, elle avait l'impression de décoller de la terre pour s'envoler dans le ciel.

Maman et elle. Ainsi que tante Rakel.

Rakel n'en démordait pas. Elles ne rentreraient pas ce jour-là. On annonçait la tempête.

Elles se trouvaient à présent dans la salle d'attente vert pâle du dentiste. Rakel venait de se faire plomber une molaire malade et trouvait qu'elle avait eu son content pour la journée.

Ingrid lui parlait ; comme s'il s'agissait de raisonner un enfant de la bonne société. Gentiment mais fermement. En usant de persuasion.

Rakel était cependant redevenue elle-même.

Plusieurs heures s'étant écoulées depuis son mal de mer, elle avait repris les choses en main et réglait les problèmes comme à son habitude.

Et Tora qui ne pourrait pas aller à l'école ! Et Henrik qui serait furieux ! Et puis où aller puisqu'elles n'avaient pas de famille à Breiland ?

Mais, remettant son chapeau devant le miroir, Rakel balaya ces objections en répondant d'un air dégagé : — Je nous loge à l'hôtel.

Bouche bée, Ingrid resta un instant à la regarder.

— Mais, bon Dieu, Rakel, tu as perdu la tête !

— Oh non ! Et j'en prends pas le chemin, répondit Rakel.

Rakel arriva à ses fins. Remorquant Tora et Ingrid, elle se fraya un chemin à travers la tempête et gagna l'unique hôtel du lieu. Là, ayant, comme à son habitude, mis sa main sur sa hanche, elle téléphona à la maison.

Ayant décroché, Simon fut dûment chargé d'aller prévenir Gunn et Henrik. Après quoi, Rakel put rejeter en arrière sa rousse crinière et s'estimer quitte envers toute l'île. Pendant ce temps, assises sur les chaises à torsades placées en face du long comptoir, Tora et Ingrid attendaient.

Ingrid s'était mise à grommeler contre cette nouvelle lubie de Rakel. Tora remarqua qu'elle avait retrouvé son ancien ton geignard, mais voulut l'ignorer. Elle refusait d'en subir les effets, car entre ce qui était et ce qui avait été sa mère, il n'y avait plus grand-chose de commun.

Derrière le comptoir, la femme avait des lunettes à verres épais qui chevauchaient l'extrémité de son nez pointu. C'est sans la moindre gêne qu'elle écoutait tout ce qui se disait au téléphone dans la pièce du fond.

Tora lui trouvait une ressemblance avec le hibou de son livre de lecture. Son nez saillait comme un bec au milieu du visage, et elle avait les yeux qui s'abaissaient périodiquement sur elle.

Elle paraissait vouloir s'assurer qu'elles n'allaient pas disparaître en emportant quelque chose, et, par-dessus les verres de lunette, son regard inquisitorial les observait sans la moindre indulgence, toisant les bottes et le vieux manteau, fixant les taches de boue et de neige, s'attardant sur les touffes de cheveux qui dépassaient du foulard d'Ingrid et les tresses ravagées de Tora. Parfois, il lui arrivait même de se soulever de sa chaise pour avoir une meilleure vue d'ensemble. Car le comptoir était haut et, elle, courtaude.

Mais rien ne pouvait venir altérer la joie qu'éprouvait Tora à constater que sa mère s'était transformée.

Y a qu'à la laisser reluquer, la vieille chouette ! pensa-t-elle en se mettant soudain à pouffer, jusqu'à en obliger Ingrid à lui donner un coup de coude dans le côté. En l'entendant, la femme eut un sursaut et dirigea son regard vers Tora.

— Qu'est-ce qu'il y a, chuchota nerveusement Ingrid qui paraissait craindre de se faire mettre à la porte, pendant que Rakel était au téléphone.

— C'est rien, j'rigole un peu, quoi !

— Arrête donc tes bêtises !

Tora eut soudain l'impression de voir la tapisserie de soie et la peinture qui étaient en face d'elle se ternir et devenir couleur de grisaille.

— Oh là là ! Qu'est-ce qu'il va pas avoir à payer, l'Simon !

L'air un peu perdu, Ingrid venait d'accrocher son manteau et de s'asseoir au bord du grand lit.

— Quoi, le Simon ? Pfft, si tu crois que c'est lui qui paie ! Qui c'est qui t'l'a dit ?

Penchée au-dessus de son grand sac de voyage, Rakel s'était mise à en extraire quelques menus objets qui lui étaient nécessaires pour faire un brin de toilette.

— Ben oui, qui ça pourrait être d'autre, répondit Ingrid en la regardant.

— Mais c'est moi, tout simplement ! dit Rakel en se redressant.

Paraissant oublier la présence de Tora, elles se regardèrent droit dans les yeux.

— Qu'est-ce que tu dis ? Tu as de l'argent à *toi* ? chuchota Ingrid incrédule.

— Mais bien sûr que j'en ai ! J'me fais payer par-ci par-là.

— Pfft ! Qu'est-ce que tu m'racontes là !

S'étant ressaisie, Ingrid faisait connaître le dédain que lui inspirait l'arrogance de sa sœur.

— Je fais pas mal de choses et, chaque fois, j'me compte un bénéfice. A la maison, c'est moi qui range et fais le ménage. Et puis j'élève des moutons, je cultive des pommes de terre, je tisse, je couds. En plus, je m'occupe du nettoyage de l'exploitation et du bureau de Simon. Même les couloirs qui sont toujours si dégoûtants !

— Ah bon, c'est qu'ça, l'interrompit Ingrid irritée. C'qu'on fait toujours chez soi, quoi ! c'est pas ça qu'j'voulais dire.

— Mais *moi*, c'est bien ça que je voulais dire.

Rakel se tourna vers Ingrid. Elle avait un sourcil relevé. Sa voix était presque coupante.

— Tu veux bien m'dire pourquoi j'me compterais pas un bénéfice pour ce travail honnête. Il aurait bien fallu que Simon paie une autre femme si je l'avais pas fait. Si j'avais pas été sa femme. Tu trouves pas ?

Dans l'espoir que la dispute prendrait bientôt fin, Tora regardait alternativement chacune d'elles d'un air désolé.

— Tu veux dire que tu demandes un salaire ? demanda Ingrid avec un rire cassant. A ses yeux, c'était inconcevable.

— Je ne le *demande* pas. C'est moi qui m'occupe des paiements et des factures. Pas pour l'exploitation. Bien sûr. Selon la somme, je me réserve un peu d'argent. Pas énormément, ne va rien t'imaginer ! Mais il me faut quelque chose à moi. J'veux savoir que j'ai les moyens de me payer telle ou telle chose. J'serais incapable de demander le moindre sou à Simon. Ça me rendrait folle. Et le Simon aussi, d'ailleurs !

Rakel riait à présent.

— Eh oui, c'est comme ça quand on a assez d'argent...

Ingrid murmura ces paroles dans le vide, comme si Rakel n'était pas censée les entendre. Comme si elle parlait de quelque chose qu'elle avait lu dans un magazine et qui était si loin d'elle qu'elle ne voulait pas s'en encombrer la tête.

— Allez ! on va pas rester là à raconter des bêtises. On va toutes les trois aller s'amuser un petit peu entre femmes ! On va se laver et s'apprêter un peu. Ensuite, on descendra déjeuner dans la salle à manger !

A présent, Rakel s'affairait de-ci de-là. Mais Tora voyait bien que la dernière remarque de sa mère lui trottait par la tête.

— Il y a une salle de bains dans le couloir. Ce soir, on se baigne avant d'se coucher, lança Rakel. D'accord ? Mais maintenant j'ai si faim qu'il faut absolument que j'aille me mettre quelque chose sous la dent.

On leur servit de la viande. Des côtelettes. A quoi succéda un dessert. Et, pour finir, elles auraient droit à du café.

Elles étaient seules dans la salle à manger. Tora trouvait que les lustres avaient quelque chose de féerique, et elle renversait de temps en temps la tête en arrière pour bien les *voir*.

Ce devait être comme ça à Berlin...

Les tapisseries, les appliques, les nombreuses portes, les couleurs, les gravures et les tableaux. Ayant horriblement peur de manquer ou d'oublier quelque chose, Tora s'efforçait de s'imprégner de tout. Elle se sentait devenir neuve. Elle avait l'impression de voir et de sentir de manière entièrement différente de chez elle.

Mais, soudain, elle se vit avec sa mère dans ce cadre. Elle fut frappée par la discordance. Elles y étaient étrangères...

Et, au plus profond d'elle-même, elle sentit comme une fissure qu'il fallait empêcher de laisser s'élargir.

Malgré elle, lui revinrent brusquement en mémoire les courses qu'elle allait faire dans la boutique d'Ottar. Elle avait beau savoir que ses vêtements avaient été nettoyés la veille de leur départ, elle se sentit tout à coup mal fagotée et sale. Il y avait des différences entre les gens. Mais il y avait aussi des différences *pour* les gens.

De nouveau, elles se risquèrent à affronter la tempête. Mais, maintenant qu'elles avaient le ventre plein et les vêtements secs, maintenant qu'elles étaient assurées d'un logement pour la nuit, *ce* n'était plus un problème.

Rakel avait, comme elle disait, plusieurs « bricoles » à acheter.

Elle alla quelque part faire l'acquisition d'un chandail et de laine à tricoter.

Dans une vitrine, Tora vit des anoraks. Des bleus qui coûtaient 59 couronnes. Elle abaissa alors son regard sur le sien qui avait été confectionné à la maison avec de la toile à édredon et était maintenant tout usé. Avec son anorak blanc, les enfants l'appelaient le fantôme.

Pendant ce temps, tout à leur bavardage, les deux autres avaient continué leur route, et Tora dut courir un peu pour les rattraper. Elles n'avaient pas vu les anoraks. Tora savait qu'elle avait mieux à faire que d'ennuyer sa mère avec ça. Mais qu'est-ce qu'elle aurait aimé en avoir un ! Sans parler de nouveaux pantalons de ski en gabardine. Dans le bourg, il y avait plusieurs filles qui en avaient. En classe, lorsqu'elles bougeaient les jambes sous la lumière des plafonniers, on voyait l'étoffe luisante se mettre à briller. Les ombres qui se formaient alors étaient si belles ! Et la neige tombait presque d'elle-même.

Elles entrèrent dans un magasin de tissu. Rakel voulait se faire un nouveau corsage. Après en avoir discuté avec la vendeuse, elle se décida pour une étoffe verte à pois. Tora trouva qu'elle ressemblait à une toile d'araignée.

Se trouvant, pour sa part, à l'une des extrémités du comptoir, Ingrid tenait entre les mains de la flanelle de couleur rouille. Elle faisait précautionneusement glisser ses doigts sur la surface laineuse et donnait l'impression d'être ailleurs.

Ayant fait mesurer son étoffe à pois, Rakel se tourna vers sa sœur pour lui dire quelque chose.

Et, soudain, elle parut *voir* Ingrid.

Son visage rond exprima une sorte de tendresse. Ses yeux se fermèrent à moitié, et elle essaya de dire quelque chose. L'espace d'un instant, sa bouche fut prise d'un léger frémissement.

145

— C'est une belle étoffe, Ingrid. Et elle t'irait bien.

— Elle coûte 12 couronnes et demie le mètre, intervint la vendeuse d'un air engageant.

Ingrid détourna le regard comme si elle avait été prise en faute.

— Eh oui, se contenta-t-elle de commenter en remettant ses gants pour repartir.

Mais, après être restée un instant à regarder l'étoffe, Rakel leva les yeux vers la vendeuse et dit :

— De nos jours, ce n'est vraiment pas facile de trouver quelque chose qui vous plaise. Vous m'en mettrez trois mètres.

Ingrid restait immobile. Seuls bougeaient ses doigts qu'elle ne cessait d'entrecroiser, déjà gantés à la main gauche, encore dénudés à la main droite.

Enfin, elle se racla la gorge et dit : — Ça t'irait peut-être mieux avec quelque chose de vert, comme ce qu'il y a là.

Au hasard, elle désignait un emplacement dans les rayons.

Ayant levé les yeux vers le visage d'Ingrid, Rakel lui lança un bref regard. Tora ressentit une curieuse impression en constatant alors à quel point Rakel était plus petite que maman. C'était bien ainsi que ce devait être.

La transformation.

— Oui, et puis vous ajouterez du fil et une fermeture éclair de la même couleur, ajouta rapidement Rakel à l'adresse de la vendeuse. Ingrid, prête-moi donc ton dos, continua-t-elle en prenant le ruban gradué qui était sur le comptoir.

— Mais j'suis bien plus grande que toi, objecta doucement Ingrid.

Ne répondant rien, Rakel entreprit de la mesurer de la nuque à la taille. Puis, d'une voix

décidée, elle détermina la longueur de la fermeture. Les yeux d'Ingrid erraient d'un rayon à
l'autre sans rien voir.

Une fois de retour à la chambre d'hôtel,
Rakel tendit le paquet à sa sœur en disant :

— A titre d'avance pour le lessivage que tu
vas m'faire au printemps prochain. Et comme
petite rétribution pour toutes les lirettes que tu
m'as déjà découpées.

Ingrid en eut immédiatement les larmes aux
yeux, et Tora vit les deux femmes tomber dans
les bras l'une de l'autre.

Elles l'ont déjà fait une fois quand grand-
mère est morte, pensa-t-elle avec étonnement.
Mais ça fait déjà longtemps.

— C'que tu peux être gentille, j'arriverai
jamais à te revaloir ça. En plus, ça sert à rien et
puis c'est cher. L'Henrik, il va...

— Les hommes, on les emmerde, l'interrompit joyeusement Rakel. Tu l'as bien mérité. Et
puis c'est tout à fait vrai c'que tu disais tout à
l'heure : quand j'parle d'acheter, de payer et
d'me compter un bénéfice, il y a rien d'plus
facile pour moi. Le Simon, il gagne bien sa vie.
C'est ça qui fait toute la différence. On est
quand même sœurs et ça me fait plaisir de te
faire ce cadeau. Ce plaisir, faut pas que tu me
l'enlèves ! J'ai pas d'enfants, moi... J'ai qu'vous.

Rakel ne put continuer. Sortant son mouchoir de sa poche, elle se moucha.

Tora se sentait paralysée. Elle ne savait plus
comment occuper ses mains, encore qu'il n'y eût
personne pour la regarder et se préoccuper de ce
qu'elle pouvait bien en faire. Elle avait l'impression de voir quelque chose d'une scintillante
beauté sortir des murs et du plancher. Quelque
chose qui descendait du plafond pour se déposer sur elle. L'impression que le monde entier

était en verre. Et il était impossible de bouger, de faire un pas, sous peine de tout briser. Elle sentait la pénombre de la pièce lui envelopper le corps comme de l'ouate. Elle entendait les deux femmes parler entre elles de choses et d'autres. Debout près de la fenêtre, Tora se laissait pénétrer par les voix mais ne prêtait pas attention aux paroles. Celles-ci n'avaient plus de sens. Seules comptaient les voix : réconfortantes, douces, rassurantes. Elle comprenait vaguement que les paroles avaient trait à des choses qu'elles avaient eues auparavant en commun. De ces choses dont l'empreinte n'apparaissait pas sur elles au quotidien : des journées d'été passées ensemble, de communes égratignures, des tempêtes matinales sur le chemin de l'école, des chagrins et des veillées de Noël partagés. Et puis ces moments où elles avaient été contraintes de se détester profondément d'une haine fraternelle, mais pour réaliser l'instant d'après que c'était ensemble qu'elles étaient le plus aptes au combat. Tout ceci, ce n'était pas leurs paroles, ce n'était pas ce qu'elles disaient qui le révélait. Non, c'étaient leurs voix. Ces voix où transparaissaient les trésors d'affection que chacune éprouvait pour l'autre.

Tora comprenait que, même si elle riait à gorge déployée, sa tante avait des soucis. En vérité, il n'était pas toujours aisé d'y voir clair chez quelqu'un qui avait les moyens de descendre à l'hôtel et de s'acheter du tissu pour se confectionner une robe.

Il aurait tout le temps fallu voyager par mauvais temps !

La croisée de la fenêtre laissait passer un sifflement ; qui faisait frémir tout ce qu'il y avait dans la pièce ; qui la faisait frémir elle-même. Ce n'était que le vent, elle le savait bien. Mais il était ensorcelé et résonnait comme une véritable mélodie.

Elle était couchée au milieu du grand lit d'hôtel. Toutes les lumières étaient éteintes.

Tout au fond d'elle-même tintaient encore faiblement les prismes qui décoraient le lustre de la salle à manger. Un son cristallin et clair, un cliquetis étrange qui se confondait avec le bruit du sifflement.

C'est à peine si elle distinguait le contour des meubles, car, en passant à travers la fenêtre obstruée par la neige, la lumière qui parvenait de l'autre côté de la rue se tamisait d'un voile jaune.

Elles étaient trois dans le grand lit. Trois corps. Qui chacun ressentaient comme un souffle estival la chaleur des deux autres. Rassurant. Sans mains. Sans péril.

Pas de plancher qui craquait. Pas de porte qui grinçait.

Seul le sifflement, seule la lumière qui perçait l'amoncellement de neige, seul le fragile sentiment de sécurité.

De temps en temps, des voix lui parvenaient de chambres éloignées. Des voix qui n'exigeaient rien d'elle, qui ignoraient son existence. Des voix qui n'avaient rien à cacher.

Tora ne se rappelait pas avoir déjà dormi derrière une porte verrouillée. Il y avait là quelque chose de magique.

— Ferme à clé, avait dit la tante.

Et Tora avait traversé la pièce pour tourner la petite clé. C'était tellement simple ! Enfermer le monde dehors !

Et même la croisée, parfois si effrayante à la maison, avait ici quelque chose d'amical.

C'était une croisée innocente, qui n'avait rien vu...

Et la chaleur du lit ? Elle n'engendrait ici

nulle tension, elle n'avait rien de répugnant. Il n'y avait rien à essuyer ou à défroisser.

Seule en émanait une odeur de peau, de mousse chauffée au soleil. C'étaient les cheveux de la tante qui venaient se répandre sur l'oreiller et s'infiltrer ensuite dans les tresses défaites de Tora.

Intérieurement, Tora entendait encore ce que lui avait dit la voix claire de sa tante avant qu'elles n'aillent se coucher : — Comme j'suis contente que tu aies hérité de mes cheveux ! Sinon, y aurait eu personne d'autre.

Elle avait eu un ton à la fois douloureux et gai. En longs gestes précautionneux, elle s'était mise à brosser les cheveux de sa nièce ; non pas à la va-vite comme le faisait sa mère avant que Tora n'apprenne à se peigner et à se faire elle-même des tresses.

Ainsi donc, ce n'était pas parce qu'elle était fille de boche qu'elle avait les cheveux roux. Et il n'y avait rien de vrai dans ces vers qu'avaient faits les enfants sur elle : « L'est rouge comme le feu, sa mère l'a couché avec un chleuh ! » C'était en fait un héritage de tante Rakel !

Tora avait eu envie de le leur demander, rien que pour en obtenir confirmation, mais elle n'avait pas osé.

Maman était si heureuse ce soir. Complètement transformée. Elle souriait. En parlant de guerre ou d'Allemands, Tora aurait pu tout gâcher. Maman se serait refermée et fanée comme une fleur à l'automne.

Des draps frais, inconnus. Le souffle régulier de maman et de la tante. La pièce les protégeait, les entourait de ses frontières et maintenait tout le reste à distance. Dans cet espace, le vide se noyait dans sa propre absurdité et rendait la nuit précieuse.

Mais peut-être n'était-ce pas lié uniquement à cette pièce ? Existait-il donc beaucoup de bonnes pièces de ce genre dans le monde, beaucoup de portes à verrouiller ?

Etait-ce seulement dans la maison des Mille que les nuits inspiraient frayeur et dégoût ?

Rakel et Ingrid n'avaient pas la même respiration. Sa mère s'interrompait par à-coups, donnant quelquefois l'impression d'oublier de respirer, l'impression de se demander si elle faisait bien de laisser ses poumons se relâcher afin d'expirer. Pour sa part, Rakel avait un souffle régulier et rassurant. Même la nuit c'était donc comme ça !

Ayant changé de position dans son sommeil, Ingrid se retrouva le dos tourné vers Tora. Celle-ci sentit contre elle la chaleur du corps maternel. Bien contre elle.

Rakel se retourna à son tour ; vers Tora, qui sentit son souffle lui effleurer légèrement la joue et son bras se poser sur l'édredon comme une aile de mouette.

Un bras dont émanaient tout à la fois force et douceur. Même lorsqu'il n'était, comme à présent, que forme blanche endormie dans l'obscurité.

Elles étaient ces brebis qui cherchent refuge derrière un rocher quand sévit la tempête. Arrivées dans un endroit inconnu qui leur offre un abri, elles s'attachent à retrouver sécurité et chaleur.

Elles savaient que le froid d'autrui viendrait de nouveau les transpercer et se nicher en elles. Aussi s'agissait-il de répandre toute la chaleur que l'on avait pour pouvoir ensuite la récupérer au décuple. Ici, elles ne se dissimulaient rien entre elles, comme c'était le cas à la maison. Ici, elles n'avaient pas à s'interrompre parce que maman devait aller au travail ou parce qu'*il* rentrait. Ici, il n'y avait personne pour crier dans les couloirs ou parler de la guerre.

Mais il leur faudrait repartir le lendemain.
Et elles seraient à nouveau contraintes de taire et dissimuler tout ce qu'elles portaient en elles. Le dissimuler si soigneusement qu'elles ne pourraient que l'oublier. Ainsi en allait-il.
A la maison, il leur était interdit de se donner mutuellement la chaleur dont elles avaient besoin. Elles redevenaient des brebis effrayées perdues dans la montagne sauvage.

Tora éprouva un bref moment de désespoir.
Mais, refusant d'y céder, elle engagea la lutte, jusqu'à ce qu'elle vît sa grand-mère frôler le rebord du lit. Le visage aux cheveux blancs, à peine marqué de rides, vint lui parler doucement de son père. Dès lors, la pièce devint celle de sa grand-mère, comme, ensuite, la croisée, puis tout le reste. Elle était à Berlin. Sa tante et sa mère l'avaient accompagnée. C'était la grand-mère qui avait préparé leur lit, et elle ne voulait pas les réveiller pour leur demander si tout allait bien. Non, provoquant un léger mouvement d'air, elle ne faisait que passer dans sa longue robe bleue aux molles ondulations. Et la grand-mère voyait qu'elles étaient bien ainsi, loin du bourg et de l'île.
C'était presque réel. De toutes les fibres de son corps, elle luttait pour en faire une réalité, pour maintenir le lendemain à distance.
Jusque dans les profondeurs de son sommeil, jusque dans cette partie du corps qui échappe à un être, elle s'efforça de fixer l'odeur de mousse chauffée au soleil, le sifflement clair et prudent.
A un moment, elle fut sur le point de se réveiller. Sa grand-mère s'était glissée près d'elle dans le lit, et les cheveux de Rakel s'étaient

répandus sur son oreiller. Peut-être avait-elle finalement trouvé trop pénible d'avoir à déambuler ainsi dans la fraîcheur de la chambre pour monter la garde, pensa Tora.

Et, dans le lit, les corps se diluèrent pour se confondre les uns avec les autres. Celui de la grand-mère, celui de maman et le sien.

Et elle eut l'impression qu'elle devait aller sous le lit pour rechercher sa tante, puis déployer d'énormes efforts pour l'y remonter. Le lit semblait bien trop petit. Et pourtant elle savait qu'il y fallait accueillir la tante.

A présent, le vent soufflait plus fort. On ne pouvait plus rien voir à travers la fenêtre. A l'extérieur des vitres, la neige formait de petites rigoles. Mais, se renouvelant sans cesse, elle n'arrivait jamais à fondre complètement. Et les vitres, qui ne parvenaient pas à faire rentrer la lumière, paraissaient en pleurer d'impuissance.

Soudain complètement réveillée, Tora regarda dans la pièce. On y distinguait un motif gris-jaune ouaté. Comme un paysage noyé dans le brouillard. Les vitres étaient recouvertes de neige. Elles étaient enfermées dans la neige. Et la nuit avait les pieds chauds.

Dieu bénisse la tempête !

19

— Qu'est-ce qu'ils ont tous à m'regarder comme ça ? chuchota Rakel à Tora.

Elles observaient la manœuvre du bateau qui s'éloignait du quai. C'en était fini de la tempête, fini du rêve.

Pour Tora, le retour à la réalité, ce furent

d'abord ses pieds gelés dans ses bottes de caoutchouc, puis une sorte de dégoût, une fatigue
qu'elle ne pouvait expliquer car, dans le bus, il
n'avait pas fait froid et elle s'était réveillée très
tard.

— Ben, j'vois rien d'spécial, répondit Tora.

Elle souriait pour se débarrasser un peu de ce
vide installé en elle. Tout en devenait de la sorte
plus aisé.

Et, au même moment, elle se rendit compte
que Rakel avait raison.

Les gens la regardaient ! A la fois ceux qui
étaient restés sur le quai et ceux qui étaient à
bord. Jusqu'au gamin installé sur une bitte
d'amarrage à pêcher du petit colin et qui levait
les yeux vers Rakel.

Voulant trouver une cause, Tora examina
Rakel de haut en bas puis scruta son visage. Mais
sans résultat.

Elles se trouvèrent une place au « Salon ».
Bien serrées les unes contre les autres et ayant à
leurs pieds les sacs et paquets de Rakel, comme
autant de petits chiens bien obéissants. De temps
en temps il fallait les déplacer pour laisser passer quelqu'un qui voulait aller s'asseoir plus loin.

Rakel essaya de faire un brin de causette avec
sa voisine. Mais, soit qu'elle fût particulièrement
timide, soit que Rakel l'eût froissée de quelque
manière, la femme garda le regard braqué sur le
mur d'en face et se refusa à dire quoi que ce soit.

Perplexe, Rakel choisit dès lors de s'adresser
à Tora et Ingrid. Mais son visage rond et ouvert
trahissait un certain désarroi. Et Tora la voyait
qui s'efforçait d'interpréter tous ces regards en
coin qui convergeaient vers elle.

Elle se sentait comme une pestiférée.

En définitive, étant parvenues à établir entre
elles une sorte de contact, les trois réussirent à
faire passer la courte mais interminable heure qui

était nécessaire pour traverser le bras du fjord, accoster les deux quais, décharger et charger, faire sortir les passagers et en accueillir d'autres.

« La ligne rurale » n'avançait pas vite mais elle avançait.

A présent, il ne restait plus qu'à parcourir la dernière partie du Vågen avant d'arriver.

Tora attendait que quelqu'un se trahisse.

Jamais auparavant n'avait régné un tel silence dans le bateau. C'en était presque angoissant. Il y avait tout spécialement le regard du gars assis en face d'elles. L'homme se suçait les dents et soupirait. Sans interruption.

Tora savait qu'il habitait dans le bourg mais n'arrivait pas à se rappeler son nom.

— On revient de voyage, finit par lâcher le gars qui, ayant entrepris une longue et consciencieuse succion, avait la bouche largement ouverte à la commissure droite sur la chique qui se malaxait à l'intérieur.

Le soulagement qu'éprouva Rakel à constater que le silence avait été rompu apparut sur les traits de son visage. Adressant un large sourire à son vis-à-vis, elle répondit que c'était bien le cas. Et elle s'apprêta à lancer une nouvelle phrase mais se retint. Autour de la table pentagonale les visages avaient tous une expression impénétrable. La regardant d'un air qui en disait long, le gars procéda à une nouvelle succion (il avait entre les chicots quelque chose dont il n'arrivait pas à se débarrasser) avant de dire : — Eh oui ! c'est comme ça. Ça va pas être facile de revenir à la maison. Mais y a des hauts et des bas dans la vie…

Sans chercher à en faire mystère, sa femme lui donna un coup de coude dans les côtes. La bouche entrouverte, le buste légèrement penché en avant, les gens les regardaient comme s'ils avaient peur que quelque chose ne leur échappe.

La machine faisait entendre ses battements. La mer était calme. Il ne se passait rien.

Mais, brusquement, abandonnant paquets et regards, Rakel se leva, happa au passage son petit sac à main puis disparut par la porte.

Ingrid se leva à son tour et la suivit d'un pas hésitant.

Ayant une place vide de chaque côté, Tora demeura seule. Tous les regards étaient à présent tournés vers elle, un peu honteux cependant.

Fixant les fenêtres éclaboussées par la mer, elle tenait bon. Elle s'était promis de défier le péril. Elle ne savait pas encore comment, mais il devait bien y avoir une solution.

Alors autant commencer tout de suite.

S'armant de courage, elle fixa brusquement son vis-à-vis droit dans les yeux, sans lui laisser le temps de détourner le regard.

Et elle s'accrocha à ce visage, à ces deux yeux. Elle avait l'impression que son cœur lui remplissait tout le corps puis se mettait à lui remonter dans la gorge et la tête. Et, soudain, elle dit d'une voix étrange : — Qu'est-ce qu'vous avez donc à la regarder com'ça, la tante Rakel ? Pourquoi qu'ça va être si dur de rentrer à la maison ?

L'homme commença par regarder ailleurs, puis finit par lâcher : — Ça a brûlé chez le Simon de Bekkejordet. Cette nuit. Toute la pêcherie qu'est partie en fumée. On a rien pu sauver. Y avait beaucoup de vent. On a dû s'contenter de mouiller les voiles et de sauver la baraque d'à côté. Encore heureux que l'vent ait soufflé vers le large.

20

Les décombres noircis laissaient encore échapper
de la fumée. Qui s'élevait vers le ciel avec non-
chalance et détachement.

Le feu !

Le feu qui remplissait si souvent les conversations, couvrait des pages entières et donnait le
frisson. Mais c'était toujours ailleurs que ça se
passait, chez des gens que l'on ne connaissait
pas. Jamais chez soi.

Au milieu des restes carbonisés, des poutrel-
les métalliques tordues et des objets plus ou
moins reconnaissables attestant qu'ici avait existé
une pêcherie, subsistait une cheminée en briques
noircies par la suie qui indiquait la hauteur
atteinte par le bâtiment avant de brûler.

A la voir ainsi, on croyait l'entendre dire :
Voilà jusqu'où était monté Simon en ses jours de
prospérité. Mais c'est à présent terminé.

Vêtue de son manteau à grands carreaux,
Rakel resta cramponnée au plat-bord pendant
toute la durée de l'accostage. Puis, ayant calmement rassemblé ses sacs et paquets, elle descendit lentement la passerelle, suivie de Tora et
d'Ingrid. Et les gens lui cédèrent le passage. Ils
s'effacèrent devant elle.

Tous ces yeux qui, au cours du voyage,
étaient restés plantés dans son corps avaient
maintenant retrouvé leur place. Mais elle les sentait dans son dos et serrait les dents. Elle comprenait que c'était pour ces gens un spectacle de
cirque. Elle chercha à apercevoir sur le quai la silhouette élancée de Simon. Il savait que c'était
par ce bateau qu'elle devait arriver. Allait-il être
là ? Avait-il compris ce qu'il lui faudrait affronter ? Mais non.

Parfait ! Elle s'en sortirait toute seule !

Elle ne parla à personne. Mais, à ceux qui la scrutaient trop indiscrètement de face, elle faisait un signe de tête.

Comme s'il s'agissait d'une journée parfaitement ordinaire. Enfin, ayant posé tout son attirail sur le quai, elle se mit à faire le tour des décombres. Parce qu'elle savait que c'était ce à quoi ils s'attendaient le moins.

Ils voulaient du cirque ? Eh bien, ils allaient en avoir !

Mais pas celui qu'ils escomptaient. Elle allait les priver de la scène d'hystérie et faire preuve de sang-froid. Comme ça, ils auraient vraiment de quoi cancaner. Ils allaient voir que c'était possible. Elle ne connaissait pas encore l'ampleur de la catastrophe, mais savait que les gens les avaient toujours enviés, Simon et elle. Peut-être surtout elle. Ils les enviaient de voir que tout leur réussissait.

Jusqu'à ce jour.

Dans leur esprit, ils ne l'avaient pas volé.

Aux yeux de Rakel, tous ceux qui l'entouraient devinrent des bêtes malfaisantes à l'affût de la moindre manifestation de faiblesse.

Car elle n'était ni aussi réservée ni aussi effacée que les gens l'auraient souhaité. Elle méprisait la soumission, et ça ne se faisait pas.

Maintenant, ils étaient tous à l'épier dans l'attente du châtiment qu'allait lui valoir son orgueil. Et Rakel paraissait oublier son malheur dans l'unique but de montrer sa force.

Mais, à Bekkejordet, il y avait d'autres « décombres » qui attendaient Rakel. Car Simon s'était enfermé dans le grenier au métier à tisser et refusait d'y laisser entrer qui que ce soit.

Simon avait lui aussi été victime de l'incendie.

EILERT DAHL

SUR L'ILE

Achat de poissons de toutes espèces

Production — Exportation — Production
d'huile de foie de morue

Production de poisson frais — Congélation

Graisse — huile de graissage

Baraquements — Remises à filets

— En voilà un qui traîne pas pour s'faire du
beurre sur le malheur des autres !

Les sourcils froncés, Ottar avait déployé les
feuilles du *Lofotposten* sur le comptoir tout bala-
fré et lu l'annonce.

Tournant la tête de l'autre côté, Henrik laissait les hommes bavarder. Aujourd'hui il n'avait
rien bu. Ça faisait une semaine qu'il n'avait rien
bu.

— Oui, maintenant il a les mains libres, le
Dahl, lança Ottar, le regard braqué sur le dos
d'Henrik qu'il essayait d'entraîner dans la
conversation. Mais Henrik était occupé à faire
tourner le crochet en laiton que l'on avait fait
descendre de la poutre maîtresse pour accrocher
des pots en fer-blanc.

Parfois le crissement des anses sur le laiton
produisait un bruit perçant.

— L'aurait pu au moins avoir la pudeur
d'attendre la semaine prochaine pour la passer,
sa foutue annonce. Ça lui aurait rien fait perdre.
Qu'est-ce qu'il en dit, l'Simon ?

Ottar avait levé la voix, maintenant bien
décidé à faire parler Henrik. Mais celui-ci ne se
retourna pas. Résistant à la pression de tous les
regards qui étaient braqués sur lui, il regardait
l'un des pots d'un air de connaisseur.

— Tu sais, Ottar, l'Simon, j'le vois pas plus
souvent que toi ! lâcha-t-il brusquement.

— L'est quand même plus enfermé dans son

grenier ? demanda candidement Ottar en mesu-
rant un énorme morceau d'épais papier gris, destiné au rouleau de corde d'Einar.

— La semaine dernière, ils ont pris beaucoup
de morue aux Lofoten. Il y aura du poisson pour
tout le monde, intervint Håkon-regard-céleste
qui souhaitait orienter la conversation vers quelque chose de moins délicat.

Mais il n'y eut personne pour prêter attention
à ses propos. Il fallait faire toute la lumière sur
le cas de Simon.

Et ils étaient plusieurs à le vouloir. Six hommes en train de faire leurs courses.

La fumée des pipes et des cigarettes roulées
formait un épais nuage sous le plafond bas. La
sonnette du magasin restait silencieuse. On avait
tout le temps de bavarder.

— C'est vrai qu'la Rakel l'a menacé de
l'quitter s'il descendait pas de son grenier ?
demanda en ricanant un petit gars râblé qui portait sa casquette à l'envers. C'était un jeune
blanc-bec qui aurait dû normalement la boucler
pour laisser les adultes parler. Mais, comme il
avait du culot et la langue bien pendue, on
l'écoutait.

— Oh, la Rakel, l'est pas du genre à pani-
quer, ricana Henrik en se retournant brusquement vers les autres. Son bras estropié posé sur
le comptoir, il s'était alors penché en avant et
avait lancé les mots à la cantonade sans regarder
personne.

— Ça non, l'est pas d'celles qui se débinent,
renchérit Einar en secouant la tête.

— On dit qu'c'est quelqu'un qu'a mis le
feu, lança Håkon.

— Dans c'cas, c'est pas une escroquerie à
l'assurance, blagua Einar qui fit cliqueter ses pièces de cuivre en ouvrant son portefeuille usé.

— C'est quand même lamentable qu'ils aient pas été mieux assurés, gémit Håkon en voulant faire l'important.

— Oh, ils ont eu que c'qu'ils méritaient, commenta le blanc-bec.

La fenêtre se couvrait de buée. Ils étaient beaucoup à respirer dans la pièce.

— Il a touché quelque chose ? demanda Ottar.

— C'est pas à moi qu'il faut l'demander, dit Henrik en prenant sa casquette puis en faisant mouvement vers la porte.

— Faut pas te dépêcher comme ça. J'voulais rien dire d'mal sur ta famille...

Le blanc-bec s'était soudainement rappelé qu'Henrik et Simon avaient chacun épousé une sœur.

— Ouais, t'y vas drôlement fort, p'tit merdeux ! lança Henrik par-dessus l'épaule. La prochaine fois, faudra tâcher d'y penser avant d'ouvrir la gueule !

Le silence se fit dans la boutique. Ottar resta bouche bée, et les hommes gardèrent les yeux baissés.

Une fois tout le monde sorti, Einar lâcha quand même :

— J'me demande bien pourquoi il en fait tout un plat d'sa parenté avec Simon. L'est plutôt du genre subit son amour... Eh ben, vous autres, qu'est-ce que vous en dites ?

Rigolant doucement, ils échangèrent des regards entendus.

— Oui, parce que d'habitude il s'fait pas prier pour raconter qu'le Simon, ça lui a pas demandé trop d'efforts d'hériter du vieil oncle. Le bâtard qu'a quitté Bø pour venir dans l'île et qu'est devenu riche en une nuit, feula un ballot de coton oblong qui était installé sur un tonneau près du poêle et n'avait rien dit jusqu'ici.

— Le pire, c'est pour les emplois. Si Simon touche rien des assurances, il pourra pas reconstruire.

Ottar les regarda chacun à tour de rôle. Il avait pris le ton de regard-céleste.

— On raconte qu'la Rakel l'a réussi à le faire descendre de son grenier, reprit le ballot de coton sur son tonneau.

— Les voisins, ils ont donné droit dans le piège en venant leur proposer de déblayer avec eux. Oui, et puis y a eu aussi les ouvriers qu'ont dû venir aider. Et à l'œil, bien sûr. Ils ont raconté que la Rakel, elle leur avait servi à tous des gaufres et du ragoût. Mais l'Simon, on l'a pas vu. Maintenant que l'argent rentre plus tout seul, ça m'étonnerait pas qu'il s'mette à avoir des nerfs de bonne femme, ricana le blanc-bec en farfouillant sans aucune gêne dans sa narine droite. C'était celle où il avait ses polypes qu'il n'osait pas montrer au docteur.

Eh oui, eh oui !

C'était dit sans méchanceté. Il n'y avait pas la moindre méchanceté dans tous ces propos. De banals propos échangés dans une boutique un lundi comme les autres.

Au départ, on avait voulu faire parler Henrik, et ça avait plutôt mal tourné.

Encore heureux que personne ne les ait surpris en train de déblatérer sur Simon, se dit Ottar.

Ayant effectué sa ronde du soir, il ferma les annexes et la boutique. A ses ventes de cordage et de sel, il remarquait parfaitement que l'exploitation de Simon avait disparu. Il ne voulait cependant pas en parler. C'était trop mesquin et sans aucune importance pour qui avait sa clientèle attitrée.

Il n'en restait pas moins que, depuis ce malheureux incendie, c'était chez lui que les propriétaires de barques venaient s'approvisionner en sel et cordage. Le Dahl, il s'y prenait pas comme le Simon pour le commerce.

Quand les temps se faisaient difficiles, on les voyait souvent les mains dans les poches et le mégot au coin des lèvres.

Restant pratiquement toute la journée sur place, ils achetaient, tantôt un kilo de sucre, tantôt un kilo de tabac. Lorsqu'il s'agissait de chercher du travail, c'était toujours eux les derniers de la queue. D'autres, qui n'avaient pas le loisir d'attendre, avaient appris à jouer des coudes.

Mais, au moment où se répartissait le travail et se décomptaient les salaires, ils étaient de plus en plus nombreux à en être exclus. En général, c'était sur ceux qui ne possédaient ni ferme ni terre que cela retombait. Comme unique bien, ils n'avaient qu'une vivace amertume contre presque tout et du temps à l'infini pour faire leurs courses ; mais sans rien pour payer. Ils étaient locataires de leur maison et vivaient de travaux occasionnels. Trouver un travail fixe était un rêve qui sans cesse sombrait dans l'obscurité de la mer ou se balançait à l'extrémité de la grue du quai, un rêve qui faisait tout juste entendre sa plainte dans la tempête ou lorsque se chargeaient et se déchargeaient biens et poissons d'autrui.

A la maison les attendaient la bonne femme et les morveux.

Parfois, ils trouvaient du travail et s'en allaient. Ce dont tout le monde se réjouissait. Mais c'était une joie étrangement sombre, d'où étaient bannis rire et appétit de vivre, une joie qui ne représentait rien d'autre qu'un terme provisoire aux protestations de l'estomac et aux longues rangées de chiffres qui s'alignaient dans le livre de comptes d'Ottar. Cette joie, elle restait simple et terre-à-terre. Elle était dépourvue de tout frémissement. Elle n'était que la chance d'avoir pu obtenir un peu d'argent.

En revanche, ceux qui possédaient barque et lopin de terre jouissaient de leur liberté. C'était certes une liberté qui avait ses limites. Mais, même s'ils traversaient des périodes difficiles au plus dur de l'hiver, ils n'étaient jamais complètement sur la paille.

Et puis, il y avait tous ces oiseaux perdus dont on ne parlait presque jamais. Ils étaient incapables de voler ou même de piéter. Leurs ailes, ils savaient tout juste les utiliser comme appui pour se traîner d'un endroit à l'autre. Ça peut servir à tellement de choses, des ailes...

Et c'était à cette catégorie qu'appartenait celui qui, ayant en toute honnêteté volé du lard pour sa poêle, s'était installé dans le grenier qui surplombait la véranda. La chance, elle n'était pas pour lui, même s'il l'avait voulu.

Enfin, il y avait Dahl, le pasteur et le docteur. Et pour eux la porte était étroite. Que Dieu les aide à la franchir !

Dahl était au demeurant un pêcheur honnête, car il donnait du travail à beaucoup de gens. Il affirmait qu'il dirigeait son entreprise démocratiquement. Sans que l'on sache cependant très bien ce qu'il fallait entendre par là. Le dimanche, accompagné de son chien, de sa femme et de ses enfants, il allait en homme d'importance se promener dans le bourg. Et pourtant, il ne dédaignait pas de taper le carton dans les baraques. De mémoire d'homme, jamais personnage de son rang n'avait pris pareille initiative.

Du docteur on ne pouvait non plus se passer. Ce qui conférait à celui-ci des prérogatives sur presque tout. On lui pardonnait allégrement sa conduite de célibataire et sa réputation d'avare. A ceux qui étaient en grande détresse, il prescrivait une goutte d'eau-de-vie pour retrouver la santé.

C'était cependant le pasteur qui était le plus mal vu. Car il passait son temps à tenir des prêches sur le diable, à sermonner ses paroissiens et à vitupérer au nom des principes les plus sacrés.

Il n'y avait pas à dire : avec l'ancien doyen c'était quand même autre chose.

L'ancien doyen, il travaillait tout comme les autres. C'était lui-même qui exploitait le presbytère. Parfois, les bateaux qui amenaient les noces accostaient trop tôt, et il avait tout juste le temps de passer un surplis par-dessus ses vêtements de travail avant de gagner l'autel. C'était surtout à l'époque de la fenaison.

Il arrivait bien de temps à autre qu'une mariée fronçât le nez en sentant l'odeur de fumier ou en apercevant les galoches crottées sous les vêtements de cérémonie. Mais, l'un dans l'autre, les gens le considéraient avant tout comme un travailleur d'exception. Et c'est d'ailleurs dans sa bergerie que la mort vint le surprendre.

Ainsi en alla-t-il. Il mourut à son poste. Il eut un tour de reins qui l'expédia hors de cette vallée de larmes.

Jusqu'au bout il se comporta en homme.

21

Pour Simon de Bekkejordet, la saison paraissait à présent terminée. Il n'avait plus le moindre bureau derrière lequel s'asseoir, plus le moindre salaire à verser. Et, comme un malheur n'arrive jamais seul, il fallut aussi que son second aille se faire couper le pied par un cabestan.

Prévenue par téléphone un samedi soir, Rakel ne se départit pas de son sang-froid.

Ayant pris tout son temps et s'étant habillée comme il fallait, elle alla informer la malheureuse épouse, qui attendait le retour de son mari en compagnie de ses trois enfants. Puis, lui ayant donné l'argent nécessaire pour tenir une semaine, elle revint chez elle et se prépara à entrer dans le grenier pour apprendre la nouvelle à Simon.

Il y avait maintenant plus de quinze jours que celui-ci passait son temps à arpenter la pièce, et Rakel pensait non sans aigreur que le moment était peut-être venu de lui secouer un peu les puces. Elle avait, elle aussi, reçu un choc. Mais, pour elle, ce n'était pas l'incendie lui-même qui l'avait provoqué. C'était la révélation qu'elle avait vécu avec un homme dont elle avait tout ignoré jusqu'à ce jour.

Simon n'était pas celui qu'elle avait cru. Cet homme à la taille impressionnante était en fait un enfant. Ayant d'abord entrepris de le bousculer et de le harceler, elle avait fini par le laisser mariner dans son chagrin.

Certes, elle lui montait ses repas et arrivait à régler seule la plupart des problèmes, mais, au fond d'elle-même, il lui fallait mener une lutte acharnée contre quelque chose auquel il eût été aisé à un témoin extérieur de donner un nom : le mépris.

Ayant appuyé sur la poignée, Rakel ouvrit la porte. Simon avait dû l'entendre monter l'escalier, car il s'était assis sur le divan installé au-dessous des deux fenêtres. C'était également là qu'il dormait pendant les quelques heures qu'il accordait au sommeil. Et, à cette occasion, Rakel avait d'ailleurs ressenti ce qu'il en était de devoir occuper seule le grand lit de la chambre à coucher.

— Tu descends manger aujourd'hui, Simon ? demanda-t-elle sans préambule. Ce disant, elle regardait son mari assis dans la pénombre près des fenêtres. A force de veiller et de réfléchir, il avait maigri, et ses orbites s'étaient creusées. Il n'en était cependant pas résulté grand-chose.

Il secoua la tête sans faire mine de vouloir parler.

— Tu vas donc rester à pourrir ici ? cria-t-elle. Levant à peine la tête, il la regarda comme on regarde un enfant qui vient vous déranger.

— J'te préviens, Simon, j'suis prête à supporter pas mal de choses. Des malheurs à la pelle. Mais il y a une chose que je ne supporterai pas, c'est de te savoir installé ici dans le grenier comme une chiffe ! T'entends ?

— C'est fini, Rakel... J'ai plus rien... J'suis ruiné ! Et tu l'sais aussi bien que moi.

— Regarde-moi, Simon ! Regarde-moi bien.

Il dirigea vers elle un regard vide. Elle était là devant lui, les mains sur les hanches.

— Et tu dis que t'es ruiné ! Mais il te reste bien une femme, non ? Alors, moi, je t'préviens que si tu ne descends pas, tu vas me pousser à bout. J'tue le mouton et je m'en vais ! T'entends ?

Simon la regarda d'un air étonné.

— T'en aller ? Tu n'vas quand même pas abandonner un homme ruiné. J'ai besoin de toi, Rakel. C'est uniquement pour me faire peur que tu dis ça.

— *Tu* as besoin de *moi*, tu dis. Et moi donc ? J'ai besoin de personne peut-être ? Dis donc, Simon, dis donc, tu ne crois pas que tu te fous de moi ? Tu ne sais pas ce que j'ai appris au téléphone aujourd'hui ? Non, bien sûr ! Car t'es même pas capable de descendre prendre l'appareil quand il y a des gens qui demandent à te parler. Et puis, d'ailleurs, tu fiches plus rien du tout. Ç'aurait été la débandade si j'avais pas été là pour tout faire. Les gens, ils en rigolent du Simon de Bekkejordet. Ils disent qu'à Bekkejordet y doit y avoir erreur sur la personne qui porte la culotte ! T'entends, Simon ?

— Rakel, Rakel, gémit-il en se mettant la tête dans les mains.

Elle fit alors deux pas en avant et vint s'asseoir sur ses genoux.

Rakel était une tacticienne née. Elle calculait aussi naturellement qu'elle plantait les pommes de terre au printemps, elle y mettait autant de soin que pour la préparation du boudin, lorsqu'elle assaisonnait le sang du mouton sur lequel elle venait de verser des larmes. Et, à présent, c'est avec tout autant de naturel qu'elle faisait juste ce qu'il fallait faire. Elle lui passa les bras autour du cou et se mit à le bercer.

— Allez, mon Simon. Si tu descends, ta Rakel, elle va te raconter un nouveau malheur qui vient de se produire. Allez, descends donc...

Et de fait, Simon descendit dans la cuisine ce soir-là.

Peu à peu, il se laissa réparer et réveiller d'entre les morts. Ayant bu trois tasses de café et avalé plusieurs tartines recouvertes de tranches de viande froide, il s'enquit timidement du malheur qu'elle voulait lui raconter.

— L'Erling, il est à l'hôpital avec un pied foutu.

Elle se rendait parfaitement compte de la brutalité de ses propos mais ne supportait plus d'avoir à épargner son mari.

Tout en n'ignorant pas que l'exploitation était mal assurée, jamais elle n'aurait cru qu'il lui reviendrait *si peu*.

Après avoir réglé leur dû à ceux qui déchargeaient le poisson, il ne lui restait plus que le petit pécule de son secrétaire ainsi qu'une misérable prime d'assurance. Laquelle ne lui serait d'ailleurs pas versée avant longtemps.

Mais ce n'était pas pour autant qu'elle irait se mettre à quémander. Elle ne voulait surtout pas donner aux gens matière à cancaner.

Et puis l'agnelage avait commencé, l'obligeant à laisser l'incendie et Simon se débrouiller du mieux qu'ils pourraient. Car, ce qui était maintenant en jeu, c'étaient des vies nouvelles, de la nourriture nouvelle et de l'argent nouveau.

Un soir, Turid et Anton vinrent proposer leur aide pour déblayer les décombres. Rakel en aurait pleuré de joie. Elle n'en fit cependant rien. Ce n'était pas le moment. Simon n'avait pas quitté son grenier, et il y avait encore d'excellentes raisons de garder ces larmes de joie pour plus tard.

— Qu'est-ce que tu racontes ? Je n'ai plus de second ? De pâle qu'il était, Simon vira au vert. Mais qu'est-ce que j'vais bien pouvoir faire maintenant ?

— Nous y voilà, Simon ! Tu croyais avoir eu ton content de malheur. Mais moi, j'vais te dire une chose : Si avec tout ça tu t'arranges pas pour aller gagner un peu d'argent aux Lofoten, tu n'y couperas pas d'un nouveau malheur. Bientôt c'est ta femme qui va disparaître à son tour.

— Quoi ! Tu veux que j'aille aux Lofoten ? Mais tu sais bien qu'ça fait des années que j'ai pas pêché... Pas depuis que j'étais gamin !

— Eh bien, comme ça, tu vas pouvoir jouer les moussaillons sur ton propre bateau !

Assise droite et fière de l'autre côté de la table, elle lui parlait d'un ton mordant.

— Simon ! Il faut que tu reconstruises ton exploitation.

Il sourit faiblement. Un sourire découragé qui fendit tout son visage raidi d'un mouvement inhabituel. Il donnait l'impression d'utiliser ces muscles pour la première fois. Il eut un léger frémissement à la commissure des lèvres.

— Rakel, Rakel, ces choses-là, les femmes n'y connaissent rien. Et l'argent, Rakel ! Et l'argent ! Où est-ce que j'vais le trouver ?

— L'argent, tu n'auras qu'à l'emprunter.

— Facile à dire...

— Il a bien fallu que tu empruntes quand t'as fait construire l'étable et changer toutes les fenêtres de la maison. Tu n'as pourtant rien dit à ce moment-là.

— Tu parles de choses auxquelles tu ne connais rien ! L'argent, on n'a pas besoin d'aller le quémander quand on a toute une pêcherie, un bateau qui rapporte des fortunes et pas la moindre dette. Mais quand on n'a absolument rien, c'est pas tout à fait la même chose.

Le plafonnier dessinait des ombres sur son visage. Le découragement se lisait dans chacun de ses traits.

Rakel fut sur le point de renoncer. Elle avait des picotements dans les yeux et se sentait une tête de plomb. Un étrange sentiment de solitude menaçait de s'emparer d'elle tout entière et de la faire céder. Mais il ne pouvait en être question. Maintenant qu'elle avait réussi à le faire descendre dans la cuisine...

— La police pense qu'il s'agit d'un incendie volontaire. Tu crois que ça va changer quelque chose si on arrive à le prouver ?

— C'est pas impossible. C'que j'ai pu être bête de pas mieux m'assurer !

— Et tu ne t'es jamais demandé qui ça pouvait être ? J'veux dire celui qu'a mis le feu...

— Non, franchement, j'crois pas qu'on puisse accuser quelqu'un d'avoir mis le feu. Les bâtiments étaient anciens et il y avait de la tempête. Il y a peut-être eu une imprudence, mais, un incendie volontaire, non ça, je n'crois pas. Les gens sont quand même pas comme ça.

Il y eut un instant de silence. A présent, en tout cas, ils étaient réunis. Et, plus que l'incendie, c'était ça qu'ils avaient à l'esprit.

— Eh bien, moi, je crois que c'est quelqu'un qui a mis le feu, dit Rakel d'un ton dur. En fait, c'est bien comme ça qu'ils sont les gens.

Le lendemain, Simon se rendit au bourg.

A son entrée, le silence se fit. Il venait s'équiper pour pêcher et ne chercha pas à en faire mystère.

Ottar ne s'enquit de rien. Après avoir empaqueté ses achats dans des boîtes en carton, il se mit à parler du temps.

C'était au diable en personne qu'on devait toute la neige de cette année.

Et, ça, Ottar en était sûr. De mémoire d'homme, on n'avait jamais vu autant de neige. Pour qu'elle fonde, il allait encore falloir attendre un hiver, un printemps et un automne, affirmait-il.

Simon répondit. Mais le cœur n'y était pas, et, de chaque côté de la bouche larmoyante, s'étaient formées des bajoues qui s'affaissaient bizarrement.

Kornelius Olsa, qui était le plus ancien à bord du *Bris* et avait pris provisoirement le commandement, secoua la tête en apprenant que c'était Simon lui-même qui s'installerait au poste de timonerie. Il n'eut cependant pas une parole désagréable.

Et c'est sans aucune restriction qu'il prodigua toute l'aide dont pouvait avoir besoin un pêcheur en chambre. Par la suite, les marins racontèrent que Kornelius Olsa avait plusieurs fois secoué Simon par le suroît pour lui dire ce que, lui, il aurait fait s'il avait été à la place du patron. Et, baissant la tête, Simon avait obéi à l'ancien sans piper mot.

La pêche fut correcte. Dans un sens, tout se passait mieux lorsque Simon n'avait pas à penser aux décombres carbonisés du bord du Vågen. Et tout allait bien encore lorsqu'il était suffisamment loin de chez lui pour n'avoir pas à aller livrer la capture au quai de Dahl.

A Bekkejordet, Rakel s'était peu à peu remise à chanter dans son étable ; de même qu'il lui arrivait à nouveau de rire sans raison. Comme autrefois.

Elle avait repris possession du grenier, et, dès qu'elle avait un moment de libre, faisait claquer à tous crins son métier à tisser. De l'air, elle en avait à foison autour d'elle, et aussi tout l'espace nécessaire pour claquer, agir et rire.

Mais, à présent, Rakel comprenait mieux l'insondable abîme qu'avait toujours été la vie pour Ingrid. Elle allait bavarder avec celle-ci plus souvent que par le passé, et ce n'était pas seulement pour se consoler elle-même.

Lorsqu'elle entrait, Henrik sortait.

Ç'avait toujours été le cas, et Rakel savait qu'il pouvait y avoir plusieurs raisons.

La principale était sans doute que jamais elle n'avait fait mystère de ce qu'elle pensait du mariage de sa sœur et d'Henrik. Pour elle, c'était un nouveau malheur qui s'était abattu sur Ingrid.

Il y avait chez Henrik quelque chose qui échappait à Rakel.

Lorsqu'elle était dans la même pièce que lui, elle n'arrivait pas à se sentir à l'aise.

Et peut-être sa malédiction venait-elle *précisément* de ce qu'il y eût si peu de gens à se sentir à l'aise en sa compagnie.

Pourtant, force était bien de reconnaître que les gens du bourg n'avaient pas toujours été très chics avec Henrik. Il avait quand même son bras estropié et cette étrange mélancolie qui s'emparait parfois de lui. D'après Ingrid, elle lui venait de ce jour où il avait été torpillé et avait reçu un éclat dans l'épaule.

Or, Rakel pouvait à présent constater que Simon avait lui aussi reçu un « éclat » qui l'avait fait succomber.

Les hommes étaient assurément d'une espèce moins résistante que les femmes.

Mais il y avait aussi quelque chose dans les yeux d'Henrik. Bien sûr, celui-ci allait de temps en temps se soûler. Bien sûr... Mais, il y avait autre chose. Elle ne pouvait oublier le jour où elle l'avait rencontré derrière l'étable. Il n'avait pas donné la moindre explication. Se contentant de ricaner comme à son habitude, il était parti sans dire mot. S'il n'avait pas été le mari d'Ingrid et si elle n'avait pas su que, du fait de ce lien, il la tolérait à peu près, elle se serait dit qu'il recherchait ce que recherchent tous les célibataires.

Simon alla secrètement à Breiland. Puis, un peu plus voûté et encore plus secrètement, il se rendit à Bodφ. Il effectua des calculs et écrivit des lettres importantes. On vit son front se creuser de profonds sillons et ses doigts gourds de pêcheur se crisper autour du porte-plume. Sachant que Kornelius Olsa se débrouillait du bateau et de l'exploitation, il y consacra plusieurs jours. De même, il passa toutes les journées pascales à écrire et à penser.

A présent, le temps s'était suffisamment amélioré pour que les pêcheurs pussent de temps à autre sortir leurs mains de leurs poches.

Nombreux étaient ceux qui écrivaient au journal des lettres furibondes pour réclamer un contrôle plus efficace de la pêche à la seine.

Pour sa part, Simon n'avait guère le temps de les lire et encore moins de s'en indigner.

En revanche, une fois terminée sa ronde vespérale à l'étable, Rakel restait souvent seule à lire le journal.

Un jour, elle lut ainsi que les autorités religieuses refusaient aux femmes le droit de devenir pasteurs.

Rakel eut un souffle de mépris en pensant à ces pasteurs, mâles et adultes, qui, connaissant toute la misère du monde, ne trouvaient rien de mieux à faire que de décréter ce genre d'interdiction. Tout essoufflés et dégoulinant de sueur, ils auraient dû en fait passer leur temps à courir partout où l'on avait besoin d'aide et de consolation. Jamais Jésus n'avait eu un mot pour condamner les femmes, même quand c'étaient des putains. Elle s'en était elle-même assurée dans la Bible.

Puis ses yeux tombèrent sur la rubrique des livres : « Les femmes représentent l'espoir », pouvait-on y lire. « Un ethnographe américain du nom de Montagu écrit un livre où il affirme que la femme est supérieure à l'homme. Elle a plus de joie de vivre, une meilleure constitution physique, moins de maladies héréditaires, une plus grande résistance à la douleur et une intelligence plus développée ! Les femmes sont même meilleurs conducteurs ! Conscient de son infériorité, l'homme cherche à la compenser en élaborant un système de domination. Il jouit du vulgaire avantage que donne la force musculaire et, dès lors qu'il s'est mis à suivre son penchant naturel, il a été à l'origine de la guerre ; la guerre pour laquelle les femmes n'ont, quant à elles, aucune disposition. Chaque génération doit faire avancer le monde d'un pas. Les femmes donnent la vie, et, si les femmes font défection, tout espoir est perdu pour l'humanité. »

Tout en lisant, Rakel hocha la tête en signe d'approbation. Le monde avait enfin fini par ouvrir les yeux ! Non, ce n'était certainement pas *elle* qui allait faire défection !

Mais un ethnographe, qu'est-ce que ça fait au juste ? pensa-t-elle avec agacement. Rakel s'irritait souvent de tout ce qu'elle ne savait pas, des mots qu'elle ne comprenait pas.

Mais que les femmes n'aient pas de dispositions pour la guerre, voilà qui n'est sans doute pas vrai. Si besoin était, Rakel était prête à la faire, la guerre, il y avait tellement d'armes possibles.

Et même, d'une tribune, voire d'un autel, Rakel se faisait fort de tirer une ou deux fois dans le mille.

22

Le soleil de mai s'étant mis à cuire les écaillures de la façade sud, les habitants de la maison des Mille n'eurent plus à dépenser de charbon. Ingrid n'en fut pas la seule soulagée.

Chez Ottar, elle avait réussi à faire diminuer sa dette, et son nom avait été rayé du cahier de brouillon de la laiterie. Le printemps semblait revêtir pour elle une signification nouvelle.

Certes, la charge était encore lourde, mais elle avait l'impression de n'avoir plus à porter que cinquante kilos au lieu de cent.

Les bretelles du sac ne la brûlaient plus autant aux épaules et, se rappelant qu'elle avait connu pire, elle s'en trouvait réconfortée.

Ingrid était allée prendre de la bonne terre derrière les champs, dans un endroit qu'on ne voyait ni de la maison ni de la route et qui était connu d'elle seule. Comme il était très bien exposé au sud, la neige y fondait plus rapidement.

Elle avait accroché le seau rempli de terre au guidon de sa vieille bicyclette noire. Mais la charge était si lourde que, n'ayant pu enfourcher la brinquebalante machine, elle avait dû se contenter de la pousser jusque chez elle.

Après avoir gravi les escaliers avec son fardeau, elle alluma le four malgré la chaleur du soleil et versa la terre dans un récipient à pain. Telle était la marche à suivre pour éliminer entièrement la vermine. Parfois, il lui arrivait de sauver un petit ver de terre. Mais souvent aussi elle ne le voyait pas. Et après avoir passé quelques heures dans le four, le malheureux, devenu raide comme un bout de bois, n'était plus guère en situation d'être sauvé.

Aujourd'hui, elle n'avait pas beaucoup de temps pour passer la terre au crible. Elle devait partir au travail d'ici peu d'heures, et il fallait qu'elle ait terminé avant le retour d'Henrik. Celui-ci avait horreur des plantes en pot.

Tous les printemps, elle consacrait ainsi un jour à changer la terre de ses pots. Et, ce jour-là, elle avait l'impression de faire quelque chose d'interdit, comme si, ce seul jour, lui revenait l'étincelle de la jeunesse.

L'odeur de la terre... Bon Dieu ! Elle plongeait au plus profond de son esprit, lui apportait une nourriture vitale. Le souvenir... de quelque chose d'autre ; de quelque chose de meilleur ? Ah ! S'il était seulement possible de préserver ses souvenirs ! S'il était seulement possible de se réchauffer et de trouver le bonheur en restant tranquillement assis à se rappeler un visage cher, des mains... quelque chose qui aurait dû être...

Mais Henrik *était*, et il n'aimait pas ses plantes en pot. Il suivait sa propre route. Elle tenait bon cependant. Et lui aussi tenait bon. Ils étaient comme deux algues accrochées à la même misérable pierre sur la grève et qui tournoyaient ensemble sans jamais se toucher.

Voulant accélérer la cuisson de la terre, elle activa le feu.

Mais elle eut bientôt le visage cramoisi de chaleur et ouvrit toutes grandes les deux fenêtres. L'espace d'un instant, elle resta à regarder la neige sale derrière le bâtiment de la cour. Celle qui recouvrait la route avait en partie disparu.

Pour leur part, les enfants avaient choisi un emplacement où la neige avait fondu, et elle pouvait entendre les cadets d'Elisif en train de s'y disputer. Les pauvres petiots !

Ingrid devait également faire cuire la pâte à pain. Elle en avait tout juste le temps. La bonne chaleur du four ne pouvait servir uniquement à la cuisson de la terre. C'eût été un luxe inutile. Du charbon gaspillé, jeté par la fenêtre, aurait dit Henrik. Celui-ci était actuellement chez Dahl en train de donner un coup de main à l'entrepôt. Aujourd'hui, tout semblait parfaitement s'arranger.

Maintenant qu'elle en avait rempli un de terre, Ingrid était contente d'avoir deux récipients. A son retour de l'école, Tora pourrait surveiller la cuisson du pain. Elle s'en sortait très bien.

En travaillant, Ingrid avait le sentiment que tout ce qu'elle ressentait de contraintes et de grisaille s'estompait.

La semaine prochaine, elle irait faire un lessivage en grand chez le docteur. Elle pourrait ainsi gagner un petit quelque chose en plus de ce que lui rapportait le conditionnement. Et, comme on parlait de débaucher très bientôt, mieux valait avoir le plus possible devant soi.

Ces derniers temps, elle avait senti une étrange fatigue s'abattre sur elle. Une fatigue qui la tourmentait et l'énervait tellement qu'elle n'osait plus parler aux gens. De peur de se montrer agressive.

Ça n'en valait pas la peine.

Cet hiver-ci, elle avait eu spécialement mal au ventre. Certains jours, même, elle n'avait pas réussi à avaler la moindre bouchée.

Tora avait besoin de nouvelles chaussures et d'une nouvelle jupe. Il fallait l'habiller de neuf pour le 17 mai. Elle ne pouvait plus se montrer dans son vieil anorak. Qui était d'ailleurs devenu trop étroit.

Peut-être Rakel pourrait-elle lui donner un vieux vêtement à retourner ?

Bien sûr, même en prenant sur leurs réserves, ils ne vivaient pas trop grassement là-haut à Bekkejordet. Mais Rakel avait un manteau marron qu'elle ne mettait plus depuis longtemps. Peut-être accepterait-elle de s'en séparer ?

Ingrid faisait des projets. Ses doigts s'activaient aussi rapidement que des baguettes de tambour, et elle marchait d'un pas spécialement léger.

Henrik avait fait l'acquisition d'un vieil appareil de radio qu'il faisait marcher du matin au soir lorsqu'il était à la maison. Ça mettait de l'animation. Elle était bien obligée de le reconnaître.

Au début, elle n'en avait éprouvé que de la contrariété. Le poste était une survivance du temps de la guerre.

Mais, en se mettant à réparer puis à remonter l'appareil, Henrik s'était grandi à ses yeux. Et lorsque s'était établi un grésillant contact avec le monde, lorsque s'était ensuite fait entendre un grondement comparable à celui de l'océan, elle avait compris qu'Henrik *savait*. Enfin était venu le moment où, se frayant un passage à travers la cuisine, le son était parvenu jusqu'à eux. Tous trois étaient alors restés à regarder la caisse installée sur l'étagère. Il en sortait de la musique, et c'était grâce à Henrik. Ç'avait été une bonne soirée.

Des pas traînants dans l'escalier ! Elle les reconnut tout de suite. Oui, c'était bien ça. Il avait dû y avoir quelque chose, puisqu'il rentrait bien avant l'heure. A supposer tout au moins qu'il soit allé travailler. Ingrid se prépara à affronter l'inéluctable.

Il n'était pas aussi soûl qu'elle l'avait tout d'abord cru. Il était surtout d'humeur querelleuse.

— Qu'est-ce que t'as donc à chauffer aujourd'hui avec tout l'soleil !

— Il faut bien que je fasse du pain, répondit-elle en essayant de prendre un ton aimable.

— Du pain ? Tu parles ! T'étais encore en

train d't'occuper de tes foutues fleurs qui servent à rien d'autre qu'à nous boucher la vue.

— Chut ! Tu vas t'faire remarquer. C'est donc fini, le travail chez Dahl ?

— J'en ai rien à foutre.

— Qu'est-ce que tu dis pas ! Tu veux à manger ?

— Non !

Il alla s'affaler sur le divan qui était dans le coin, et Ingrid crut d'abord qu'il allait s'endormir. Mais, s'étant soudain levé, il se précipita vers la table où elle travaillait et tapa violemment dessus.

Or, le récipient à pain se trouvait posé en équilibre instable sur le rebord. Il se renversa à l'instant même, et Henrik reçut sur le revers de la main la terre brûlante, suivie du récipient qui l'était encore plus.

Henrik se mit à crier, à jurer et à tourner dans la pièce comme un forcené.

Ayant ouvert le robinet, Ingrid voulut lui mettre la main dessous. Mais il ne voulut rien entendre.

A ce moment précis, Tora arriva en haut de l'escalier. On l'avait libérée plus tôt que d'habitude. Entendant la dispute, elle hésitait à entrer. Elle *voyait* qu'il y avait quelque chose qui n'allait pas. Elle le voyait à la façon dont Henrik avait placé ses chaussures, sans parler de sa veste qu'il avait tout simplement jetée dans un coin.

Elle pensa d'abord aller faire un tour dans le bourg ou sur les quais, mais se ravisa ensuite à l'idée que sa mère avait dû l'entendre. Elle avait chaud dans son gros chandail. Une fois dans le couloir, elle le retira. De nouveau, il y eut cette odeur d'œillet. Elle avait les aisselles mouillées.

En la voyant entrer, sa mère leva les yeux. Elle semblait s'y être préparée et fit un signe de tête comme si de rien n'était. Un peu hésitante, Tora alla s'asseoir à l'extrémité de la table.

Debout, près du divan, Henrik regardait sa main brûlée d'un œil torve.

— Eh bien, Henrik, il s'est brûlé, expliqua Ingrid en dirigeant vers l'homme un regard timide. Tora ne répondit mot.

— Tu ne rentres pas un peu tôt ? essaya de nouveau sa mère.

— Si, la Gunn, elle a trouvé qu'avec ce beau temps on ferait mieux de profiter de l'air et du soleil que de rester enfermés à écrire.

— Oui, ça, elle a trouvé la bonne combine pour avoir un moment de libre, la garce, intervint Henrik.

A ces mots, Tora parut se réveiller. Elle voyait à présent. Elle voyait qu'Henrik était rentré et que ça lui déplaisait de trouver sa mère en train d'arranger les fleurs. Elle voyait que, pour une raison ou une autre, il était en colère et que c'était sa mère, Gunn et elle-même qui allaient prendre. Tora eut l'impression que, devant ses yeux, se formaient des flocons de laine rouge où venait se perdre l'éclat du soleil. Tout s'évanouit. Tout se noya dans la nuit noire, le péril, la répulsion et le dégoût. C'est à ce moment-là seulement qu'elle parut se rendre compte qu'Henrik n'était pas quelque chose d'immuable.

Il devint, lui aussi, un simple être humain. Elle le voyait là-bas se recroqueviller dans sa méchanceté, il n'était plus aussi menaçant qu'à la lumière du jour... A chaque mot qu'il prononçait, sa mère se ratatinait sur elle-même tout en s'efforçant de n'en rien laisser paraître.

Et, soudain, Tora parut ne plus pouvoir retenir ses mots. Elle ne sut pas d'où ils lui venaient, elle ne réfléchit pas à ce qu'elle disait. Elle s'entendit seulement dire :

— Y en a d'autres qui savent s'arranger pour avoir un moment de libre. Pas vrai ?

Un étrange silence se fit dans la pièce. Les sons de l'extérieur devinrent fracas de tonnerre. L'eau qui dégouttait du toit se mit à faire un bruit terrifiant, presque de mauvais augure. Mais le pire était maman, maman qui braquait sur elle de grands yeux écarquillés. Tout devenait irréel. Tora percevait un faible grondement, qui provenait de l'intérieur, qui provenait d'elle-même. Ingrid restait figée là, les deux mains enfoncées jusqu'aux poignets dans la pâte grisâtre. Une grosse mouche poilue vint se réfugier sous le rideau. Abrutie par le sommeil hivernal et les rayons de soleil.

Et, brusquement, il fut au-dessus d'elle :
— Qu'est-ce que t'as dit ?
Il avait le visage décomposé de rage.
Tora n'aurait jamais cru qu'il oserait la toucher en présence de sa mère, comme ça. Sous le choc, son cœur se mit à battre la chamade. Impossible de rien faire. Il battait à tout rompre et en tous sens. Son corps devint moite.
Mais le pire, ce ne fut pas la douleur, ce ne fut pas le traitement qu'il lui fit subir, lorsque, l'ayant serrée de toutes ses forces au point de l'empêcher de respirer, il la fit descendre lentement jusqu'à quelques centimètres du sol ; lorsque, l'ayant projetée par terre, il s'acharna sur elle de son poing valide. Et ce ne furent pas non plus les étranges bruissements qui lui parvenaient aux oreilles ou les papillotements qui se formaient devant ses yeux qui furent le plus dangereux.
Non, le pire, ce fut cette grosse main qui lui touchait la nuque. Le contact. L'écœurement. Le

plus monstrueux, ce fut cette peau qui touchait la sienne. Et sous les yeux de sa mère !

Elle se rendit compte que sa mère bondissait pour lui prendre le bras. La pâte et la farine se mirent à tourbillonner dans la pièce.

Lorsqu'il utilisa ses dernières forces pour frapper à coups de poing le visage d'Ingrid, Tora eut l'impression de s'extraire de son propre corps.

Elle oubliait qui elle était. Jamais elle ne se serait cru capable de crier si fort. — Frappe pas maman ! sinon j'te tue !

Mais il avait déjà frappé. A plusieurs reprises. Du nez et de la bouche d'Ingrid s'écoulait à présent un sang rouge et frais.

D'un geste rapide, Tora appliqua un torchon en dessous. Puis, comme le sang traversait l'étoffe, elle alla en chercher un plus épais qui servait d'habitude à s'essuyer les mains.

La mouche avait trouvé une sortie. Quelque part dans la maison retentissaient des coups irrités. Ce devait être Gunda que le vacarme empêchait de faire sa sieste au rez-de-chaussée. Les jambes écartées, le buste légèrement penché en avant, Henrik se tenait au milieu de la pièce. Sa main était à moitié refermée, et il avançait la tête comme un animal qui se sent menacé.

Il respirait fort à présent.

Et soudain son visage sembla se craqueler, comme s'il allait se mettre à pleurer. Il eut l'air d'un petit garçon qui avait détruit un nid d'oiseau sans l'avoir tout à fait voulu.

Enfin, s'étant soigneusement essuyé le nez du revers de la main, il franchit la porte et sortit sans regarder personne.

Ingrid s'assit sur un tabouret et essuya son sang.

Après avoir rincé un torchon dans de l'eau froide, Tora le lui tendit.

Il n'y eut pas une parole d'échangée.

Tora était étonnée que sa mère ne pleure pas. C'était généralement le cas lorsqu'elle se faisait ainsi battre.

Mais ce n'était quand même pas si fréquent. Il fallait bien le reconnaître. Et jamais il n'avait été jusqu'à la faire saigner. Si cela s'était produit aujourd'hui, c'était parce que Tora s'était laissée aller à parler sans réfléchir. En fait, c'était toujours à cause d'elle, Tora, qu'il y avait de la zizanie.

En allant rejoindre l'équipe de l'après-midi, Ingrid avait une joue enflée.

Elle resta un petit moment à se regarder dans la glace qui surplombait le lavabo, poussa un soupir puis enfila la vieille veste de laine qu'elle gardait sous son tablier blanc pendant les heures de travail. Sur quoi, ayant rassemblé les affaires qu'elle avait coutume d'emporter, elle s'apprêta à sortir.

Mais c'est seulement une fois arrivée à la porte, son filet usé à la main et son foulard bien noué sous le menton, qu'elle toucha le bras de Tora et dit : — Tu sortiras le pain quand tu auras fini de le faire cuire. Et... puis... je voudrais bien que tu balaies le plancher pour enlever la terre. Après, tu te dépêcheras de bien faire tes devoirs et tu pourras aller chez tante Rakel, à moins que tu ne préfères me retrouver derrière les bâtiments de Dahl. D'accord ?

Tora ayant approuvé d'un hochement de tête, sa mère disparut.

Il allait s'écouler un bon moment avant qu'il ne revienne. C'était toujours comme ça quand il s'était passé quelque chose.

Ayant soufflé, elle activa le feu et régla le tirage du mieux qu'elle put. La pièce de métal était brûlante. Elle essaya de la manœuvrer avec le crochet, échoua, essaya de nouveau. C'était idiot de ne pas y arriver ! Mais, après tout, sa mère n'y parvenait pas toujours non plus.

Surtout quand elle était fatiguée.

Tora n'était pas fatiguée, elle. Et pourtant, il lui semblait avoir passé toute une journée dehors par mauvais temps. Elle avait les doigts gourds. Les pieds aussi. Bizarre. Car il faisait très chaud.

Tora mit à tremper dans un seau d'eau froide les torchons sanguinolents. C'était ce que faisait sa mère avec ses sous-vêtements lorsqu'elle avait « ses jours ».

Tora ne les avait pas encore, ses jours. Et elle n'avait pas spécialement envie de les avoir. Mais Soleil lui avait tout expliqué. Par le menu.

Sa mère aussi lui en avait parlé, mais très rapidement et sans lever les yeux de l'eau rougie. C'était un jour où Tora l'avait trouvée occupée à nettoyer sa culotte blanche toute maculée.

Curieusement, cela n'avait rien à voir avec le péril ; qui pourtant venait de là...

Sans doute était-ce parce que maman, Soleil et elle-même en avaient parlé entre elles à voix basse. Tenant le monde extérieur à l'écart, elles avaient eu quelque chose pour elles. Elles avaient eu quelque chose ensemble. Quelque chose qu'il fallait certes tenir caché, mais quand même.

C'était tout à la fois banal et d'une extrême gravité.

Soleil avait raconté que, la première fois, elle avait pleuré car elle ignorait alors ce qui se passait.

Et c'était pendant presque toute la vie qu'il fallait vivre avec. Du moins jusqu'à ce qu'on soit vieille.

Soleil trouvait que c'était un peu dégoûtant. On s'y habituait cependant assez vite.

Penchée au-dessus du seau, Tora voyait le sang qui striait curieusement l'eau avant de la colorer lentement en rose.

Certaines des taches les plus importantes s'étaient déjà figées en grumeaux et filaments durs, qui ne se détachaient qu'à grand-peine des serviettes, puis tombaient directement au fond. Une fois là, bougeant à peine, ils perdaient peu à peu leur couleur tandis que, tout autour, l'eau rougissait de plus en plus.

Si elle n'avait pas su que c'était du sang, elle aurait trouvé ça beau ! Le sang avait une odeur doucereuse.

D'où qu'il vienne, il sentait pratiquement toujours la même chose. S'il n'était pas trop vieux.

Soudain, elle se rappela la puanteur qui régnait chez Elisif l'hiver précédent.

Jamais sa mère ne laissait le sang vieillir.

Les effluves du pain en train de cuire ! Ils se faufilaient à travers les fissures du vieux poêle en fonte.

Par la suite, Tora devait toujours associer les effluves de pain et l'odeur de sang. Chiffons sanguinolents et doigts brûlés. Sécurité et malédiction.

Une fois le seau recouvert et glissé sous l'évier, elle se redressa. Mais ce fut pour immédiatement se repencher et s'assurer prudemment par la porte du four que les pains ne brûlaient pas.

Les ayant placés un cran plus haut, elle les recouvrit d'un papier d'emballage, comme Ingrid avait coutume de le faire lorsqu'il ne restait plus qu'un quart d'heure de cuisson. Sur quoi, elle se mit à balayer le plancher pour enlever la terre.

Ingrid était une personne d'ordre.

Elle faisait rarement plusieurs choses à la fois sans être assurée d'en avoir l'entière maîtrise. Contrairement à tante Rakel. Non, sa mère, elle, n'entreprenait jamais qu'une chose à la fois et nettoyait toujours très consciencieusement après avoir terminé.

Mais aujourd'hui tout était sens dessus dessous.

Ayant à présent un gros tas de terre sur sa pelle, Tora se mit à remplir les boîtes de conserve vides qu'Ingrid avait alignées sur le plan de travail de la cuisine. A l'aide d'un clou, celle-ci avait soigneusement percé quatre trous dans le fond de chaque boîte, puis disposé une couche de petits cailloux pour permettre à la terre de respirer. Le clou et le marteau se trouvaient encore sur la table.

A la vue du marteau, qu'elle n'avait pas encore remarqué, Tora fut soudain prise d'une folle envie de frapper. Entièrement possédée par l'envie de frapper. D'utiliser ses forces à briser quelque chose.

Et ce n'était d'ailleurs pas seulement *quelque chose* en soi. Mais quelque chose qui reculerait sans cesse. Qui reculerait devant son marteau ! De ses deux mains tremblantes, elle s'en saisit et resta ainsi sans savoir ce qu'elle allait faire. Jusqu'au moment où elle s'aperçut qu'une des belles impatientes de maman avait une de ses grosses tiges cassée.

S'étant rendue dans le couloir, elle alla alors remettre le marteau dans la caisse à outils. Elle avait le sentiment d'avoir échappé à quelque chose.

Il fallait maintenant redresser la tige cassée à l'aide d'une aiguille à tricoter.

Neuf boîtes en tout. Tora plongea ses mains dans la terre refroidie et les remplit à moitié.

L'une après l'autre. Malgré ses mains toutes sales, elle éprouvait une sensation de pureté.

L'odeur de terre. L'odeur du soleil qui pénétrait par la fenêtre ouverte. La terre contre la peau. Elle en ressentait une sorte de plénitude. Elle en oubliait le marteau. Elle l'en oubliait, lui. Elle en oubliait tout.

En avait-il été de même pour maman ? se demanda Tora. Lui suffisait-il, à elle aussi, de plonger ses mains dans la terre pour oublier ce qu'il y avait de désagréable ? Non pas que tout ce qu'il y avait de mal disparût alors, n'existât plus. Non, seulement, ce n'était plus douloureux...

Lorsqu'elle avait ainsi les mains dans la terre, elle voyait se dessiner devant elle l'image de sa mère.

Un visage blafard entouré d'une grande couronne de cheveux noirs.

Ils avaient repoussé, pensait Tora triomphante.

Son chignon dans la nuque qui se défaisait. Sa mère ne s'était pas fait faire d'indéfrisable comme ses camarades de travail.

A présent, elle se trouvait dans les locaux réfrigérés, les mains dans la cellophane et les filets de poisson.

Elles avaient tellement de choses à faire, les mains. Et l'on n'y pouvait rien, surtout pour les mains de sa mère. Elles étaient toujours en mouvement.

Tora transplanta précautionneusement les plantes dans leur nouvelle boîte, puis les entoura soigneusement de terre jusqu'à ce qu'il ne restât plus qu'un petit rebord pour l'eau.

Ayant déjà aidé sa mère, elle savait comment s'y prendre. Et, lorsqu'elle était ainsi seule à s'affairer, sans personne pour la regarder, elle se sentait presque habile.

Enfin, toutes les fleurs se retrouvèrent comme neuves dans leur boîte brillante. Seules se voyaient encore les vilaines traces de colle laissées par le papier qui était tout autour.

Ayant alors tourné celles-ci vers la vitre, elle pencha légèrement la tête de côté et se mit à contempler son œuvre.

Elle s'aperçut cependant qu'il manquait quelque chose et se mit à fureter dans les trois pièces pour trouver du papier crêpe. Pour finir, elle dénicha le rouleau vert qui se trouvait tout en haut du placard de la cuisine.

D'une main experte, elle découpa des bandes de papier à la largeur voulue puis en entoura chacune des boîtes. S'étant d'abord efforcée de faire des nœuds en papier, elle s'avisa ensuite que des épingles feraient tout aussi bien l'affaire. Et, en plus, ça ferait moins chargé. Maman avait là-dessus des idées tout à fait précises.

Pour parachever son œuvre, elle découpa de jolies échancrures dans la partie supérieure. Personne n'aurait pu voir qu'il y avait en dessous des boîtes de conserve ! Personne au monde !

Tora avait la tête penchée sur le côté et, à la commissure droite, on voyait un bout de langue rose qui dépassait des lèvres.

C'est maman qui allait être contente ! Avant d'aller à sa rencontre, elle préparerait du café et de la pâte à crêpes qu'elle mettrait sur le plan de travail. Qu'est-ce que ça serait bien !

Tora avait oublié les pains. S'étant habituée à l'odeur, elle ne s'était pas rendu compte que celle-ci était devenue de plus en plus intense. Et maintenant ça sentait le brûlé !

Sur le dessus des pains s'était formée une affreuse croûte noire. En voulant les sortir du récipient, elle se brûla et se fit une cloque. Elle fut soudain sur le point de pleurer.

Elle avait cru que tout était de nouveau pour le mieux, et voilà qu'elle avait oublié les pains !

Chaque fois que l'on croyait avoir échappé à un malheur et remonté la pente, il y avait quelque chose pour essayer de vous extirper la joie du corps. Pourquoi fallait-il toujours que ça se passe comme ça ?

Mais maman en avait elle aussi brûlé des pains. Tora l'avait bien vu. Peut-être pas *autant*... mais elle en avait quand même brûlé !

Et puis on avait mangé quatre pains en une semaine ; de toute façon il allait donc falloir en faire quatre nouveaux vendredi prochain.

Bah !

23

Tora avait l'impression de ne jamais voir Soleil sans le benjamin sur le dos. Ils semblaient ne former qu'un seul être.

Torstein avait trouvé du travail dans la commune. Pour les chaussures et le pain, il en était résulté une notable amélioration, mais Soleil n'en avait guère été plus libre pour autant. Certes, on s'était plusieurs fois efforcé de placer les enfants, individuellement ou tous ensemble.

Mais cette dernière solution restait purement chimérique. Car, si les gens étaient tout à fait disposés à accueillir l'industrieuse Soleil, ils n'avaient nulle envie de voir chez eux des gamins chiasseux et morveux qu'il faudrait veiller la nuit. Aussi tout resta-t-il en l'état.

En semaine, quand les grands étaient à l'école, c'était Vanda-de-dessous-la-rivière qui venait surveiller les petits et s'occuper un peu de la nourriture ou des vêtements. On racontait que la commune la payait pour ça.

Mais, l'après-midi et le soir, c'était à Soleil de prendre les choses en main. Et Tora trouvait alors qu'elle ressemblait à une fourmilière. Sur elle, au-dessus d'elle, à côté d'elle, ça n'arrêtait pas d'escalader, de ramper, de grouiller.

Elle ne paraissait cependant pas s'en préoccuper outre mesure. Quand il y avait un peu trop de mouvement, elle se contentait de se déplacer un peu.

Ses devoirs, elle les faisait sur le minuscule plan de travail de la cuisine. Bien éclairée par la fenêtre à la belle saison, elle s'asseyait dessus en tailleur. Mais non sans avoir préalablement pris la précaution d'éloigner tous les tabourets qui auraient permis aux petits de grimper jusqu'à elle.

Ainsi haut perchée au-dessus du plancher, elle s'absorbait dans ses pensées, donnant l'impression de pouvoir totalement se déconnecter du monde. Aussi facilement que l'on débranche un poste de radio.

Sous le rapport de la turbulence, on trouvait cependant pire que les enfants d'Elisif, et, tant bien que mal, les choses suivaient leur cours. Pour peu qu'on les prît au jour le jour.

Les enfants, c'était toujours l'affaire des femmes et lorsque, pour une raison ou une autre, celles-ci faisaient défection, on pouvait être sûr que ç'allait être la pagaille. Les marmots, personne ne savait plus qu'en faire.

Et même si les alentours regorgeaient de pères au chômage, rien n'y faisait.

Tora avait bien souvent rêvé que tante Rakel accueillerait chez elle Soleil et tous les autres enfants d'Elisif. Une fois couchée, voulant tenir le péril à distance, elle brodait sur cette idée. C'étaient de bonnes pensées auxquelles on pouvait consacrer beaucoup de temps, tout comme celles qu'elle avait sur Berlin et sa grand-mère. Des pensées qu'on pouvait prolonger à l'infini.

Tora se les imaginait parfaitement à Bekkejordet, tous ces enfants. Il y avait tellement de place ! Comme ils y seraient bien ! Et peut-être serait-il possible de l'y accueillir, elle aussi. Dans le grenier au métier à tisser, il y avait toute la place nécessaire pour installer les lits des petits. Comme ça, elle pourrait coucher avec Soleil dans la petite chambre où se trouvait la lampe à abatjour vert.

Mais tout ceci restait du domaine du rêve. Elle le savait parfaitement, car, même si la tante ne pouvait pas avoir d'enfants, elle n'était pas pour autant disposée à en recevoir toute une flopée.

Et encore moins maintenant, après l'incendie.

Un après-midi, se montra dans la cour de la maison des Mille une silhouette inconnue.

Une maigre créature dégingandée que l'on vit soudainement apparaître près du bâtiment de la cour et qui se mit à regarder avec curiosité le groupe d'enfants qui arrivait des quais. Il avait des membres exceptionnellement longs. Sa tête paraissait bien trop grande et bien trop lourde pour son cou mince et élancé.

Pourtant, c'étaient surtout ses vêtements qui retenaient l'attention. Ils lui allaient bien et étaient même parfaitement ajustés. Apparemment neuf, le chandail ne présentait ni trous ni reprises et avait des couleurs chaudes aussi délicatement assorties que s'il s'était agi d'un chandail de fille.

Il était là à notre arrivée, chuchota Soleil en

louchant en direction du garçon. Qui devait avoir à peu près le même âge qu'elle.

Ils le virent déglutir à plusieurs reprises. Paraissant avoir quelques pointures de trop, sa pomme d'Adam affolée était agitée d'un frénétique mouvement vertical.

A l'évidence, sa mère avait manifesté plus de goût en l'habillant que le Seigneur en le créant.

Mais les enfants de la maison des Mille ne s'arrêtaient pas à ce genre de détail.

— Et d'où tu viens ?

Sachant qu'il avait tout le groupe derrière lui, Jørgen faisait l'important. Il n'arrivait cependant pas à prendre ce ton cassant qu'il avait entendu à Ole, un jour qu'un étranger s'était présenté sur leur territoire. Il était en fait bien trop préoccupé de savoir s'il s'agissait d'un garçon qui ferait le poids. Car, dans la maison des Mille, il y avait incontestablement pléthore de femmes.

Ayant enfourché une vieille bicyclette noire appuyée contre un des murs, Jørgen s'était mis à tourner autour de l'appentis et du nouveau venu, réduisant un peu plus la distance à chaque fois ; jusqu'au moment où, se retrouvant tout à côté du garçon, il lui lança : — Mais t'es qui, toi ?

L'étranger resta cependant sans réagir.

Jørgen s'arrêta alors tout près de lui et répéta sa question.

Pour toute réponse l'étranger se mit à gesticuler des bras, à faire des mouvements tout à fait bizarres et parfaitement incompréhensibles.

Dès lors, le groupe ne réussit plus à surmonter sa curiosité. Tous s'approchèrent comme attirés par un aimant. Y compris les plus petits et le benjamin installé sur le dos de Soleil.

Bien que le groupe se fût dangereusement

rapproché de son mur, le garçon gardait un air presque affable. Paraissant plus curieux qu'apeuré, il se contentait de rester immobile ; mais ne disait toujours mot.

— Tu peux donc pas parler ?

Jørgen avait mis un pied à terre pour garder l'équilibre.

L'étranger secoua énergiquement la tête.

Jørgen eut un ricanement. Les autres restaient là à ouvrir de grands yeux.

— Mais comment qu'tu t'appelles ? Dis !

Jørgen ne renonçait pas. Il avait beau ressembler à son père, ce n'était pas dans ses habitudes.

Le garçon ouvrit la bouche, mais pour aussitôt la refermer.

Sur quoi, il eut un grand geste d'impuissance et se remit, tout comme avant, à dévisager Jørgen.

— T'es un peu bizarre ou quoi ?

Entendant battre la porte d'entrée, Jørgen descendit complètement du vélo puis le plaça à côté du phénomène qu'il souhaitait voir de plus près.

— Laisse-le donc tranquille !

C'était Soleil qui s'était détachée du groupe. Elle avait prononcé ces mots sur un ton brusque et décidé, avec une autorité digne d'un pédagogue chevronné.

C'était elle la première qui avait flairé quelque chose d'anormal, qui s'était doutée que tout n'était pas dans l'ordre. C'était bien sûr Soleil qui avait été la première à se rendre compte que le malheureux était réellement muet.

Au demeurant, il ne semblait pas non plus entendre ce qu'on lui disait. Il ne tendait pas l'oreille comme il l'aurait fait s'il avait uniquement eu du mal à saisir les sons. Il se contentait de dévisager les autres et d'avancer vers celui qui lui parlait. A voir, ça faisait complètement stupide.

Tora ressentit une sorte de douleur qui lui descendit de la poitrine jusque dans le ventre. Et même jusqu'à l'endroit que l'on ne nomme pas. Une sorte de pleur.

Elle n'arrivait pas à très bien se l'expliquer. En regardant le garçon muet et en comprenant ce qui lui arrivait, elle avait l'impression que tout ce qu'il y avait de sensible en elle, tout ce qui faisait mal, toutes les ombres, dévalait sur elle. Elle se sentait désemparée et stupide.

Jamais Tora n'avait rencontré quelqu'un qui ne pouvait pas parler.

24

Frits n'avait aucune autre infirmité que celle qui leur était apparue la première fois.

A part qu'il était aussi sourd que muet. Mais ça, il y avait beaucoup de gens pour affirmer que c'était monnaie courante.

Et puis il lui arrivait aussi de pleurer, à ce grand dadais. Mais c'était pareil pour Jørgen quand il se mettait à piquer une vraie colère.

Le père de Frits était le nouveau chef mécanicien de chez Dahl.

Et l'on avait plutôt mal accepté que Dahl ait fait venir un étranger sur l'île. Les hommes qui s'alignaient le long du mur dans la boutique d'Ottar juraient leurs grands dieux que c'était un travail qu'ils auraient été plusieurs à pouvoir faire.

Les enfants ne tardèrent pas à s'apercevoir que Frits courait même plus vite que Tora. Et, s'il ne cognait pas spécialement fort, il savait très bien se défendre contre les enfants du bourg. Du seul fait qu'il était muet, il inspirait une sorte de terreur.

— Attention, v'là le muet ! murmuraient les enfants avant de disparaître.

Et, à chaque expédition guerrière, les enfants de la maison des Mille faisaient de Frits leur porte-drapeau. Pour tenir les autres en respect, il suffisait, le plus souvent, de faire marcher en tête le maigrichon qui lâchait des sons gutturaux.

Frits et ses parents habitaient l'une des baraques vides qui avaient jadis fait partie de l'exploitation des Brinch. Les ayant reprises, Dahl s'en servait à présent pour héberger les ouvriers qu'il faisait venir de l'extérieur.

La mère de Frits, dont une permanente avait complètement bouclé la tête, s'appelait Randi. Un vrai nom de petite fille. Elle était aussi petite et potelée que son mari et son fils étaient grands et dégingandés. Elle avait des yeux pleins de vie et regardait les gens bien en face.

Chez eux, rien n'était comme ailleurs. Le père était souriant et, sans être spécialement muet, parlait avec retenue. Les enfants l'aimaient bien.

Quant à Randi, elle ne se contentait pas de sourire. Elle riait, tout comme Gunn ou tante Rakel. Et elle parlait à toute vitesse. Il y avait quelque chose d'extraordinairement libre chez les gens qui riaient, se disait Tora. Non pas ces gros rires forcés que les hommes avaient le samedi dans les baraques, ou ceux qu'on entendait au passage des bandes qui se rendaient à la maison des jeunes. Non, Tora pensait à ces rires qui semblaient traduire un débordement de bonté et de bonne humeur impossible à contenir.

Le rire de Randi ressemblait à un doux roucoulement, presque le son de la gélinotte au printemps.

Quant au mobilier de la baraque, Tora le

trouvait des plus surprenants. Bien sûr, on y voyait les mêmes objets spartiates et utilitaires que partout ailleurs : table, chaises en bois, plan de travail, couchettes. Poêle surmonté de l'inévitable corde à linge. Un clou pour le tisonnier. Un clou pour la louche de l'évier. Une étagère au mur pour recevoir le poste de radio ; lorsqu'on avait la chance d'en posséder un.

Mais, chez Frits, c'étaient des journaux que l'on voyait sur l'étagère à radio ; car, la radio, elle se trouvait dans une armoire laquée près d'une des couchettes. Et, dans cette armoire, on trouvait en plus un tourne-disque !

Le cabinet radiophonique. C'était ainsi que Randi avait baptisé l'armoire. Un vrai miracle !

La première fois qu'elle la vit, Tora ouvrit de grands yeux, et Frits en était manifestement fier, car, bien qu'il ne pût rien entendre lui-même, il plaça plusieurs disques sur le support qui surplombait la platine recouverte de peluche. Ayant laissé la porte ouverte, il surveillait attentivement le moment où tombait chaque nouveau disque. Accordéon, violon, guitare, flûte même. Sans oublier le chant ! Installée sur le couvre-lit en tricot de la couchette, Tora écoutait. Béni soit Frits qui ne venait pas lui gâcher ces précieuses minutes en bavardant ! Elle se croyait presque dans un nouveau grenier. Et, ici, il faisait plus chaud et plus clair.

Pourtant, il n'existait plus, son grenier ! Lorsque quelque chose n'allait pas, elle n'avait plus aucun endroit où se réfugier ; elle se sentait comme une mouche chassée de partout.

Elle était un escargot en plein milieu de la route. Il fallait seulement espérer qu'aucune voiture n'arriverait.

Lorsqu'elle était dans le bourg, elle levait les yeux vers la cheminée recouverte de suie.

A voir les traces qui restaient, c'était donc *tout là-haut* que s'était trouvé le toit. Face à l'inéluctable, Tora prenait la mesure de son impuissance. Elle avait moins envie de réagir. Elle avait elle aussi changé après l'incendie, tout comme sa tante et son oncle.

Les flammes ! Elle les voyait s'élever devant elle. Elle voyait les cendres de ses cahiers de brouillon s'éparpiller au vent. Elle les voyait disparaître vers la mer, emportant au loin sa bonne solitude et les sifflements bénis. Comme s'ils n'avaient jamais existé !

Elle s'était trouvée à Breiland au moment où ils avaient eu besoin d'elle, de même que son père avait toujours été mort lorsqu'elle avait eu besoin de lui. Il n'y pouvait rien lui non plus. C'était tout simplement comme ça.

Mais elle avait reçu quelque chose à la place, quelque chose qu'elle n'avait même pas eu besoin d'inventer.

Il y avait chez Randi et Frits beaucoup de choses qui ne manquaient pas d'étonner.

Les rayons par exemple. Tous ces rayons qu'il y avait entre les fenêtres !

Sur plusieurs rangées ! Et on n'y avait pas disposé d'objets décoratifs ou des pots de fleurs comme chez tante Rakel et oncle Simon. Non, on n'y trouvait que des livres. Presque comme une bibliothèque. Des livres de toutes sortes, des usagés et des neufs, minces ou épais.

Et, comme il n'avait pas été possible de tous les y placer, il avait fallu en mettre quelques-uns dans des cartons sous les couchettes.

Un jour, Tora se hasarda à examiner les gros romans d'un peu plus près. Mais elle garda en même temps un œil sur Randi pour savoir si elle n'était pas fâchée qu'on fouille dans ses livres ou si elle allait s'inquiéter de ceux qu'elle choisirait.

Mais non, Randi était toute à ses occupations.

Elle avait une machine à tricoter qui claquait lorsqu'elle s'en servait. Et elle s'en servait souvent.

Elle tricotait pour les gens.

Lorsque Tora venait lui rendre visite, il lui arrivait de préparer du cacao. Sinon, on la trouvait presque toujours dans son coin-cuisine ou devant sa machine à tricoter. Par moments, tournant la tête vers Frits et Tora, elle leur adressait un sourire que Tora, incertaine et étonnée, lui rendait. Et Tora en venait à penser qu'en définitive ce n'étaient pas tant les livres, l'armoire, son gramophone et sa radio qui distinguaient cette maison des autres. Non, c'était ce sourire que l'on adressait à quelqu'un, uniquement pour lui sourire.

Etonnant !

Tora tomba sur un livre tout dépenaillé qui n'avait pratiquement plus de couverture. Il y était question d'amour. Une jeune fille épousait un riche Anglais et allait s'installer avec lui dans son château. Alors commençaient à se produire des événements étranges et angoissants, à peine supportables. Il y avait une gouvernante qui essayait de faire partir l'héroïne. Et puis il y avait la femme morte du riche Anglais, Rebecca. Car celui-ci ne parvenait guère à l'oublier. A vous donner la chair de poule. Laissant la surface de sa tasse de cacao se recouvrir de peau, Tora se recroquevilla sur son couvre-lit en tricot. Le liquide se refroidissait lentement sans qu'il y eût personne pour lui dire de le boire.

En partant, Tora put emporter le livre avec elle, et elle se demanda ce qu'il y avait de mieux, du tourne-disque ou des livres. A moins que ce ne fût tout simplement la pièce elle-même où il n'y avait pas la moindre parcelle de péril. Parfois, il arrivait à Frits et Randi de « parler »

ensemble. Utilisant un langage de signes, ils agi-
taient les doigts à toute vitesse devant eux.

Randi n'avait non plus aucun mal à se faire
comprendre de Tora, car elle disait simultanément à haute voix ce qu'elle essayait d'exprimer
avec les doigts. Elle se déformait la bouche, donnant l'impression de vouloir la transformer en
entonnoir. Elle l'arrondissait, l'élargissait et prenait soin de bien remuer les lèvres, comme s'il
était important de rendre tous ces sons qui
avaient tendance à disparaître lorsqu'on parlait.

Et Tora se rendait compte qu'en regardant sa
bouche Frits voyait ce que Randi disait. C'était
bizarre.

Tora essaya elle aussi d'apprendre le langage
des signes. Ce qui n'alla pas tout seul. Mais Frits
ne parut guère s'en irriter. En fait, d'une
manière générale, il n'y avait jamais personne
chez Frits pour se mettre en colère ou s'irriter.
C'en était presque anormal.

Ils se parlaient sans paraître avoir honte de
bien s'aimer.

Tante Rakel et oncle Simon s'aimaient bien
eux aussi, ce qui ne les empêchait pas de se disputer de temps à autre. Tout au moins la tante.
Ne serait-ce que pour se distraire. A défaut
d'autre chose.

Mais, chez Frits, c'eût été impensable et
inconvenant. Tora se demandait si c'était parce
que Frits était muet.

Ainsi Tora en vint-elle à négliger de plus en
plus Soleil et les autres enfants de la maison des
Mille pour rester chez Frits.

Là, elle pouvait poser son regard où elle le
voulait, sans avoir à constamment redouter de se
trahir. Et, soit elle l'arrêtait sur les livres, soit elle
l'accrochait à la serviette brodée qui dissimulait
les torchons suspendus au-dessus de l'évier. On

pouvait y voir un chalet, des fleurs et des chèvres. Ainsi qu'une petite fille aux joues rouges en train de donner aux chèvres quelque chose qui sortait en gerbe de sa main.

Traversant la pièce, la musique venait la prendre pour la conduire dans la broderie de la serviette, là où l'été ne finissait jamais.

Sur le chemin de retour, il lui arrivait souvent de se chagriner pour Soleil. Elle se rendait bien compte qu'elle l'avait délaissée. Car il était impossible à Soleil de venir avec tous ses petits frères et sœurs écouter le gramophone.

Soleil était prisonnière.

Tora savait bien qu'elle la délaissait, et, pourtant, marchant dans la bizarre atmosphère bleue pour rentrer chez elle, elle se sentait presque heureuse d'être triste à l'idée que Soleil était prisonnière.

Non pas qu'elle ne souhaitât pas un meilleur sort à Soleil. Mais elle était presque heureuse de ressentir une forme de tristesse qui ne la minait pas.

Un soir que Tora s'apprêtait à rentrer chez elle, Randi l'accompagna dans le grand couloir froid de la baraque et lui dit : — Tu es quand même gentille de venir si souvent voir Frits, Tora. Et, en plus, tu te donnes la peine d'apprendre le langage des signes !

Tora resta clouée sur place. Le rouge de la honte lui monta aux joues. Il y avait tellement de choses qu'elle aurait voulu dire, qu'elle aurait voulu expliquer. Tellement de choses dont elle aurait voulu la remercier. Mais elle se serait trouvée si bête qu'elle préféra tout laisser se perdre dans le plancher gris. Soudain, elle comprit ce que ressentait Frits lorsqu'elle était installée sur le couvre-lit de la couchette à écouter de la musique ou lorsque les enfants de la cour bavardaient à tort et à travers en oubliant qu'il ne pouvait les comprendre sans regarder leur bouche. Et Tora disparut à grandes enjambées dans la soirée printanière.

Voulant d'abord rester un peu seule, elle ne rentra pas directement à la maison ; il lui sembla que ses jambes décidaient d'elles-mêmes de lui faire monter le chemin de terre qui conduisait à Bekkejordet. Et, une fois arrivée à l'endroit où les taillis de bouleaux succédaient aux bruyères, elle eut d'une certaine manière le sentiment d'être sauvée. Sans chercher de sentier ou d'ouverture, elle se glissa entre les arbres. La puissante odeur des bourgeons lui monta brusquement aux narines.

Elle éprouva alors la même sensation que si elle venait de guérir d'une longue maladie. Plus haut, en contrebas du Veten, elle entendit dans la pierraille le grand coq de bruyère qui remuait et faisait entendre son cri.

Tora s'assit sur une petite élévation de terre en dessous d'un sorbier. Elle avait les jambes qui flageolaient curieusement. La mousse et les bruyères étaient humides ici ; la neige venait tout juste de disparaître, et c'est à peine si, au milieu d'une masse brune et fanée, commençaient à percer quelques pousses d'un vert tendre.

Au bout d'un instant, elle avait retrouvé un visage suffisamment serein pour redescendre.

Ayant pris un raccourci qui la faisait passer sous les claies des séchoirs, elle huma l'odeur prenante et aigre du poisson à moitié séché et du poisson tombé par terre qui pourrissait. A quoi s'ajoutait, omniprésente au printemps, la curieuse odeur d'algues et d'air marin, qui s'accrochait à tout et à tout le monde.

La mouette. La mouette était à la fois libre et peureuse. Tout comme elle. Elle la regarda, écouta ses cris déchirants. Elle pouvait se permettre de s'apitoyer sur quelqu'un qui était moins libre qu'elle. Lorsque soufflait le vent, elle avait l'impression d'avoir du velours derrière les paupières. C'était ainsi.

Les petits oiseaux étaient moins libres que la mouette et plus peureux. Ici, dans le bourg, il n'y en avait pas tellement. Mais, à Bekkejordet, ils avaient fait leur nid dans les taillis. Rien qu'à les regarder on se sentait devenir gentil. On avait envie de prendre et de tenir chacun d'entre eux dans le creux de la main. De sentir les griffes minuscules et les plumes délicates contre la peau des doigts.

Et elle pensait à Frits qui ne disait jamais rien. Qui se contentait de sourire et laissait les gens en paix.

25

Pour qui allait de la maison des Mille à la baraque de Frits, le changement n'était pas considérable.

L'une et l'autre avaient leur peinture écaillée.

Toutes deux avaient des éviers semblables. Jusque dans leur bordure bleue.

En fait, les traits communs étaient bien plus nombreux que tous ces gramophones, disques et rayonnages qui permettaient de les différencier.

Cependant, il y avait quelque chose ; quelque chose qui tenait à la nature même de l'air. À la maison, c'était plus triste. On y humait une nerveuse odeur de savon, et le péril y était à l'affût.

Tora se trouvait méchante d'avoir des pensées

de ce genre. Car elle savait à quel point sa mère trimait.

Mais c'était avant tout de *lui* qu'il s'agissait. Une sorte d'ombre. Une dépendance ou une menace qu'il était impossible d'ignorer.

Tora se désaccoutumait d'y penser. Il était rare qu'elle voie en lui un être humain. La dernière fois, ç'avait été ce jour du printemps dernier où il avait frappé sa mère ; elle avait alors été prise d'une folie qui n'avait fait qu'empirer les choses pour maman.

A cette occasion, Tora avait pu constater qu'il avait des traits. Mais elle ne le regardait pas souvent. C'était trop répugnant et trop pénible.

Tora se mettait rarement en colère. Elle estimait que, dans la plupart des cas, ça n'avait d'autre effet que d'aggraver encore la situation.

Parfois même, il pouvait en résulter de grands malheurs.

Et c'était pareil pour les pleurs.

Après coup, il était impossible de se montrer aux gens.

En soi, c'était déjà tellement honteux de pleurer, et, pour qui en remarquait les traces, c'était parfaitement absurde et incompréhensible.

Après l'incendie qui avait détruit l'exploitation de son oncle, Tora s'était rendue dans la forêt pour être sûre de se retrouver entièrement seule. Mais, même là, dès lors que le jour s'était installé en permanence et qu'elle n'avait plus eu l'obscurité pour se dissimuler, elle avait senti monter des bouffées de péril.

Surtout après ce jour où elle l'avait vu silencieusement surgir du côté de l'étable de tante Rakel et d'oncle Simon.

Jamais Tora n'aurait cru qu'elle le trouverait là-haut. Elle était encore tout émue à l'idée que, même dans la forêt, elle n'était plus assurée de ne pas le rencontrer...

— Tu n'devrais pas aller si souvent chez les Monsen. Tu les déranges. Tu sais bien qu'ils n'ont que cette pièce.

Ingrid avait repris son ton geignard.

— Mais ils sont bien contents que j'tienne compagnie à Frits. Elle me l'a dit cet après-midi, la Randi. Que j'étais bien gentille de rester avec lui.

— Et pourquoi ça ?

— Ben, parce qu'il est muet !

— Alors s'il n'était pas muet, tu ne pourrais plus rester avec lui ?

Fatiguée, Ingrid s'appuya contre le mur et se mit à bâiller. Mais elle avait à présent un pli entre les sourcils.

— C'est bien c'que j'crois aussi, c'est pas moi qui...

— Bon, bon, d'accord. Mais c'est quand même pas une raison pour aller les encombrer, interrompit Ingrid avec irritation. Puis elle continua :

— Il y a eu un arrivage de poisson et faut que j'aille travailler ce soir. J'suis pourtant drôlement fatiguée. Va falloir que tu te débrouilles toute seule, Tora. Tu trouveras un gros morceau de chocolat dans le tiroir. C'est la tante Rakel qu'est venue me l'apporter. On en a chacune pris un morceau en buvant notre café, mais l'en reste pas mal.

À ces mots, Tora eut l'impression de recevoir un coup. Elle s'était convaincue que, dès lors qu'elle était toujours à la maison, Ingrid n'irait plus travailler ce soir-là.

S'étant rapidement débarrassée de ses vêtements à l'entrée, elle alla les suspendre bien comme il faut pour faire plaisir à sa mère.

Aussitôt arrivée dans le couloir, elle avait remarqué que ses bottes à lui ne s'y trouvaient pas. Ça lui avait fait tellement plaisir... Il n'en fallait pas plus. Elle s'était immédiatement dit qu'elle préparerait du thé pour elle et sa mère. Et elles pourraient bavarder devant leur tasse en mangeant des tartines. Peut-être pourrait-elle même parler de Randi et de Frits.

La porte du bas s'ouvrit, et Tora sentit une boule se nouer dans sa gorge. Etait-ce lui ?

Non ! Son soulagement fut très bref. Mais ce fut quand même une sorte de répit, un sursis.

La nuit qui l'attendait allait durer aussi longtemps qu'un hiver entier. Froide et moite, elle la guettait par la porte entrouverte. Il n'y avait pas d'échappatoire possible.

Elle savait ce à quoi elle pouvait se préparer.

Et, pourtant, elle se mit à parler à sa mère de tout et de rien. Elle fit même semblant de ne pas avoir entendu qu'elle devait aller travailler. Elle ne voulait rien faire qui pût l'empêcher de partir à l'atelier. Elle ne se rappelait que trop bien ce qui s'était passé lorsqu'Ingrid avait essayé de ne plus être affectée à l'équipe du soir et avait failli être renvoyée. Non, sa mère avait déjà bien assez de soucis comme ça.

— Ils parlent vraiment de tout chez Frits, dit Tora. Tournant le dos à Ingrid, elle se versait du thé.

— De tout ? Qu'est-ce qu'tu veux donc dire ? Ingrid était soudain sur ses gardes.

— Ben, ils ont peur que l'père perde son travail et que, le Frits, ils soient obligés d'le garder à la maison après l'école des sourds. Ils disent comme ça qu'il est bien trop fûté pour perdre son temps à rien faire. Et puis ils disent aussi qu'ça cancane drôlement dans le bourg.

Elle se retint de continuer.

Ingrid la regarda attentivement.

— Eh bien ?

— Eh bien, tu trouves pas ça curieux qu'ils disent tout ça devant moi ?

— C'est qui, ces gens-là ?

— Le père de Frits l'était marin. Mais l'a dû aller travailler à terre parce qu'à être tout le temps seule, la Randi elle tenait plus l'coup nerveusement. Tu trouves pas ça drôle qu'ça soit elle-même qui me l'ait raconté ?

— Pfut ! Encore une d'ces bavardes qui savent pas tenir leur langue.

— Mais ils parlent pas de c'que font les autres, expliqua très vite Tora, qui regretta ses paroles en comprenant qu'elle avait donné à Ingrid une fausse image de Randi.

— Oui, et puis on écoute de la musique. Ils ont tellement de disques.

Tora parlait à en perdre haleine tellement elle avait peur d'être soupçonnée de trop en dire chez Randi.

— Eh bien, si t'entends des choses qui sont pas pour toi ou pour les autres, faudra pas aller les colporter sur toute l'île.

Ingrid avait pris un ton cassant. Juste un peu. Néanmoins suffisant pour créer un vide.

— J'le dis à personne d'autre que toi, maman, répondit-elle calmement en s'asseyant à l'extrémité de la table.

Lorsque Tora essayait ainsi de lui parler, il arrivait souvent à Ingrid d'abaisser un « rideau » entre elles.

Un rideau qui arrêtait les paroles de sa fille et se révélait infranchissable.

— La Randi, elle doit venir d'une famille de riches à Bodø. Son père lui a donné une machine à tricoter et un gramophone. Et pourtant elle est adulte, elle a ton âge.

Tora paraissait ne pas perdre espoir. Elle ne cessait d'alimenter la conversation, comme si elle craignait qu'en partant sa mère ne la quitte à jamais.

— Oui, oui, répondit Ingrid, qui s'apprêtait à partir. Tenant déjà son filet à carreaux à la main, elle faisait à Tora des recommandations sur le chauffage et l'électricité.

Et, déjà, Tora tendait l'oreille pour savoir si personne n'était en train d'appuyer sur la poignée de la grande porte du bas.

Elle se sentait malade et avait le vertige. Elle avait tout en bas du ventre quelque chose qui la pinçait. Une sorte d'angoisse. Non, le vide que l'on éprouve après une blessure. Elle ne voulait pas laisser maman partir ! Elle ne pouvait pas. Il lui fallait inventer quelque chose ! La suivre jusque dans la cour ? Oui, c'était ça !

Tora descendit toutes les marches en courant. Elle accompagnerait sa mère sur une partie du trajet. S'étant cependant avisée qu'elle n'avait pas pris ses vêtements pour sortir, elle s'arrêta et décida qu'elle se rendrait au cabinet.

Ingrid était déjà arrivée au portillon. Se retournant à peine en entendant arriver sa fille, elle se contenta de lui faire un signe de la main.

Déconcertée, Tora s'arrêta puis lui fit à son tour un signe. Un tout petit signe.

Elle resta un court instant à regarder sa mère en se disant que la soirée n'avait plus de sens.

Puis elle entra à pas lents dans le cabinet et referma la porte derrière elle. A présent, elle était seule face à elle-même.

Elle s'en aperçut aussitôt après s'être essuyée. Le sang !

Elle se refusa d'abord à y croire. Sa première idée fut de rattraper sa mère aussi vite que possible. Mais, se ravisant tout de suite, elle se dit que ce serait stupide de l'inquiéter, puisqu'il fallait de toute façon qu'elle aille travailler. Le sang était bel et bien là. Et personne au monde n'y pouvait rien. En tout cas, il y avait au moins une chose dont elle était sûre. Le sang était venu pour rester. Elle s'était brusquement transformée en une autre Tora.

Une Tora qu'elle ne connaissait pas elle-même.

Soleil ! Et si elle appelait Soleil ?

Mais non. Soleil était justement en train de coucher les petits. Elle avait déjà entendu là-haut les grattements et cognements qui annonçaient le déclenchement de l'avalanche vespérale.

Tora s'essuya. Elle mit un chiffon de papier journal dans sa culotte pour éviter que le sang ne la transperce avant qu'elle ne soit arrivée là-haut. C'était déjà bien suffisant comme ça. Le papier lui piquait la peau. Un matériau inconnu et étrange. Raide comme un piquet, elle traversa la cour, remonta les escaliers et pénétra dans la cuisine.

Tout en ne cessant d'avaler quelque chose qui lui remontait constamment dans la gorge, elle se fit chauffer de l'eau pour se laver. Elle procéda vite et anxieusement, n'arrêtant pas de retenir son souffle pour guetter les pas dans l'escalier ainsi que l'ouverture de la porte.

Deux fois quelqu'un entra. Et, chaque fois, elle rebaissa sa jupe à la vitesse de l'éclair pour aller se réfugier dans sa chambre. Mais il lui sembla que son cœur s'arrêtait et c'est seulement après avoir entendu les pas s'éloigner et le danger s'estomper qu'elle le sentit battre à nouveau.

Elle acheva ce qu'elle avait entrepris, puis brûla dans le poêle le papier journal dont elle s'était servie. C'était facile. Pour la culotte elle-même, ça l'était moins. Mais elle la mit à tremper dans un seau qu'elle recouvrit ensuite. Après quoi, elle alla se chercher une culotte propre en coton. Dans l'intérieur, elle mit un gant de toilette qu'elle fit tenir avec deux épingles de sûreté. Elle savait que c'était ce que faisait Soleil lorsqu'il y avait urgence.

Enfin, elle effaça soigneusement toutes les traces, comme si le lavage en lui-même était quelque chose de honteux et qu'il fallût le dissimuler.

Ce soir-là, Tora ne glissa pas le couteau dans l'interstice de la porte. Elle s'était rendu compte que c'était inutile. Elle n'en pouvait rien attendre d'autre que le répit qui lui était nécessaire pour se réveiller, s'endurcir, se barder d'insensibilité face à l'inéluctable, et enfin se séparer de son corps tel un vêtement sale que l'on jette sur son lit.

Mais, ce soir, il lui semblait ne plus pouvoir y arriver. Tout était devenu trop grand pour elle. Elle ne savait plus s'il allait lui être possible de continuer.

Des forces qui la dépassaient lui firent aller chercher le grand couteau à découper de sa mère. Il était long et effilé, plus rassurant que le couteau à éplucher.

Elle le glissa sous sa couverture. Contre sa peau il était glacial. Peu à peu il se réchauffa. Il devint brûlant.

Comme s'il sortait du four.

Placé contre son avant-bras, il lui fit mal.

Chaque fois que le sommeil la gagnait elle se réveillait en sursaut. Le couteau !

Elle sentit nettement l'odeur du sang. Du sang frais.

Mais, dans la pièce, il n'y avait personne d'autre que Tora. La nouvelle Tora. La lune entra par la fenêtre. La lumière du printemps et le ciel clair la rendaient blafarde. Elle regarda Tora. Mais ne lui demanda rien. Elle ne voulait pas savoir. Elle ne voulait pas comprendre. Elle ne voulait pas y être mêlée.

Le vent s'engouffra dans les rideaux par la fenêtre ouverte. Suspendu au-dessus du lit, l'ange ressemblait à une ombre apeurée dans l'obscurité.

Et toujours cette odeur de sang.

Les heures qui s'écoulaient et Tora qui grelottait. Elle ne se résolvait pas à aller fermer la fenêtre.

Et voilà qu'arriva le soleil de minuit, il darda des flèches de lumière sur la peau délicate de ses paupières. La fatigue et le froid s'étaient fixés en bas du ventre et se propageaient à l'intérieur des cuisses. Elle ne se sentait même pas capable de se toucher pour se réchauffer.

Le couteau !

Soudain, elle fut complètement réveillée. La porte était déjà entrouverte ! Si grande et si noire était devenue la vie. Il n'y avait pas d'autre issue !

Le couteau !

Mais le soleil de la nuit l'en détourna.

Juste au moment voulu, sa lumière vint éclairer une fleur rouge sur le plancher. Un bouclier sûr, bien que fragile. Sans que Tora le sût, il avait déjà sauvé nombre de filles et de femmes.

Une rose de sang séché. Une fleur rouge foncé sur le pantalon de survêtement bleu qu'elle avait elle-même confectionné pendant les heures de couture. Il existait également un haut, mais elle ne l'utilisait pas.

Comme elle n'avait pas de culotte propre la

veille… l'avant-veille…, elle avait mis le pantalon.

Des points bien réguliers. Faits à la main. Sa
mère et Gunn avaient dit toutes les deux que
c'était bien fait.

C'était elle-même qui avait bâti, surfilé et
cousu les bandes régulières découpées en biais.

Et elle avait laissé tomber le vêtement juste
à côté de son lit. Dans l'entrejambes, il y avait
une rose de sang, qui la protégerait. Qui lui donnerait la protection qu'elle ne pouvait elle-même
s'assurer. Des mains velues. Un péril velu. La
nuit.

La porte rétive grinça un peu. Puis le silence
se fit, le temps pour le soleil d'éclairer le bouclier qui montait la garde. La porte se referma.

Et il n'y eut plus aucun grincement avant
que les pas de sa mère ne se soient fait entendre
dans l'escalier. Le bruit de l'eau que laissait couler le robinet de la cuisine.

Tora étendit les pieds. Elle sentait se répandre dans son corps une incertaine chaleur, une
chaleur qui semblait ne pas oser se manifester.

Elle sentait entre ses cuisses le gant dur et
bizarre. Jusqu'à présent, elle n'y avait pas fait
attention.

Elle entendit sa mère ouvrir la porte de la
chambre-salon.

26

Jamais Tora ne serait mère.

Elle se l'était promis solennellement. Et
jamais non plus elle ne serait dévote. Comme

Elisif. Jamais elle ne se marierait avec quelqu'un comme — comme *lui*. Jamais ! Et ce n'est pas elle qui descendrait dans la moiteur de buanderies situées en sous-sol pour frotter les chaussettes et sous-vêtements d'autrui.

Une buanderie, en tout cas, les femmes de la maison des Mille étaient déjà bien heureuses d'en avoir une. Certes, le sol n'avait été cimenté qu'à l'endroit où se trouvaient le tuyau et l'évacuation. Ce n'en était pas moins une buanderie. Et, même si elle n'était pas chauffée, il était bon de l'avoir en hiver. On y avait installé le vieux fourneau en raccordant à la cheminée fendue le tuyau d'un modèle prohibé. A la rigueur, il était possible de faire bouillir dessus deux lessiveuses en même temps. En s'habillant bien et en enfilant deux paires de chaussettes avant de mettre ses bottes, on arrivait à peu près à tenir le coup. Sous réserve, cependant, de n'avoir pas laissé le linge s'accumuler pendant un mois et d'ainsi être obligé de rester toute la journée à trimer au-dessus. Mais, de toute façon, estimait Johanna-au-mouchoir, celles qui procédaient de la sorte n'avaient que ce qu'elles méritaient.

Les femmes de la maison des Mille avaient chacune leur jour de lessive. Et puis, il y avait Einar du grenier qui avait aussi le sien.

Mais elle n'était pas bien fameuse la lessive du pauvre bougre. Et il arrivait à Johanna-au-mouchoir de décrocher ses vêtements de la corde pour les remettre à tremper. Lorsqu'Einar s'en apercevait, il poussait un grand coup de gueule. Paraissant alors avoir la tête complètement sortie du corps, il invectivait à la fois le diable et Johanna. Johanna était cependant habituée aux hommes récalcitrants et ne s'en faisait guère.

— On veut pas d'culs merdeux et d'barbes à poux dans la maison. On n'en a encore jamais eu. T'as pas à protester quand on t'fait bouillir ton caleçon. Espèce de dégueulasse !

Mais malheur à qui ne respectait pas son jour de lessive !

De toute la rampe de l'escalier fusaient alors les injures. Il était cependant très rare que quelqu'un s'y essayât. Et, dans ce cas, c'était plutôt par inattention. La maison des Mille n'avait que peu de lois mais, en temps de paix comme en temps de guerre, elles étaient inviolables. Et l'une d'elles avait trait à l'organisation des jours de lessive.

Une fois adulte, Tora aurait une maison bien à elle. Comme tante Rakel. Elle ne voulait pas se faire houspiller par d'autres. Assise sur une des marches qui conduisaient au grenier d'Elisif, elle se le jurait, en même temps qu'elle consolait Soleil qui venait de se faire invectiver par Johanna-au-mouchoir pour avoir volé des heures de lessive.

Elle était allée faire tremper des couches dans la cave un jour qui n'était pas le sien. Et, lorsque Johanna-au-mouchoir était descendue, elle avait trouvé le baquet de bois occupé. Cette semaine-là, Soleil avait confondu les jours entre eux. N'ayant plus de couches, elle avait pris le mercredi pour le jeudi. C'était de là que venait tout le malheur. Soleil n'était pas mariée, elle n'avait même pas fait sa confirmation. Et, pourtant, elle était déjà prisonnière d'un système dont elle n'avait que très peu de chances de se sortir.

Malgré tout, Soleil faisait des rêves, des rêves auxquels nul n'avait accès, des rêves que nul ne pouvait lui enlever. Les jambes en tailleur et mâchant son crayon jaune d'un air réfléchi, elle restait parfois assise sur le plan de travail de la cuisine à regarder par la fenêtre. Regarder,

regarder à l'infini une merveille qui était complètement dissimulée aux autres.

Et c'est ainsi que, sans qu'elle s'en rendît compte, mercredi était devenu jeudi.

Partir ! partir de l'île ! Voilà ce que toutes deux voulaient !

Tout en reniflant, Soleil tiraillait machinalement sa veste de laine fatiguée.

Tora était d'accord mais ne disait pas grand-chose. Elle se contentait de hocher la tête en tortillant ses tresses sous le menton.

Elle ne voulait cependant pas être contrainte de s'enfuir ! Tora voulait pouvoir annoncer un jour à tous ceux qu'elle rencontrerait qu'elle, Tora, fille d'Ingrid, allait partir pour quelque temps en voyage.

Jamais elle ne se mettrait en situation d'être obligée de partir, comme avait dû un jour le faire sa mère...

Et jamais non plus, on ne viendrait la chercher comme ç'avait été le cas pour Elisif.

Non, c'était de son plein gré et après en avoir librement décidé ainsi qu'elle partirait...

Et jamais elle ne se laisserait guider par ces choses qui paraissaient avoir tant d'importance aux yeux des femmes adultes.

Et elle ne s'enfuirait pas comme le père de l'enfant de la Jenny du kiosque.

Le salaud !

Non, elle trouverait une bonne raison, qui serait aussi naturelle que lorsque la tante allait se faire réparer les dents à Breiland. Aussi naturelle que la pluie au printemps.

Car il faudrait qu'elle puisse revenir sans qu'il y ait personne pour la sermonner. C'est tout aussi naturellement qu'elle reviendrait, quand l'envie l'en prendrait, comme revenaient en mai le soleil et les bourgeons.

Pour sa part, Frits avait une raison toute trouvée. Mais, aussitôt arrivé à son école, il n'avait pas de plus pressant souci que de revenir chez lui. Et, pourtant, tout le monde était extraordinairement gentil là-bas.

C'était lui-même qui l'avait dit à Tora en utilisant le langage des signes. Un langage simple. Carré. Qu'à sa manière il avait élaboré pour elle. Tora le comprenait à ses yeux, à toute l'expression de son visage.

Des heures durant, ils pouvaient rester assis sur le couvre-lit en tricot de sa couchette, tandis que Tora s'exerçait à apprendre le langage des signes.

C'était amusant. Mais guère rapide. Elle apprenait aux autres enfants les signes les plus simples. Mais ils n'avaient pas la patience de s'en servir lorsqu'ils étaient tous ensemble à jouer dehors. Tora avait toujours une longueur d'avance. Avec ce qu'elle avait ainsi appris, elle faisait figure d'originale. Cela lui faisait plaisir.

Lorsqu'elle en fut informée, Gunn déclara que c'était tout à fait utile. Quant à Tora, elle trouvait que c'était encore mieux que quelques années auparavant lorsqu'elle avait appris le javanais avec Soleil. Gunn demanda aux enfants d'emmener Frits à la ferme pour qu'il puisse assister à la classe.

Mais, lorsque Tora le lui proposa, Frits secoua la tête. Il ne voulait pas.

A l'automne, au mois de septembre, il faudrait que Frits s'en retourne, affirmait Randi.

Ce disant, elle regardait son fils d'un air désemparé.

Assise dans l'escalier à côté de Soleil, Tora pensait à tout ceci, tandis que, pour s'en débarrasser, Soleil parlait de sa colère et de son humiliation.

Ça devait quand même être bien d'être dans la situation de Frits. D'avoir un malheur qui porte un nom. Un nom qui vous permette de suivre votre propre route et qui donne aux gens envie de vous revoir lorsque vous n'êtes pas là.

27

Il y a un chalutier allemand qu'est juste en train de pêcher à l'intérieur de la zone protégée, au large de Fruholmen ! Le *Heinrich Kaufmann,* qu'il s'appelle.

Ottar lisait à haute voix pour les hommes.

Il s'était octroyé une petite pause, négligeant les quelques enfants qui attendaient leur tour. On n'allait quand même pas leur donner de mauvaises habitudes. Il fallait qu'ils apprennent à attendre eux aussi.

Tora en resta bouche bée. La joie qu'elle éprouvait à apporter les 85 couronnes que lui avait données sa mère s'était brusquement dissipée.

— Y a qu'à le canarder, le salaud ! lança Håkon, plein de colère rentrée et qui, ayant dit, fit passer sa pipe d'une commissure des lèvres à l'autre.

— Mais attendez ! C'est qu'c'est pas fini encore !

Ottar était bien parti.

— Ils avaient dix tonnes de poisson à bord. Et, maintenant, va falloir qu'ils passent devant le tribunal d'Hammerfest. Ouais, sans doute que ça s'ra pas complètement inutile. Mais moi, c'est à tous ceux qui s'ront *pas* pris que j'pense.

— Oh ! Ils sont p't-être pas tous de la Gestapo, ces salauds qui viennent nous piquer nos poissons, dit Einar, qui se laissa tomber sur une chaise libre à côté du comptoir.

— Mais, attendez, c'est toujours pas fini ! continua Ottar. C'était à lui qu'il revenait d'annoncer au naïf Einar de la maison des Mille, ainsi qu'aux autres, ce qui se passait dans le vaste monde. Le rôle lui plaisait, et il en oubliait complètement de servir les enfants.

— Aujourd'hui prennent fin dix années d'occupation en Allemagne de l'Ouest ! Ouais, d'accord, mais dans quelques années ils vont à nouveau nous tomber sur la gueule avec leurs bombes et leurs fusées. Pas vrai ? On s'demande bien pourquoi les Alliés les ont pas tous fait crever quand c'était encore possible.

— P't-être ben, mais c'sont quand même aussi des hommes, dit Einar d'une voix hésitante.

— Et puis la boucherie, ils en ont pas tous été ! Et faudrait pas non plus oublier qu'ils ont pas la vie trop facile depuis la guerre. Il faut penser...

— Ben, dis donc, tu sors de la messe ? Près du comptoir, Kornelius venait tout à coup de se réveiller et avait eu un ricanement de dédain.

— Non, lâcha hargneusement Einar, mais j'crois qu'on ferait bien de recommencer à zéro et de laisser leur chance à tous ceux qui sont nés après cette saloperie.

— Ça, on peut pas dire, mais t'oublie vite, feula rageusement Kornelius.

— T'es p't-être bien comme ceux dont on parle dans le journal, voyons donc... Ah ouais, c'est bien là : « Dixième anniversaire de la libération ! Deux minutes de silence à midi. Les cloches des églises sonneront pendant dix minutes. La guerre nous a enseigné le juste prix de la vérité, de la liberté et de la patrie, ainsi que le respect de la dignité humaine. » Ah ouais, et mon cul ! Dix minutes de silence dans la dignité pour cinq ans de guerre. Pas mal, hein ?

— Pour ce qui est des braillements ou des dix minutes de silence pour leur dignité à la con, j'leur arrive pas à la cheville à nos grands messieurs ! Ça tu l'sais bien ! Mais quand y a la guerre, tu sais aussi bien que moi qui c'est qu'on envoie au casse-pipe. C'est les p'tites gens ! Comme toi et moi ! Et nous, c'qu'on peut souhaiter de mieux, c'est qu'toute leur saloperie de guerre elle s'arrête ! Tu comprends donc pas, espèce d'andouille !

— Bon, bon, vous allez pas vous quereller. Après, on s'brouille et ça vaut rien du tout, dit Ottar, qui avait vu Tora.

Il eut alors un toussotement et, de la tête, fit signe à Tora d'approcher du comptoir. S'avançant lentement sous le regard des autres, qui se rappelèrent alors qui elle était, Tora ressentit une brûlure derrière la nuque. Elle ne s'en arma pas moins de courage et regarda Ottar droit dans les yeux en lui donnant le papier ainsi que les 85 couronnes de sa mère.

Sur le papier était écrit : Est-ce que tu pourrais donner à Tora deux kilos de farine de froment, un paquet de boîtes d'allumettes et cent grammes de levure ? Pour l'argent, tu n'auras qu'à le déduire de ce que je te dois. Ingrid.

Levant le menton, Tora arrêta son regard sur un faisceau de pinceaux accroché à l'angle de l'étagère qui se trouvait en face d'elle.

Brusquement le silence se fit dans le magasin.

Une fois sur le chemin du retour, Tora éprouvait encore un peu de bizarre affection pour l'Einar du grenier qui n'aimait pas les enfants, mais n'avait cessé de la voir, *elle*.

Ses propos avaient permis à Tora d'échapper au pire.

Et celle-ci comprit qu'il ne fallait pas toujours se fier à la réputation que l'on faisait aux gens. Jamais plus elle ne croirait ceux qui allaient partout racontant qu'Einar était un voleur-né. Car Einar étaient de ceux qui voyaient et écoutaient. Et c'était ce qu'il y avait de plus important dans la vie.

Tout au long de la route et jusqu'à la maison des Mille, elle fit rageusement avancer un caillou à coups de pied. Elle savait pourtant qu'elle n'en avait pas le droit. Ses chaussures étaient bien trop belles pour ça. On les lui avait achetées pour le défilé du 17 mai, et c'était seulement pour les faire qu'elle avait eu aujourd'hui l'autorisation de les mettre.

Tora perçut un grand bruissement au fond d'elle-même. Provenait-il de la mer ou du maigre bois de bouleaux qui se demandait s'il oserait verdir ? Mais peut-être étaient-ce les sifflements qu'il y avait en elle. Cette certitude qu'elle osait regarder Ottar droit dans les yeux en lui remettant l'argent.

Les vagues ! Il y avait en elles tant de force et tant de délicatesse.

La mer bruissait dans un coquillage géant. Et Tora savait que tous ces sons provenaient de l'extérieur, d'un ensemble plus vaste que la boutique d'Ottar. Tora savait qu'il existait des vérités plus nombreuses et plus importantes que celles qui se discutaient là.

Mais elle ne pouvait leur donner de nom. Elle pouvait seulement en tirer une sorte de joie, une joie à laquelle il lui était possible de recourir lorsque venait l'obscurité et qu'elle en avait besoin.

28

Faits de fils de laine rouge de toutes les nuances, les carrés tricotés dessinaient des motifs variés.

Randi faisait marcher sa machine à tricoter. Et, bien qu'elle n'eût pas encore achevé la couverture, elle en avait déjà fait cadeau à Tora.

Celle-ci était allée mendier de la laine rouge chez tous ceux qu'elle connaissait. Et elle avait même obtenu une petite pelote de Gunn.

A sa mère, elle n'avait cependant rien demandé.

Peu à peu, la couverture prenait forme, et, lorsque Tora allait chercher du lait dans le bourg, elle poussait jusque chez Frits et Randi pour voir s'il en restait encore beaucoup à faire.

Randi la retenait alors toujours un peu.

C'étaient de merveilleux moments. Tora conservait précieusement le souvenir de ceux qu'elle avait déjà vécus et se réjouissait de ceux qui s'annonçaient. Ainsi avait-elle toujours quelque chose d'agréable à quoi penser.

Parfois, lorsque, contraint et forcé, Jørgen avait accepté de garder les plus petits, il arrivait à Soleil de l'accompagner.

Et, les yeux brillants, Soleil enregistrait religieusement tout ce qu'elle voyait.

Surtout, le couvre-lit, et le cabinet radiophonique.

Quant à Frits, il se contentait de montrer d'un air moqueur son propre couvre-lit, voulant ainsi leur faire bien comprendre que c'était le sien qu'il trouvait le plus beau. Ce qui ne manquait jamais de faire rire.

Pour sa part, il laissait alors échapper ces curieux sons de gorge dont il était coutumier lorsqu'il riait avec des gens de connaissance.

En présence d'étrangers, il riait toujours silencieusement.

Le jour où la couverture fut terminée, Tora et les autres étaient en train de jouer au chat et à la souris entre les claies du séchoir. Au vrai, ils étaient un peu grands pour ça, mais, comme les plus petits les accompagnaient, ils pouvaient donner l'impression de jouer avec eux.

A un moment, Randi ouvrit la fenêtre et appela Tora.

Celle-ci semblait s'être imaginé que jamais Randi n'achèverait la couverture, que jamais elle ne cesserait de travailler pour elle.

Hors d'haleine, elle arriva à la porte. Sans même lui laisser le temps d'enlever ses bottes, Randi arriva alors en tenant la couverture déployée devant elle.

Tora resta un long moment à la regarder.

Sans arriver à prononcer un mot de remerciement.

— Tu peux l'emporter, dit gentiment Randi.

— Oh non !

Ayant enfin retrouvé la parole, elle regardait Randi d'un air effaré.

— Si, bien sûr ! Elle est à toi. C'est même toi qui t'es procuré le fil. Tiens ! Et bonne chance !

Sur quoi Randi se mit à rire et enveloppa la couverture dans un grand papier gris. Indécise, Tora jouait machinalement avec de la laine qui restait sur la table de la cuisine.

— Eh bien oui, prends donc aussi la laine. Plus tard tu auras peut-être besoin de raccommoder.

Mais Tora se mit à secouer la tête et lâcha d'une voix saccadée :

— Est-ce que, est-ce qu'elle pourrait pas

rester ici ? La couverture j'veux dire. C'est bien d'avoir quelque chose pour s'asseoir quand j'viens vous voir. J'veux dire quand j'viens lire chez vous.

— Mais tu la *veux* quand même bien pour toi ? Randi paraissait déçue. Sans doute s'était-elle attendue à une tout autre réaction. Par exemple à ce que Tora se précipite chez elle pour montrer la couverture.

Tora comprenait parfaitement. C'était un supplice sans nom. Mais il n'y avait rien à faire. Jamais elle n'arriverait à étendre cette couverture sur son lit. Jamais !

Il lui fut impossible de trouver les mots qui convenaient.

Elle ne put dire qu'un pauvre merci.

Dès lors, on ne parla plus d'emporter la couverture à la maison des Mille. Elle resterait au pied du lit de Frits.

Juste avant de partir, Tora la plia soigneusement pour en faire un chaud et laineux carré.

Mais Randi y avait ajouté un autre cadeau, et celui-ci, elle le prit avec elle à la maison. Il s'appelait *Bonjour tristesse* et coûtait 12 couronnes et 50 øre.

A l'intérieur de la jaquette, on pouvait voir la photo d'une jeune femme au nom tout à fait bizarre : Françoise Sagan. Tora s'imprégna de ses traits, mais oublia rapidement son nom.

Plus elle avança dans sa lecture, plus elle s'effraya de la méchanceté de Cécile, l'héroïne.

A contrecœur, il lui fallut bien admettre qu'il n'y avait pas dans ce livre de gens « gentils ». C'en était presque étrange. Et laid ! Tora aurait été incapable de dire si elle aimait ce livre.

Mais, pour finir, elle comprit qu'à partir du moment où l'on écrivait des livres sur des gens qui vivaient réellement, il fallait précisément que ce fût comme ça : laid ! Et, se mettant à penser à sa grand-mère de Berlin, elle sentit se glisser en elle une sorte d'inquiétude. Peut-être n'était-ce pas assez laid pour être vrai.

Lorsqu'elle se plongeait dans ses lectures, Tora perdait presque tout contact avec l'extérieur. La sensation était la même que lorsque, prenant une barque, elle s'éloignait de Storholmen et des balises. Paraissant glisser sur la vaste étendue verte, les îles lointaines arrivaient alors sur elle. Pour la prendre, la dompter, l'emporter. Et c'était un mouvement éternel. Lourd, mais en même temps plein de légèreté. De puissantes vagues plates, sans commencement ni fin, qui ne faisaient qu'éternellement glisser à leur rythme propre. Sans jamais s'arrêter.

C'était pour cette raison qu'elle déramait toujours.

Tout le monde se moquait d'elle.

Mais Tora ne s'en souciait guère. Il fallait qu'elle *voie*. Il fallait qu'elle « y » pénètre les yeux ouverts. Tout ce que son regard pouvait embrasser devenait sa propriété.

Et elle savait même comment aller au-delà de ce qu'elle pouvait voir. Son imagination lui indiquait la passe qu'il fallait suivre pour arriver à l'endroit où le globe terrestre se courbait avant de brutalement plonger. En fait, ce n'était pas si brutal que ça. Elle le savait bien. Ça se faisait peu à peu.

Elle avait pu observer que, de l'autre côté, sur le continent, les montagnes paraissaient surgir tout droit dans le ciel. Elle n'en savait pas moins que, comme d'autres montagnes, elles avaient leur pied dans la mer.

Et cependant ! Pour elle c'était vrai : elles se trouvaient dans le ciel. Elles indiquaient un chemin à suivre. Pour plus tard.

En réalité, les chemins qui menaient dans le monde étaient plats et monotones. Bien sûr, il fallait du temps pour apprendre à suivre le chemin. Il fallait apprendre à chercher, apprendre à choisir.

C'était la même situation que dans un labyrinthe. On cherchait sans cesse, et il était impossible de ne pas se tromper. Mais on savait en tout cas que d'autres chemins existaient. Et on avait la certitude qu'il y en avait au moins *un* qui permettait de sortir ! Il importait seulement de prendre tout son temps, de rester muet comme Frits, de ne rien expliquer à personne.

Et il fallait faire chacun des pas, penser chacune des pensées. Au besoin, on pouvait y renoncer l'espace d'un instant, mais il n'y avait pas un coup d'aviron qui n'eût son utilité. Chacun d'entre eux constituait une partie du chemin.

C'était la même chose pour les livres. Tora en avait toujours un en réserve. Elle en empruntait à Gunn ou Randi et allait se faufiler discrètement entre les rayons poussiéreux de la baraque qui abritait la bibliothèque communale.

Et elle trouvait toujours quelque chose à regarder au moment où, tamponnant sa carte, Dordi lui demandait si c'était pour elle ou pour sa mère qu'elle empruntait ces livres.

Fixant d'un air crispé le tableau qui se trouvait au-dessus de la tête de Dordi, Tora lâchait d'un ton léger :

— Oh, pour les deux !

Et elle voyait une ferme aux couleurs pâles très mélancoliques, des moutons bien trop immaculés et un petit étang beaucoup trop bleu en lisière de forêt.

Pour Tora, c'était certes très joli, mais ça ne faisait pas très vrai.

Elle se rappelait alors ce qu'il en était réellement lorsque, par une claire matinée d'avril, le soleil traversait la fenêtre pour se mettre à fouiller en dessous de son lit. Elle avait beau avoir lavé la veille, le soleil lui révélait l'existence de millions de grains de poussière et de peluches. Le soleil lui révélait que, par lui-même, le lit était quelque chose de honteux. Car il l'amenait à se rappeler.

C'était vrai. Mais ce n'était pas beau.

Parfois, lorsqu'elle marchait sur la route, elle était brusquement obligée de faire demi-tour. Parce que des voix provenant de nulle part entraient en elle et balayaient ses pensées. En bateau, pareillement, il lui fallait quelquefois virer de bord parce que, même par beau temps, les vagues de l'océan se faisaient trop effrayantes et trop lourdes.

Pourtant, elle savait toujours parfaitement que ce n'était pas la fin. Pas encore. Car c'était par endroits seulement que le labyrinthe avançait tout droit. Et, ça, elle le savait !

Il y aurait toujours quelqu'un pour lui prêter à nouveau un bateau. Il existait encore de par le monde des milliers de livres à lire.

Dans son manuel d'histoire, on pouvait lire que Berlin était une ville bombardée et que les gens n'avaient pas encore le droit d'y être bons amis.

Tora s'imaginait des corps carbonisés. Des membres arrachés. Elle voyait les flammes en train de lécher des visages qui avaient certains de ses traits. C'était une vraie torture. Mais ses pensées en devenaient si laides et si réelles qu'au milieu de tout ceci elle pouvait se permettre d'avoir une grand-mère paternelle bien vivante.

Jamais sa mère ne reprit la conversation sur son père. Tora comprit que c'était trop laid pour elle.

Dès lors, il faudrait qu'elle attende, qu'elle parcoure les chemins, toute seule. Il n'y avait rien d'autre à faire.

Et, lorsque l'occasion s'en présentait, elle se forçait à sortir sous la pluie. À courir vite, vite. Et, dans sa fuite, elle emportait avec elle toutes ses pensées.

Il arrivait à Tora de se demander comment était le lit de son père là-bas à Berlin. Comment était le portillon.

Parfois, le point qu'elle avait repéré sur la carte de l'atlas s'élargissait et lui pénétrait dans la tête. Il lui semblait alors tout voir à travers la boule de verre des contes. Et Tora savait que ce qu'elle voyait n'était pas assez laid pour être tout à fait réel. Mais elle *voyait* quand même : une maison dans un grand jardin. D'un côté, éclairant une large rue et les hauts montants du portillon, des lumières jaunes. De l'autre, la forêt. On entendait des bruissements dans les vastes branches. Entre les arbres poussaient fougères et fleurs.

Tout ceci, elle le voyait d'en haut, en grand, en une image qui venait se rétrécir jusqu'à elle. Et, au milieu de celle-ci, poussaient les fougères gonflées de sève, vigoureuses et vertes. C'était à partir d'elles que se déployait le paysage. D'un côté, les clochers, maisons et jardins ; de l'autre, le lac et la forêt.

Elle voyait toujours la même chose. Et ce devint ainsi pour elle quelque chose de réel. Dans un sens, quelque chose de familier. Mais constamment lui apparaissaient de nouveaux détails.

La maison avait un large escalier de ciment pourvu d'une rampe dorée.

La maison était peinte en blanc et avait deux étages. Elle n'était cependant pas aussi haute que celle de Dahl. Car Tora trouvait cette dernière froide et prétentieuse.

En revanche, la maison de son père avait deux lucarnes qui donnaient sur le jardin et des haies de roses qui formaient une séparation avec la rue.

Tout à côté de l'escalier avait été ménagée une plate-bande où poussaient à profusion ces fleurs bleues qu'elle avait vues l'été dernier à Breiland mais dont elle ignorait le nom.

Sa grand-mère savait naturellement qu'il n'y avait rien de mal à être allemande. Elle savait que ces vilaines voix que l'on entendait de temps à autre à la radio, ces voix allemandes rauques et chargées de colère, ne visaient qu'à faire peur aux gens, qu'à leur rappeler une guerre que tout le monde aurait voulu au fond oublier. Grand-mère savait très bien que papa n'avait rien de ces terribles soldats allemands, bottés de cuir et armés de baïonnettes, dont on pouvait voir les photos dans les journaux et les livres. Sa grand-mère savait bien que tout ceci avait été inventé dans le seul but de tourmenter des gens comme elle et de permettre aux enfants de la poursuivre de leurs cris dans la rue.

Parfois, il arrivait à Tora d'emmener Frits à Berlin. Dans ces cas-là, cependant, elle avait l'impression de ne jamais arriver tout à fait jusqu'au bout. L'idée d'avoir ainsi Frits avec elle la dérangeait. Il fallait qu'elle voie tout avec ses yeux à lui. Et elle s'apercevait alors soudain que ce n'était pas assez laid pour être vrai. Cela pouvait lui gâcher une journée qui s'annonçait pourtant bien.

Frits !

Assise sur sa couchette, la couverture tirée jusqu'aux hanches, elle pouvait faire semblant de lire pour contempler ses doigts allongés qui tournaient les pages.

Ses doigts, et aussi ses paumes ; qui paraissaient si étranges, si forts. Des mains fortes qui plaidaient leur propre cause. Et, lorsqu'ils parlaient ensemble le langage des signes, il arrivait à Tora de perdre le fil tellement elle était fascinée par ses mains.

Alors, voyant qu'elle ne suivait plus, il se penchait tout contre son visage, la fixait de ses yeux rieurs puis entreprenait de tout recommencer très lentement.

A moins qu'il ne lui prît les mains et ne dessinât les signes à même la paume.

C'était une sensation indicible. Elle n'y pouvait rien. Des frémissements de chaleur lui traversaient tout le corps. Du bas de la nuque jusqu'aux cuisses. Elle sentait la faible odeur de savon qui émanait de ses cheveux. Il avait déjà un peu de duvet au-dessus de la lèvre supérieure.

Etrange : s'il n'avait pas été muet, peut-être sa voix se serait-elle mise à changer, comme celle de certains garçons de l'école. Dès qu'elles les entendaient chanter, les filles se tordaient de rire, obligeant Gunn à darder sur elles un regard courroucé.

Ah ! si Frits n'avait pas été muet...

Curieux, ce sentiment qu'elle avait de ne jamais se sentir affreuse ou gênée en compagnie de Frits. Jamais, même quand il avait le regard braqué sur elle, elle n'avait honte de son chandail que resserrait, raccourcissait et rétrécissait sa poitrine.

Etait-ce parce qu'il était muet ?

29

Sur les îles, la floraison des baies arctiques avait pris cette année-là un scandaleux retard.

De trois à quatre semaines, estimaient généralement les gens ; lesquels attendaient le vent d'est et la chaleur.

Mais, à Oslo, on se préoccupait beaucoup plus de Billy Graham, qui avait entrepris d'unifier l'église d'Etat, l'Armée du Salut, les Baptistes et les Pentecôtistes. Trente-cinq mille personnes étaient ainsi venues remplir le stade d'Ulleval. Tout ceci n'en demeurait pas moins fort lointain et ne pouvait avoir autant d'importance que la floraison des baies arctiques ou la germination des pommes de terre.

La jalousie et le péché étaient des maladies de l'âme, proclamait le grand prédicateur, dont on pouvait voir la photo dans le journal. Hochant gravement la tête en signe d'approbation, les gens rentraient directement chez eux pour aussitôt céder à l'une et tomber dans l'autre. Ainsi en avait-il toujours été sur l'île.

Et ils ne furent pas, comme à Oslo, des milliers à se convertir. Cet été ne marquait pas sur l'île la saison des conversions. C'est à peine si venait de se terminer la vague précédente, celle dont avait été victime Elisif.

Tout arrivait ici avec au moins cinq ans de retard. Et, pour Graham, il allait falloir attendre une année où la floraison des baies serait meilleure. Rien ne pressait.

Plus grave était le prix du lait qui augmentait de 15 à 20 øre par litre. A moins d'avoir le temps et les moyens de nourrir sa propre vache, un pauvre était désormais contraint de se saigner aux quatre veines pour acheter un malheureux litre.

Au printemps, les paysans en avaient été réduits à abattre des bêtes. On parlait de calamité naturelle. Et, à lui seul, l'hiver était déjà toute une calamité. Quant au printemps, il était comme un pinceau abandonné dans une cave sans avoir été nettoyé. Les poils tout raides, sec et inutilisable, il restait dans son bocal en verre fendu.

Ne manqueraient plus, pour couronner le tout, qu'une mauvaise pêche à l'aiglefin, ainsi qu'une bonne pluie automnale qui permettrait au foin de pourrir en toute quiétude. Dans ces conditions, peu importait qui Billy Graham s'efforçait de sauver dans le Sud du pays.

Dans la maison des Mille, il n'était pas toujours donné à Tora de pouvoir exhiber du rose dans sa culotte de survêtement lorsqu'Ingrid allait travailler le soir. Et rien de ce qu'elle avait pu se dire, qu'il lui suffirait de ramer, de fuir, de se laisser emporter par le vent, rien ne tenait au bout du compte. Croire aussi que sa mère serait assez forte pour la sauver s'était avéré illusoire.

Sa volonté était devenue vacillante, et elle prenait peur dans l'obscurité. De temps à autre, elle se disait que mieux vaudrait courir chez tante Rakel pour tout lui raconter. Et puis non. Les yeux tristes de sa mère. Il fallait ménager maman. Il n'existait nul endroit au monde où Tora pût mettre son corps « sale ».

Les grincements de la porte. Des doigts qui creusaient. Qui creusaient en elle.

Un soir, le grincement se fit entendre si brusquement qu'elle n'eut pas le temps d'abandonner son corps, de laisser ses pensées s'échapper par la fenêtre. Tora fut contrainte d'assister à tout, de ressentir tout ce qui lui arrivait.

Et elle se mit à geindre, à gémir, à remuer en tous sens. Il lui fut impossible, comme les autres soirs, de rester passivement allongée jusqu'à ce qu'il en ait terminé. Ce lui fut tellement impossible qu'elle ne put dominer son corps.

Dérouté, l'homme en éprouva une haine accrue. Mais son désir s'en trouva ainsi exaspéré ; au point de l'amener à user de violence.

La résistance fut faible, des plus faibles. Seulement le pouce sur l'œil. Et elle recourut aussi aux supplications, mais il lui fallut en définitive céder.

Et puis se produisit la déchirure. Tora la ressentit quelque part à l'extérieur d'elle-même, sans qu'elle pût savoir où elle commençait, où elle se terminait. C'était sans lien avec le reste de sa personne, et ça lui faisait pourtant si mal.

Le souffle et le sang !

Ce sang qui arrivait sans aucune raison, il maculait tout le drap parce qu'elle n'arrivait pas à rester immobile en dessous de lui. Elle comprit que telle était donc la laide réalité, une réalité dont elle n'avait trouvé mention dans aucun livre.

Que Dieu le bénisse s'il acceptait maintenant de partir ! Ayant réussi à se dégager les mains, elle se mit à le frapper ! Puis l'implora. Est-ce que ça avait seulement la moindre utilité ? Dieu le bénisse. C'était bien le cas. Le voilà qui partait.

Son soulagement fut tel qu'elle en perdit le souffle. Roulée en boule sur elle-même, elle resta à haleter jusqu'à ce qu'elle ait repris haleine. Comme divisée en deux, elle se retrouva suspendue au bord du lit. Au-dessous de la taille, elle était autre.

Mais il revint. Muni cette fois d'une corde.

Et, quand elle sentit qu'il l'attachait au lit, elle ne put y croire. Elle ne le put. Le monde ne pouvait être si laid. Ce n'était pas possible ce genre de choses.

Et c'est alors qu'il s'enfonça en elle. Aveuglément. Comme s'il avait quelque chose à venger. De plus en plus. Lui tenant l'oreiller sur la tête, il se livra à tout ce qu'il avait envie de faire. Il lui avait fallu du temps avant d'arriver au but. Il y était enfin.

Tout était enfin dans l'ordre.

Au mur de la cuisine, l'horloge marchait pour un autre monde. Ici, il n'y avait personne pour mesurer le temps.

Le soleil du soir brillait d'un bel éclat. Jaune et bienveillant. Il répandait une douce lumière sur l'homme couché dans le lit. Infiniment douce. Il n'est personne pour qui le soleil ne soit chaleur et indulgence.

Enfin le grincement se fit de nouveau entendre.

La nuit fut longue et claire. De la maison des Mille sortaient les bruits ordinaires. Parfois s'élevait un pleur nocturne. Mais qui aurait pu sacrifier une nuit de bon sommeil à s'inquiéter de ce qu'il en était ? Cela ne regardait personne. C'était dans l'ordre des choses. A chacun ses propres pleurs. A chacun son rythme propre.

Et dans l'atelier de Dahl, il y avait sous la lumière crue une femme aux cheveux bruns qui éprouvait une sorte d'inquiétude à laquelle elle ne pouvait donner de nom.

Il n'y avait cependant aucune raison de s'inquiéter, d'aller s'imaginer que...

Elle était fatiguée. Un point c'est tout. Il était tard, et on avait accéléré la cadence. Il fallait faire vite. Le navire était déjà en route pour venir embarquer la cargaison, tandis que d'autres bateaux arrivaient à toute vapeur pour aller vomir leurs chargements sur les tables. Elle n'arrêtait pas.

Il ne restait guère de place pour deux yeux désemparés d'adolescente.

Déjà Dahl se frottait les mains. Car tout était vendu avant même d'avoir été conditionné. Il fallait seulement se dépêcher. Les rémunérations étaient plus que bonnes. Il n'y avait personne pour penser au chat écorché.

Enfin, une file grise se dirigea vers la sortie.

Dehors, il y avait un beau temps printanier, et, en bordure des champs, les mouettes se régalaient.

Tora avait changé un drap et, en attendant, dissimulé l'autre sous le lit. S'étant rendue à la cuisine, elle avait lavé à l'eau froide son entrecuisse meurtrie. En vérité, ça ne paraissait plus guère avoir d'importance.

Il lui semblait laver quelqu'un d'autre, et il lui arrivait de se demander si l'autre ressentait la chose comme elle.

A gauche, lui découvrant les dents, la commissure de ses lèvres était retroussée. Parfois, un tressaillement agitait son corps courbé et inachevé.

Une sorte de soupir se propageait sur les traits déformés de son visage et imprimait à sa bouche un ricanement disgracieux.

Sinon, tout n'était que silence.

Pour qui survit, il y a toujours un lendemain. Et, pour qui ose se regarder en face, il y a toujours un visage. Mais Tora n'osait pas. Elle n'était qu'un tas de chair à moitié nu dans un lit détesté.

Elle n'avait rien à dire, personne à qui s'adresser. Et s'il y avait eu quelqu'un pour lui affirmer qu'il ne fallait pas désespérer, que ce genre de choses s'était déjà produit dans le monde, et que tout finirait par se cicatriser, elle aurait pris une expression innocente pour demander : De quoi s'agit-il ? Que s'est-il passé ?

Et le drap était bien dissimulé.

30

La nouvelle jupe était restée toute la nuit sur la chaise qui se trouvait à côté du lit. Elle avait donc été témoin de tout.

Ingrid l'avait découpée circulairement pour la faire tomber en godets autour des hanches. Et Tora avait été folle de joie. D'autant qu'elle avait également reçu un chandail vert qui allait avec la jupe. La mère avait consacré à son habillement une partie de l'argent qu'elle avait difficilement gagné à faire des lessivages.

Et, pourtant, Tora avait maintenant l'impression que cette jupe n'avait rien de commun avec elle. Chaque fois qu'elle la regardait, elle était prise d'une envie de vomir.

Le matin, après l'avoir mise, elle fit attention à ne pas regarder vers le bas. Comme c'était le dernier jour de classe, elle n'avait pas pu éviter de la porter.

Inopinément, elle rencontra Frits qui flânait du côté des séchoirs à poisson. Elle était en retard, car sa mère avait tenu à presser l'ourlet de sa jupe avant qu'elle ne s'en aille. Soleil et les autres étaient déjà partis. Il fallait qu'elle coure un peu pour arriver à l'heure.

Tora traînait derrière elle l'odeur du vêtement nouvellement repassé et encore humide. S'arrêtant devant Frits, elle essaya de se composer un visage qui ne laissât rien transparaître...

C'était plus difficile avec lui qu'avec sa mère, car Frits la regardait toujours droit dans les yeux.

Et, lorsque son regard s'arrêta sur elle, elle se mit à transpirer sous les bras et dans le dos. Il s'approcha ensuite tout près d'elle, toucha précautionneusement sa jupe, et, ébauchant un sourire, lui fit comprendre qu'il la trouvait jolie.

Tora eut alors l'impression que quelque chose se brisait en elle.

Se redressant, il lui sourit ; de son sourire nu et embarrassé. Tora ne sentait plus le bas de son corps.

Ses jambes semblaient se dérober sous elle.

Elle voulut à toute force passer. Comme il levait la main pour montrer le chandail, il lui effleura un sein, et Tora s'enfuit brusquement.

Elle l'entendit l'appeler de ses sons gutturaux. Mais elle courait, courait à perdre haleine.

Ses pleurs s'étaient coincés dans sa gorge. Ils refusaient de sortir.

Son chandail fut bientôt trempé de sueur.

Ce n'est qu'une fois arrivée dans la cour de l'école qu'elle s'arrêta et reprit son souffle. Ayant glissé ses mains sous les manches de son chandail, elle s'efforça désespérément d'arrêter le flot de sueur. Mais rien n'y faisait. On voyait deux grosses taches, une sous chaque bras. Et elle sentait l'odeur d'œillet et de mort.

Un peu plus tard, alors qu'ils étaient en train de boire du cacao et de manger des petits pains au lait préparés par Gunn pour le grand jour, celle-ci demanda à Tora en la servant : — Tu étais en retard, tu ne t'es peut-être pas réveillée à l'heure ?

Tora crut que les yeux de Gunn la transperçaient, et elle ne put s'empêcher de trembler.

— Ben, c'est-à-dire, murmura Tora, que maman a dû repasser l'ourlet de ma jupe au dernier moment. Elle n'avait pas eu le temps de le faire avant.

— Non, mais tu sais, chère Tora, que ça n'a vraiment aucune importance. J'ai seulement posé la question parce que tu n'es jamais en retard.

Au mot « chère », Tora se mit à trembler pour de bon. Prise d'une envie de faire pipi, c'est à peine si elle arriva à se retenir avant d'arriver au cabinet. Comme elle ressentait douleurs et brûlures, elle n'osa pas s'essuyer. Elle avait peur de se mettre à saigner et n'avait rien pour faire face à cette situation. Elle crut soudain se retrouver en train de faire pipi dans la baraque de Tobias. Elle réentendit les rires grossiers...

Aujourd'hui, le vieux cabinet était frais et paisible. Tout le monde étant occupé à manger des petits pains dans la grande salle de classe, il n'y avait personne pour s'aviser d'aller y traîner. Tora y resta le temps qui lui était nécessaire pour se reconstituer, pensée après pensée, geste après geste.

Enfin, elle se sentit en état d'aller rejoindre les autres. En passant dans le couloir, elle enfila son gilet par-dessus son chandail ; pour dissimuler les taches de sueur qu'elle avait sous les bras. Ce ne fut pas inutile.

31

Les femmes de l'atelier furent débauchées dans le courant de l'été. Il n'y avait plus de poisson, et Dahl passait son temps à mordiller nerveusement le tuyau de sa pipe. Pour sa part, Ingrid eut la chance de pouvoir trouver des lessivages.

Elle ne se plaignait pas.

Quant à Henrik, il suivait sa propre route. Une fois de plus il était au chômage. Engagé par Simon, qui faisait déblayer les décombres et préparer le terrain pour la reconstruction, il s'était brusquement brouillé avec lui et l'avait planté là.

Un jour de la fin du mois de juin, Simon était allé traîner sur les quais devant chez Dahl. Presque redevenu le Simon d'avant, il s'était mis à bavarder avec les hommes. Il souhaitait embaucher, car il avait, disait-il, l'intention de reconstruire.

Il voulait faire grand et moderne. Ce qui allait sans doute le mener tout droit à la faillite, ajoutait-il avec un rire sarcastique. Mais il n'y avait rien d'autre à faire. Puisqu'il ne s'en sentait pas pour être capitaine à bord de son propre bateau, il fallait bien qu'il se construise quelque chose qui puisse l'abriter sur le plancher des vaches.

Du coup, les hommes en oublièrent moqueries et regards de connivence.

On les vit branler le chef. Travaillant la plupart à la journée et restant des semaines entières sans rien gagner, ils pouvaient quand même bien mettre la main à la pâte.

L'été avait beau être tout proche, il n'en fallait pas moins trouver quelque chose à se mettre sous la dent. Solidement calés sur leurs jambes écartées, ils crachèrent dans la mer et hochèrent la tête en signe d'approbation, puis entreprirent bien posément de discuter des conditions. Et les poignées de mains qui entérinèrent les accords passés sur le quai de Dahl eurent tout autant de valeur que si elles avaient été échangées dans l'ancien bureau bleu de Simon.

Cependant, à peine Simon disparu, ils se précipitèrent chez eux.

Et c'est tout juste s'il leur resta le souffle nécessaire pour annoncer la grande nouvelle.

Ils avaient du travail pour plusieurs mois ! DU TRAVAIL ! Et pas seulement une aumône, un jour ou deux de salaire.

Ça, le Simon, c'était quelqu'un ! Il y était arrivé ! Et il était même allé jusqu'à plaisanter en disant qu'il allait faire faillite. Mais est-ce qu'ils avaient pu voir les plans du nouveau bâtiment ? Non ? Ça, c'était quelque chose !

Quand même, ce Simon ! Et ça, il avait pas arrêté de le dire, alors même qu'il était réfugié dans son grenier et que les injures pleuvaient sur lui : le Simon, c'était un génie !

Et les génies, après tout, ils avaient bien le droit de broyer du noir pendant quelques semaines avant de passer à l'action. C'était pas vrai ça, peut-être ?

— Ça y est, maman revient la semaine prochaine ! Elle est guérie.

C'était le soir. Ingrid étant rentrée de son travail, Soleil était descendue partager un tardif repas avec elle et Tora.

Le buste lourdement appuyé sur la table, Ingrid laissait les paroles se perdre en elle.

A ce moment, elle intervint cependant pour dire : — Ça me fait bien plaisir.

— Pour moi, j'en suis pas très sûre, répondit simplement Soleil.

— Comment tu n'en es pas très sûre ? demanda Ingrid incrédule.

— Bien non... Maman n'est pas faite pour ce monde.

Une ombre passa sur le visage de la fillette déjà à moitié adulte.

— J'aurais mieux aimé qu'elle vienne après la confirmation.

— Qu'est-ce que tu m'racontes ? Tu veux pas qu'ta mère soit là pour la confirmation ?

— Elle est si dévote !

Et, de manière tout à fait inattendue, Soleil abaissa son visage pour le dissimuler contre ses bras.

Elle donnait l'impression de pleurer ; sans pourtant laisser échapper le moindre son, et, lorsqu'elle releva la tête peu après, elle avait la même expression que d'habitude.

— Tout le monde rigole en la voyant. J'peux pas le supporter.

— Bon, d'accord, l'est dévote, mais faut quand même bien qu'on l'accepte. Tous sans exception. Après tout, l'est ce qu'elle est !

Ce disant, Ingrid avait entre les yeux des plis qui, en haut de chaque joue, s'accompagnaient de rougeurs d'indignation.

Tora se contentait de regarder. Dire que maman pouvait réagir comme ça ! Se fâcher ainsi pour défendre Elisif ; alors qu'elle était si fatiguée !

— D'ailleurs, est-ce que t'as une robe de confirmation ?

Ingrid voulait passer à un autre sujet.

— Non.

Poussant un soupir, Soleil tira sur ses mèches qui se séparaient au niveau des oreilles. Et les oreilles de Soleil paraissaient présenter un défaut fondamental. Elles formaient des saillants à partir de la tête et n'avaient pas la moindre chance de passer inaperçues.

— Mais ça n'fait rien. C'est pas l'habillement qui compte.

Elle parut dire ces derniers mots par cœur, comme si, à force de les avoir entendu répéter, elle avait fini par y croire.

— J'pourrais p't-être emprunter une robe à quelqu'un que connaît Johanna-au-mouchoir. Elle m'a dit qu'elle était sans doute trop grande mais... Evidemment, elle est jaune clair.

Soleil soupira.

— Et puis, elle est courte aussi, ajouta-t-elle en poussant un profond soupir de découragement.

Une fois Torstein revenu, Ingrid monta l'escalier et eut une longue conversation avec lui.

Le lendemain, ayant renoncé à quelques heures de lessivage, elle se rendit dans la boutique d'Ottar avec 50 couronnes en poche et acheta du tissu pour faire une robe à Soleil. Elle choisit le tissu blanc le moins cher. De la rayonne. Vraiment belle. Comme elle lui avait dit d'emblée que c'était pour la Soleil du Torstein, Ottar n'avait pas sorti le coupon le plus cher.

Le soir, ce fut presque la fête chez Tora et Ingrid. Celle-ci avait entrepris de mesurer et de découper. Pour ce faire, elle s'était confectionné un patron en papier parcheminé qui reproduisait les formes amples de Soleil.

Traversant en oblique les rideaux nouvellement lavés, les rayons du soleil faisaient étinceler les lames des ciseaux qui mordaient dans l'étoffe scintillante.

Ingrid travaillait avec rapidité et précision.

Elle était parfaitement à son affaire. Chaque fois qu'elle avait découpé un élément, elle vérifiait directement sur la jeune fille. Le regard dirigé vers les torchons accrochés au-dessus du poêle, Soleil restait là bien droite, jusqu'à ce qu'avec une infinie lenteur, Ingrid la fasse tourner sur elle-même, pour bien ajuster le tissu sur son corps. Enfin, ayant gagné la chambre de Tora, et s'étant mise en sous-vêtements, Soleil put essayer directement l'ensemble. Ingrid estimait que c'était quand même plus sûr.

A voir l'étoffe qui ondulait autour de ses hanches plantureuses, Tora trouvait que Soleil ressemblait à un ange. Elle faisait si adulte, si étrangère !

Soleil voyait un de ses rêves se réaliser enfin : avoir une longue robe blanche qui, de plus, avait été spécialement confectionnée pour elle.

Pendant qu'Ingrid ajustait l'étoffe autour de sa taille, elle avait posé sur sa tête ses grosses mains faites pour le labeur. Et elle était presque gracieuse. Elle ressemblait à une danseuse que Tora avait vue sur un tableau. C'était cependant si peu elle, qu'avant de l'admettre, Tora avait dû longuement réfléchir.

Ingrid resta devant sa machine à coudre bien longtemps après que les filles se furent couchées. Et c'est à peine si elle prit le temps nécessaire pour préparer le repas du soir lorsqu'Henrik rentra.

Au reste, celui-ci était dans un de ses bons jours. Il ne jura pas comme d'habitude en voyant le désordre qui régnait autour de la machine, et lui fit même compliment de son travail. Sidérée, Ingrid eut l'impression de recevoir un somptueux cadeau.

Sinon, il ne dit pas grand-chose. On l'eût dit dans un sac fermé par une corde : tout entier plongé dans ses pensées et le noir.

Il ne tarda pas à aller se coucher, et elle l'entendit se retourner dans le lit de la chambre-salon. Mais il ne grogna ni ne l'appela comme il en avait habitude. Elle en fut soulagée.

Car elle avait bien l'intention de la faire, la robe de la gamine d'Elisif, et elle la ferait ! De bonnes actions de ce genre, elle pouvait s'offrir le luxe d'en accomplir.

Lorsqu' arriva le matin, il lui restait une bride à confectionner. Ensuite, il lui faudrait encore froncer les volants avant de pouvoir les mettre, puis fermer sur le côté la fermeture à glissière. Et, pour finir, il y aurait bien entendu l'ourlet.

Elle avait convaincu Soleil de choisir une robe un peu ample qui permît de dissimuler son torse si puissant. Et Soleil avait finalement cédé, bien qu'elle eût manifestement rêvé d'une robe d'un autre modèle. Ne manquant pas de perspicacité, elle avait compris ce que, sans s'exprimer directement, Ingrid avait voulu dire.

Le lendemain soir, celle-ci finirait ce qu'elle avait à faire, et Soleil n'aurait plus qu'à surfiler. A moins qu'elle ne confiât cette tâche à Tora, qui était plus habile de ses mains.

Tout ce travail, Ingrid l'avait effectué dans la joie. La fatigue ne semblait pas avoir eu prise sur elle. Et, cette joie qu'elle avait éprouvée en cousant, peut-être était-ce au Dieu d'Elisif qu'elle la devait ? Jusqu'à Henrik lui-même, qui avait paru comprendre la nécessité de ce qu'elle avait entrepris.

Lorsqu'Ingrid se leva de la table, le jour se montrait aux fenêtres. Elle sentait dans le dos et les épaules le poids de la longue journée passée à faire des lessivages, puis des six heures de couture.

Il lui semblait avoir mal partout.

S'étant étirée, elle alla placer la robe blanche devant la fenêtre. Et laissa la lumière du soleil se répandre à profusion sur la soie la moins chère de la boutique d'Ottar. La soie des pauvres !

Mais Ingrid la mit devant elle d'un air triomphant et avança un pied. Tournant doucement sur elle-même, elle sentit l'étoffe lui glisser délicatement sur le mollet.

L'espace d'un instant, la vitre de la fenêtre lui renvoya son image : autour d'elle, les ondulations de la robe blanche.

Alors Ingrid se laissa aller. Quelque part en elle s'élevait un chant. Sans même s'en rendre compte, elle se retrouva au milieu de la chambre.

Tenant la robe devant elle, elle tourna doucement devant la grande glace. Un court moment, elle resta immobile pour seulement se regarder.

Puis elle posa la robe sur la chaise qui était près de la porte et se mit à enlever ses vêtements de tous les jours, l'un après l'autre.

Ayant revêtu la robe de soie blanche, elle vit dans le miroir une longue et fine colonne blanche. Les larmes jaillirent.

Ces longues années oubliées. Le rôle amer de celui qui se sait condamné avant même d'être entré dans la pièce. Le rôle humiliant de celui qui n'a jamais le droit d'avoir de fierté.

Tout ceci la submergea si subitement qu'elle ne put retenir ses sanglots.

Et c'est seulement en apercevant les yeux de l'homme couché dans le lit qu'elle se ressaisit.

— Mais, bon Dieu, qu'est-ce qu'tu fous ! feula-t-il.

— Ben, j'essaie la robe de Soleil, tenta-t-elle d'expliquer.

— Mais qu'est-ce que t'as à chialer en pleine nuit ? Tu t'es foutue dedans ?

Elle resta plantée là sans rien dire.

— Et puis, dis donc, c'est quand même

foutrement tard pour te mettre du blanc. D'ailleurs, les mariées en blanc, c'est ni pour les boches ni pour les tâcherons.

Il avait la voix altérée qu'elle lui connaissait bien.

Ingrid enleva lentement la robe et alla l'accrocher au mur de la cuisine. Ayant ensuite fait disparaître les bouts de soie qui restaient sur la table, elle rassembla les épingles, les aiguilles et les fils. Au moment de se mettre au lit, elle se sentait entièrement vidée et calme.

32

Simon avait fait diligence. La reconstruction était bien avancée. Le gros œuvre était dès à présent terminé, et l'ensemble s'annonçait bien. Etonnées de voir à quel point tout se passait vite, les femmes y allaient de leurs petits commentaires en faisant leurs courses. Mais les sans-travail, ceux qui traînaient chez Ottar, ceux qui erraient dans le bourg en ponctuant de crachats les interminables heures de la matinée, ceux-là affirmaient que le Simon avait vu bien trop grand. A tous les coups, il allait faire la culbute. Et l'idée n'était pas pour tout à fait leur déplaire.

Quant à ceux qui maniaient le marteau en haut des échafaudages, ils avaient bien d'autres chats à fouetter. Pour eux, le nouvel édifice de Simon, c'était tout simplement le temple de Salomon. Quand bien même on lui entendait dans le vent d'automne de solitaires et caverneux hululements. Quand bien même il résonnait comme un orgue laissé à l'abandon.

Pour ce qui était des causes de l'incendie, on n'avait pas réussi à les élucider. Le sinistre avait pris dans la remise à outils. Et là, murmurait-on, n'importe qui pouvait entrer et sortir. Mais, de l'avis général, il n'était personne qui pût en vouloir à Simon et Rakel au point de mettre le feu à l'installation. Par ailleurs, on ne pouvait soupçonner Simon d'escroquerie à l'assurance. La maigre indemnité qu'il avait perçue pour le bâtiment lui-même n'était guère de nature à l'enrichir. Quant aux installations et au mobilier, ils n'étaient pas couverts.

De bons vieux et inoffensifs jurons coupés de grandes rafales de rire retentissaient entre les poutres qui sentaient le goudron.

Maître de l'ouvrage, Simon était débordé de travail. Il était d'ailleurs possible que cette saison manquée ne lui fît pas perdre autant qu'il l'avait d'abord cru. Le poisson n'était pas au rendez-vous, et Dahl avait dû débaucher, surtout les femmes de l'atelier frigorifique.

Quant à Rakel, elle tissait puis se rendait à Breiland, emportant avec elle d'énormes rouleaux de lirette qu'elle avait fait soigneusement envelopper de papier gris dans la boutique d'Ottar. Ainsi tout le monde était-il bien au courant.

De surcroît, elle avait presque doublé le nombre de ses moutons et participé en personne à la fenaison.

Voilà assurément qui annonçait des temps difficiles.

C'était pour complaire à Rakel que Simon avait engagé Henrik. Mais celui-ci n'avait rien d'un bon ouvrier. Et, selon Simon, c'était plus la bouteille que le bras estropié qu'il fallait mettre en cause.

Henrik s'étant avisé de manquer trois jours de suite sans prévenir, Simon perdit patience et se rendit d'un pas décidé dans la maison des Mille.

Ce jour-là, il fut impossible de lui arracher trois mots, à Henrik. Mais, dans le courant de l'après-midi, il descendit sur le chantier et, le bras valide aidant l'autre, vint rafler en un tournemain son tablier de charpentier et son marteau. A la suite de quoi, sous le regard des autres médusés par la vitesse de l'opération, il disparut sans dire un mot.

Simon plaignait Ingrid. Mais, pour son propre compte, il n'était guère inquiet. Avant même que la journée ne s'achevât, trois hommes s'étaient déjà présentés pour obtenir la place d'Henrik.

Il y avait chez cet homme quelque chose de fondamentalement infirme, estimait Simon. Il suffisait de voir la pesante silhouette voûtée qui ne s'animait que devant une bouteille et lorsqu'il lui était possible de débiter toutes ses vantardises. Dans la nuit du samedi, il pouvait lui arriver de rester seul assis à la table d'une baraque. Devenant alors son propre interlocuteur, il se parlait, discutait, gueulait, interrogeait et répondait. A moins que, les traits à nu et altérés, il ne restât là à somnoler.

Et Simon s'étonnait. Il avait entendu parler d'un autre Henrik, avant ce qui lui était arrivé à l'épaule, avant Ingrid et le mariage. Et ça n'avait pas *seulement* été en mauvaise part. Du coup, Simon en était à se demander si seules la méchanceté et la malveillance suffisaient à rendre les gens ainsi. Une épaule mutilée ou un incendie, c'était peut-être un peu la même chose, se disait Simon. Et il frissonnait en pensant à cette interminable succession de jours et de nuits qu'il avait passés dans le grenier, alors qu'il n'avait même pas le courage nécessaire pour aller se chercher une corde.

Mais *lui*, il avait une femme qui l'en avait sorti par les cheveux. Ingrid, elle, n'était certainement pas du genre à sortir les gens par les cheveux. Peut-être était-ce d'ailleurs trop demander à une femme, songeait-il.

Simon se jugeait une âme simple et bonne. La vie s'en trouvait tellement facilitée. Ne surtout pas s'encombrer l'esprit de pensées superflues. Et, pourtant, la haine qu'il lisait dans les yeux d'Henrik ne laissait pas de l'étonner. Cela le tourmentait même parfois.

En rentrant le soir, il en parla à Rakel. Elle était alors occupée à nettoyer des airelles et levait de temps à autre un rapide regard vers lui avant de se remettre à retirer les feuilles et saletés qui tentaient de se glisser avec les baies rouges dans le grand plat en bois qu'elle avait posé sur un tabouret à côté de la table.

— Il est jaloux, un point c'est tout ! Il comprend peut-être qu'Ingrid, l'aurait des raisons d'se dire qu'elle s'est trompée d'mari, le taquina-t-elle.

Simon se mit à rire.

— Oui, tu trouves toujours d'excellentes raisons à tout.

Sur quoi, il commença à nettoyer les baies avec elle, mais surtout pour les manger.

— Arrête donc, espèce de fainéant ! Tout ça doit aller à Breiland. Il faut que je m'achète des fils de chaîne pour mon métier à tisser.

Une ombre passa sur le visage de Simon.

— C'est pas juste que tu sois obligée de trimer comme ça pour qu'on arrive à joindre les deux bouts.

— Dis pas d'bêtises ! J'vois pas pourquoi tu serais seul à trimer. Et pourquoi je m'y mettrais pas, moi aussi ? Quand on était à l'aise, j'ai mis de l'argent de côté dans mon secrétaire. Tu n'as jamais su combien. Et d'ailleurs t'as jamais été pingre. J'ai toujours eu ce qu'il m'fallait. Bon, maintenant qu'la mangeoire est vide, ça s'rait p't-être à mon tour de balayer la paille pour voir si y aurait rien à récupérer. Il manquerait plus...

Elle ne put continuer. L'ayant enserrée de ses longs bras vigoureux, Simon la pressait contre lui et lui couvrait le visage de baisers.

Il la buvait comme un homme assoiffé, jamais abreuvé, jamais désaltéré.

Le lendemain matin, baies et feuilles, demeurées sur la table, n'étaient toujours pas triées. S'étant levé de bonne heure, Simon mit de l'ordre partout, chargea le poêle, alla chercher du bois, prépara le café et se fit le garçon de courses de Rakel. Sans en éprouver aucune honte. Il ne l'eût certes pas fait s'il avait eu tout le bourg pour le regarder entrer ainsi dans sa cuisine, en sortir et jouer la bonne à tout faire de sa femme. Mais il était tellement heureux qu'il lui fallait absolument se dépenser.

Ensuite, bien que ce fût le milieu de la semaine, il monta au grenier un plateau avec café et tartines.

— J'ai réfléchi, dit Rakel, la bouche pleine de pain et de fromage. J'vais faire équipe avec Tora et on va s'mettre au cochon.

Simon n'en crut pas ses oreilles. Rakel en porchère ! Il se mit à rire comme un fou.

Apercevant son visage dans la grande glace de la commode, il s'interrompit cependant brusquement pour lâcher :

— J'vais téléphoner aujourd'hui même pour avoir deux cochonnets. Je les paierai tout de suite.

— Allons donc ! dit-elle d'un ton supérieur. C'est pas l'moment. J'te préviendrai. Et puis, j'en voudrais quatre. D'ailleurs, je les paierai moi-même.

33

L'automne était aussi clair et froid que l'été avait été humide et rude. Lorsque soufflait un vent sans brouillard qui paraissait provenir d'un autre monde, les baies rouges du sorbier venaient battre contre la façade sud de la maison des Mille.

La culture des pommes de terre s'annonçait d'un meilleur rendement que la pêche. Aussi était-ce sur la terre ferme qu'allait se faire la récolte. On verrait bien ce que cela donnerait.

Tora vint aider Rakel à arracher les pommes de terre. Très professionnellement, celle-ci lui avait promis un demi-sac par journée de travail. Ainsi qu'un seau de pommes de terre de semence pour qu'elle puisse avoir sa propre récolte l'année suivante.

Lors de la pause de midi, Tora s'installa pour lire sur la caisse de tourbe de la cuisine de Bekkejordet, tandis que Rakel, appuyant son dos ankylosé contre le divan, se préparait à faire un petit somme.

— Qu'est-ce que t'es donc en train de lire ? s'enquit celle-ci en étouffant un bâillement.

— *Victoria* de Hamsun, répondit Tora d'un ton rêveur.

— *Victoria* ? C'est quoi, ce livre ?

— Tu l'sais donc pas, toi qu'es adulte ? demanda Tora étonnée en levant les yeux vers elle.

Elle referma le livre sur son index droit.

Rakel eut un sourire...

— Non, on peut pas dire que j'ai eu

tellement le temps de lire... Tu sais, les livres et autres choses du même genre.

— Oh, tu devrais, ma tante, reprit ardemment Tora. Tu peux pas te rendre compte. C'est si triste, si bien...

— C'est donc possible que quelque chose soit à la fois triste et bien ?

Non sans mal, Rakel se remit debout puis, faisant une grimace, essaya de redresser son dos. Sur quoi, toute clopinante, elle se dirigea vers le poêle de la cuisine et alla jeter trois pelletées de charbon dans la gueule noire.

— Oui, poursuivit gravement Tora. C'est si bien. Ils ont beau s'aimer, lui, il est qu'un fils de meunier, tandis qu'elle, elle est riche. Et rien qu'pour ça on dirait que les gens voudraient qu'ils s'brouillent. C'est tout à fait comme mam...

Tora s'arrêta net. Deux taches rouges se dessinaient sur ses pommettes. Elle se sentit toute gênée.

De l'autre bout de la pièce, Rakel la regarda d'un air interrogateur.

— Tu veux dire tout à fait comme ta mère et ton père ?

— Oui, chuchota Tora.

Dominant à peine l'horizon, le soleil d'automne se glissa à travers la fenêtre. Ronronnant, le chat de Rakel se pelotonna sur la lirette puis, fermant les yeux, entreprit paresseusement de se lécher.

— Dis-moi, Tora, tu y penses beaucoup à ton père ?

S'étant dirigée lentement vers la fenêtre de la cuisine pour plonger un doigt dans chacun des pots de fleurs, Rakel alla chercher un broc d'eau.

Comme elle n'obtenait pas de réponse, elle vint s'installer sur la caisse de tourbe à côté de Tora. Elle avait l'air absent et ne paraissait pas se rappeler ce qu'elle devait faire du broc qu'elle tenait entre les mains.

Elle était si petite, Rakel. Assise sur la caisse haute, les jambes pendantes, elle avait l'air d'une fillette.

— Ta mère t'a reparlé de lui ?

— Non, répondit Tora en hésitant un peu. Elle se rendait bien compte que sa tante en voulait à sa mère de ne pas lui parler de son père. Mais c'est qu'*lui*, il est toujours là.

— Ça devrait pas être gênant. L'est au courant de tout, l'Henrik. Y a jamais personne qu'a essayé de lui raconter des histoires. Ta mère, c'est parce qu'il la voulait qu'il l'a prise. D'ailleurs, on peut pas dire qu'il ait fait son bonheur à Ingrid. Ça s'est plutôt mal passé...

Regardant par la fenêtre les champs aux molles ondulations, Rakel ne donnait pas l'impression de s'adresser à Tora.

— Qu'est-ce qu'tu veux dire ? demanda prudemment Tora.

D'entendre un adulte lui parler ainsi de choses que l'on gardait d'habitude pour soi, produisait le même effet qu'une pluie survenant après une longue période de sécheresse.

— Tu as bien entendu parler de ta petite sœur qui est morte ?

— Comme l'enfant d'Elisif ?

— Oui.

— Et où est-ce qu'elle est ? Où est-ce qu'on l'a enterrée, j'veux dire ?

— Eh bien, l'est au cimetière. Tu y es jamais allée ?

— Non.

Le chat se leva et vint frôler de sa longue queue les mollets de Rakel. L'ayant pris dans ses bras, celle-ci se mit à caresser distraitement la fourrure luisante.

— Eh bien, c'est qu'ta mère elle y va toute seule.

Tora ressentit un vide étrange et douloureux. Mais elle savait que c'était ainsi. Il y avait donc autre chose encore que maman ne voulait pas partager avec elle. Une petite tombe. Elle conservait le souvenir de quelqu'un qui avait dû être le père de Tora. Dont jamais elle ne parlait. Elle semblait vouloir tenir Tora à l'écart. Et celle-ci se sentit soudainement très seule.

— De temps en temps, c'est quand même difficile d'être une femme, poursuivit Rakel. Et, difficile, ça peut l'être qu'on ait des enfants ou pas. Mais, c'est p't-être justement parce que j'ai pas d'enfants que j'ai échappé à beaucoup de choses auxquelles ta mère n'a pas pu couper. Pour moi, je n'ai plus qu'une sorte de nostalgie. Qui ne finira jamais.

Tora n'osait plus respirer. Ça faisait si curieux, si solennel. Dire que sa tante réussissait ainsi à traduire en mots ce qu'elle pensait. Dire qu'elle acceptait d'en parler à une gamine !

Et, *ceci*, alors qu'elle n'avait même pas entendu parler de Victoria.

A Bekkejordet, l'atmosphère des repas était tout à fait différente de celle qu'il y avait à la maison. Plus joyeuse. Et, entre deux bouchées, il arrivait souvent à la tante et à l'oncle de rire.

Pour sa part, Tora ne riait pas tellement avec eux. La bouche ouverte et les lèvres bien relevées aux commissures, elle se contentait de les suivre des yeux et se sentait heureuse jusqu'au plus profond d'elle-même. Il n'y avait personne pour se fâcher si l'on marquait une hésitation ou ne finissait pas tout ce qu'il y avait dans son assiette. On n'en parlait même pas. Quelle curieuse impression !

Oui, ils étaient si apaisants, ces repas, que,

rien que pour les faire durer, on aurait été prêt à manger un cheval entier. Et lorsque Tora était attablée là, elle en oubliait presque à quel point sa langue se mettait à grossir démesurément dans sa gorge dès qu'*il* posait la main sur la poignée de la porte.

L'oncle ne dormait jamais sur le divan après le déjeuner. Et, lorsqu'elle lui demanda pourquoi, il répondit qu'il commencerait le jour où il irait s'installer à l'hospice des vieillards de Breiland. Sur quoi, il souleva la jeune fille jusqu'au plafond et, ce faisant, lui heurta la tête contre le globe de la lampe. Dès lors, il ne lui resta plus qu'à l'embrasser sur les deux joues pour se faire pardonner sa maladresse. Comme si elle pouvait avoir quelque chose à lui pardonner, à l'oncle Simon !

Lorsqu'il l'avait ainsi saisie, Tora avait senti son corps se raidir. Elle s'était dit que ça lui serait insupportable.

Mais elle n'eut pas la nausée comme elle s'y était attendue. Et Tora se dit que les mains de Simon devaient avoir quelque chose de différent... Ayant ensuite attrapé au passage sa casquette qu'il avait déposée sur la caisse de tourbe, Simon disparut précipitamment par la porte en laissant derrière lui un épais nuage de fumée de pipe.

L'arrachage des pommes de terre devait durer quatre jours pleins. C'est ce que Rakel avait prévu. Point n'était besoin de trop se dépêcher. On ne travaillait pas à la pièce, disait-elle.

On va prendre tout son temps pour manger et bien se soigner. Et puis, à l'occasion, il faudra aussi qu'on puisse se redresser le dos et tailler une bavette.

Elles en étaient à leur troisième jour de travail au champ lorsqu'arriva le vieux juif.

S'étant assis sur une caisse de pommes de terre vide, il leur proposa sa marchandise. Il y avait longtemps qu'il n'était pas venu dans l'île.

En riant, Rakel lui dit que ce n'était pas la peine de se fatiguer à ouvrir la valise : dans cette ferme, les gens étaient tellement sales qu'ils ne s'aviseraient même pas de prendre un misérable chromo.

Le vieil homme maigre paraissait cependant vissé à sa caisse. Son pardessus marron aux énormes revers et aux poches gigantesques l'enveloppait comme une coquille. On eût dit que quelqu'un avait planté une tête à la va-vite dans l'épaisseur de la bure. Par mauvais temps, remontant les revers qui lui recouvraient bien les oreilles, il se protégeait de ce que, pluie ou neige, le Seigneur lui envoyait d'intempéries.

Portant sa valise, il se déplaçait de ferme en ferme. Et les adultes se rappelaient l'avoir déjà vu dans leur enfance. Il arrivait toujours sur les routes avec le printemps, et, à la fin de l'automne, semblait disparaître dans la mer. Personne ne savait où.

C'était une des dernières figures de l'ancien temps. Il savait presque tout, mais n'était pas assez communicatif pour que ce pût avoir quelque importance. Ne s'adressant à personne en particulier, il se contentait de s'asseoir et de ne plus bouger de son siège. S'il avait faim, il restait volontiers jusqu'à l'heure du repas ; pour autant qu'il ait eu la chance de pouvoir entrer. Mais, dès lors qu'il avait vendu un article, grand ou petit, il partait presque toujours après. De la sorte, point n'était besoin de lui proposer à manger ou de le faire asseoir.

Tout le monde connaissait la manière d'être

du vieux juif, mais très peu connaissaient son nom. D'une certaine manière, il paraissait étrangement invulnérable. Quoi qu'on pût faire pour le houspiller et le tourmenter, il restait imperturbable. A moins qu'il ne décidât de se lever et de partir comme si de rien n'était.

Un jour, les élèves de la grande classe étaient partis à toutes jambes avec sa valise et l'avaient dissimulée au diable.

Mais, s'étant assis sur une pierre en bordure du chemin, Vieux-Juif — on ne l'appelait pas autrement — s'était contenté d'attendre avec patience le moment où Gunn rappellerait ses persécuteurs et où la rigolade pourrait ainsi prendre fin.

Sur quoi, marchant avec une infinie lenteur, il avait gagné la carrière de pierre où sa valise avait été cachée, puis, ayant fini par la retrouver, avait repris sa route.

Tora avait pu l'observer par la fenêtre. Quant à Gunn, installée sur son estrade, elle ne s'était doutée de rien. Pour le dos des coupables, mieux avait valu qu'il en soit ainsi.

Tora avait eu le curieux sentiment qu'entre elle et Vieux-Juif existait une parenté. Elle n'arrivait pas à savoir exactement de quelle manière. Peut-être était-ce cette liberté que prenaient les gens de lui aussi le maltraiter et le tourmenter. Lui aussi faisait partie de ceux qu'on rejetait. Sur son passage, il arrivait aux gens de ricaner en disant que ça sentait le juif, l'avarice et l'argent.

C'étaient les juifs qui avaient tué Jésus. Gunn elle-même le disait. C'étaient les Allemands qui avaient tué les juifs pendant la guerre. Qui les avaient mis dans des camps. Ça aussi, Gunn le disait.

Quant à Elisif, elle affirmait que les persécutions et l'extermination des juifs par Hitler étaient le châtiment que Dieu réservait au peuple juif. A l'idée que Dieu puisse être ainsi, Tora avait les paumes qui devenaient moites. Elle se gardait cependant bien de la contredire. Il n'était personne pour contredire Elisif. C'étaient les Allemands qui avaient tué le fils de Pål Ingebriktsen et puis sûrement aussi la moitié des Norvégiens. Tora avait souvent entendu raconter d'affreuses histoires d'ongles arrachés et de dents en or qu'on extirpait de la bouche des gens.

Tout ceci, il fallait bien que ce fût la faute de quelqu'un.

Quelqu'un qui fût à la portée des gens.

Tora comprit que Vieux-Juif et elle-même étaient de ceux qui ne pouvaient y échapper.

— J'vois que vous travaillez dur pour rentrer les pommes de terre.

Les doigts griffus bien écartés et posés à plat sur les jambes de son pantalon usé, Vieux-Juif était assis sur la caisse. De temps en temps, il les avançait et les reculait comme pour se réchauffer. Son manteau ouvert se soulevait au vent en amples et lourds mouvements. L'homme ressemblait à un oiseau géant qui aurait oublié de voler.

— Eh oui, c'est bien la même chose dans toutes les fermes. Et ça, ça fait pas tellement marcher le commerce. Les gens remarquent même pas que j'ai des broderies fines. Pour les fêtes de Noël. Et puis, j'ai aussi une nappe avec des lutins assis en rond, avec le chat, la souris et la branche de sapin…

— Eh bien oui, mon vieux. Mais tu vois bien dans quel état sont nos mains. J'suis tellement sale que j'peux même pas me moucher !

Par-dessus le tas de pommes de terre, Rakel envoya à Tora un regard rieur.

Mais Tora n'arriva pas à le lui rendre.

Elle avait l'impression d'être entrée dans le

vieil homme. De s'être assimilée à lui. De s'être glissée sous son manteau, dans sa peau. Elle ressentait cette impuissante douleur de devoir se dénuder, s'humilier, implorer. De devoir mendier pour la moindre chose. De devoir renoncer à toute fierté pour se raccrocher à n'importe quoi ou n'importe qui.

Il lui sembla que le jour avait disparu. Que la nuit tombait brutalement sur elle. Dans la terre noire, les yeux dorés devinrent taches de sang. Et ils brillèrent, les petits yeux apeurés, ils sautillèrent, lui voulurent quelque chose. Pour se protéger, elle se mit à regarder au-dessus de la tête de Rakel. Elle avait l'impression d'être dans une balançoire lancée à trop grande vitesse.

Elle n'arrivait pas à l'arrêter. La vitesse ne cessait d'augmenter, d'augmenter encore jusqu'à ce qu'elle se sentît près d'être anéantie par la nausée. Elle entendait sa propre voix. Elle marchait à quatre pattes dans sa chambre. Implorante, elle se cramponnait au montant du lit.

Et, de la terre noire, la regardaient les yeux dorés.

Il n'y eut pas de combat. Tout était décidé à l'avance par des forces qui étaient plus puissantes et dans leur bon droit.

Enfant de boche ! Vieux-Juif !

Tora se mit à creuser dans la terre humide. Elle creusa, creusa sans répit, jusqu'à ce que, forçant le passage, la terre lui arrivât sous les ongles, attaquât la jointure de la peau, allât au-delà même. Elle sentit une déchirure. Il fallait qu'elle renonce. Quelque chose se détacha. Elle eut mal. Mais tout ceci était déjà décidé. Il fallait toujours quelqu'un pour se faire écorcher et clouer à une palissade. Autant s'y habituer, autant subir l'épreuve.

Elle laissa échapper une sorte de cri. NON !

258

Elle n'y put rien. Un cri étranger au champ, à la réalité, à Bekkejordet. Un son rauque et honteux. Incompréhensible. Et qui, pourtant, sortit d'elle. Comme un grand défi.

Elle prit l'un des grands yeux dorés, regarda de près les petites cavités roses de la pomme de terre jaunâtre, puis, s'étant levée, bondit comme s'il en allait de sa vie. Tenant la pomme de terre, sa main décrivit vers l'arrière un grand arc de cercle. Elle se dressa entièrement sur la pointe des pieds, trouva son équilibre et rassembla tout ce qu'il y avait en elle de frémissante énergie.

Et elle la lança, la pomme de terre. De plus en plus haut par-dessus les sillons bouleversés.

La main sale resta là à pendre, seule, encore un peu frémissante. Et ce fut terminé.

Etonnés, les deux adultes suivirent la trajectoire de la pomme de terre qui disparut quelque part derrière l'étable. Sur quoi, tous deux tournèrent en même temps leur regard vers Tora.

Celle-ci rougit jusqu'au blanc des yeux. Elle avait jeté dans le petit bois une grosse pomme de terre tout à fait mangeable !

Humblement, elle se remit alors à quatre pattes et entreprit d'arracher des pommes de terre, comme si c'était sa vie qui était en jeu. De ce fait, elle ne put voir les expressions qui se peignirent sur le visage de Rakel : étonnement incrédule, admiration et, pour finir, rayonnant sourire !

— Eh ben ça, dis donc, Tora, on peut dire que tu lances drôlement bien. J'ai jamais rien vu d'pareil. T'es exactement comme moi à ton âge. Moi aussi il fallait que j'saute, que j'coure, que j'lance. Ah bon Dieu ! ça fait un bout de temps. Bon, maintenant, on va s'arrêter un peu. Le temps de rentrer, de se décrasser, et puis de se faire des gaufres. Et toi, t'en veux des gaufres ?

Elle s'adressait à présent à l'homme assis sur la caisse de pommes de terre.

— Oh oui, merci. Merci beaucoup ! L'homme s'était brusquement levé. Tenant bien sa valise, il piétinait d'impatience.

Tora alla alors vider les seaux. Les pommes de terre tombèrent dans la caisse avec un bruit sourd.

La terre se détacha et découvrit les petits yeux rouges. Qui la regardaient. Il y en avait des centaines. Tora recouvrit la caisse d'un sac puis se dirigea à grands pas vers la maison.

Comme c'était curieux que la tante ait invité Vieux-Juif ! Il n'y avait presque personne pour le faire. La tante avait-elle deviné que Tora se sentait une parenté avec lui ? Non, elle repoussa cette idée.

Mais, quand même, elle n'aurait pas dû lancer la pomme de terre. Car, à présent, celle-ci était quelque part derrière l'étable et ne servait plus à rien.

Rakel obligea presque l'homme à se débarrasser de son pardessus et de ses chaussures, puis lui apporta la cuvette remplie d'eau.

— Lave-toi les mains ! dit-elle d'un ton autoritaire.

Tora regarda Vieux-Juif. Tout honteux, car il avait les mains extrêmement sales, celui-ci arborait un visage vide de toute expression.

Jusqu'à ce que vînt son tour, Tora dissimula derrière son dos ses mains pleines de terre.

Vieux-Juif déploya sur la table de la cuisine les nappes et napperons où étaient dessinés les motifs à broder. Rakel examinait chacune des pièces, les retournait, les tenait devant elle, demandait conseil à Tora. Par moments, elle se dirigeait vers la cuisinière pour remettre de la pâte dans le moule.

Comme un voile de bon oubli, les crépitements et l'odeur venaient recouvrir ce qui s'était passé dans le champ.

— Tu trouves qu'on a le temps de broder, Tora ? demanda-t-elle d'un air pensif en levant un sourcil. Elle tenait devant elle un cache-torchon sur lequel elle dirigeait un regard scrutateur.

On pouvait y voir un chalet, une forêt de bouleaux ainsi qu'une myriade de fleurs. Tora hocha la tête en signe d'approbation. Elle avait la bouche pleine de gaufre, qu'elle prenait, elle aussi, avec du café. Elle regarda les couleurs que Rakel avait mises devant le dessin pour décider de celles qui conviendraient le mieux.

Seuls les yeux de l'homme souriaient. On le remarquait au réseau serré de rides qui s'enroulaient tout autour de ceux-ci. Quant à sa bouche, elle était inexpressive. L'homme prenait tout son temps pour manger, et il ne buvait pas bruyamment le café de sa soucoupe comme Tora avait vu des vieilles gens le faire. Il faisait presque tout silencieusement.

Il semblait redouter que quelqu'un ne prêtât attention à son existence. Parfois, il s'oubliait jusqu'à s'essuyer la moustache du revers de la main ; mais c'était pour tout de suite après se rendre compte qu'il était dans la cuisine de gens comme il faut. Dès lors, prenant un air gêné, il sortait des profondeurs de sa poche un mouchoir qui était loin d'être impeccable et, d'un geste digne, le passait lentement au même endroit.

Pour Tora, il était alors un tout autre Vieux-Juif que celui qu'elle voyait coltiner sa valise à travers le bourg, le manteau flottant au vent et traînant derrière lui une flopée de gosses.

Il prenait en quelque sorte figure humaine.

Le plat à gâteaux était vide. Tora n'arrivait pas à comprendre comment quelqu'un qui mangeait si lentement chaque fois qu'on le regardait pouvait tant ingurgiter en si peu de temps.

La vente s'étant faite au mieux des intérêts de chacun, Vieux-Juif n'eut pas de plus pressant souci que de partir. Il avait encore tant à faire. Et il ne chercha pas à vendre autre chose à Rakel. Avant de refermer le couvercle de sa valise, il marqua seulement un temps d'arrêt qui lui permit de soulever légèrement ses étoffes et ses rubans pour laisser ses doigts crochus glisser distraitement sur un tas de larges dentelles.

A son départ, il laissait dans la pièce une curieuse odeur d'épices.

Tora allait à présent broder la nappe. Rakel avait décrété qu'on avait récolté assez de pommes de terre pour la journée et qu'il était temps de broder. Ayant allumé la grande lampe qui était au-dessus de la table de la cuisine, elles s'attaquèrent aux couleurs.

Au début, Tora eut du mal à faire obéir ses doigts. L'arrachage des pommes de terre les avait rendus gourds et malhabiles. Pour sa part, Rakel maniait l'aiguille avec beaucoup d'habileté et, pour permettre à Tora d'emporter la broderie à la maison, elle lui expliqua comment faire les points les plus difficiles. Une fois la nappe terminée, elle recevrait 30 couronnes. Trouvant que c'était incroyablement bien payé, Tora eut presque honte d'accepter. Mais Rakel lui enleva ses scrupules, tout en lui recommandant de bien faire attention à l'envers sous peine de devoir défaire les points, un à un. Bon ! Et maintenant on allait lui prêter une lampe de poche pour lui permettre de rentrer avant que, chez elle, ils ne s'inquiètent. Demain, à huit heures, il fallait à nouveau être d'attaque pour les pommes de terre.

Ayant mis son manteau, Tora marqua un temps d'arrêt. La petite nappe semblait ne pas vouloir rester dans le grand papier gris. Elle n'arrêtait pas de glisser. Pour finir, Rakel l'enveloppa d'une ficelle et la lui donna en souriant.

— Oh, j'pourrais pas coucher ici ?

Tora lâcha ces mots sans s'être rendu compte qu'elle les avait préparés. Rakel la regarda avec étonnement.

— T'as donc peur dans le noir, grande fille ?

— Non, c'est pas exactement ça...

— Demain, tu pourras rester coucher ici, décida-t-elle en tirant Tora par une de ses nattes : ça tombe très bien, car l'Simon, il doit aller à Bodø et faudra qu'tu demandes l'autorisation à ta mère, c'est d'accord ?

— Oui !

En revenant à petites foulées par le chemin de terre qui la ramenait chez elle, Tora avait le sentiment que le lendemain était un petit animal chaud et doux qu'elle tenait sur ses genoux. La soirée et la nuit à venir, elle les avait mises à l'écart, et la lumière de sa lampe de poche balayait joyeusement le fossé et les champs. Elle avait l'impression de ne pas en avoir besoin pour voir. Pourtant, le ciel était noir et, tout près d'elle, il y avait le petit bois dont les lourdes branches semblaient vouloir l'agripper.

34

Elle s'en aperçut aussitôt arrivée en haut de l'escalier ; malgré la pénombre dans laquelle l'ampoule grillée de leur palier laissait le couloir.

Les chaussures et le manteau de sa mère avaient disparu ! Tandis que ses chaussures et sa veste à *lui* se trouvaient en tapon sous la patère.

Au moment d'appuyer sur la poignée, Tora hésita. Ce soir, elle avait l'impression qu'elle n'y arriverait pas. De l'intérieur lui parvenaient des bruits de raclement.

Elle se retourna alors et, de sa main libre, chercha à tâtons la rampe de l'escalier. De l'autre, elle serrait contre elle la lampe de poche et le paquet de papier gris. Comme un voleur qui prend la fuite.

Elle ferma la grande porte aussi précautionneusement que possible, sans réussir cependant à l'empêcher de gémir un peu, puis, se retrouvant dans la fraîcheur de l'air, alla chercher refuge dans l'obscurité.

Ce soir, elle se refusait à le subir.

Une petite silhouette courbée qui portait un paquet sous le bras. Evitant la route, elle s'engagea sur le chemin qui montait à travers les landes de bruyère et les marécages. Tels de craintifs fantômes, se dressaient devant elle des bouquets d'aulnes.

A un moment, elle s'assit tout essoufflée sur une pierre et se sentit sauvée. Elle était Tora. Elle était partie. Pour s'en aller.

La carrière de pierre ! C'était là qu'elle irait. Elle pourrait y demeurer à l'abri du vent. A présent, il devait être tard, et il ne fallait pas qu'on la voie dehors. Sinon maman l'apprendrait, et elle aurait honte car, la voyant ainsi traîner dans la nuit, les gens diraient qu'Ingrid était incapable de tenir son seul enfant. Et ils s'étonneraient, les gens. Or, Tora avait appris qu'il ne fallait pas leur en donner l'occasion.

Car, de l'étonnement, naissaient de détestables racontars puis des accusations. Et, plus grand était l'étonnement, plus détestables étaient les racontars.

Alors qu'elle était presque arrivée au chemin charretier qui conduisait à la carrière, deux silhouettes humaines surgirent sur la pente. Elles semblaient provenir du néant, et elle ne les reconnut pas.

Elle alla immédiatement s'accroupir dans le fossé et sentit l'eau qui lui entrait dans les chaussures, une eau froide et impitoyable, qui lui enveloppa d'abord les mollets, puis les chevilles et enfin les orteils. Elle n'en resta pas moins sur place jusqu'à ce que les hommes aient complètement disparu. A présent, la carrière ne lui semblait plus être un refuge sûr.

Indécise, elle ne savait plus quelle direction prendre. Si seulement elle avait eu son grenier !

Et, soudain, elle s'avisa que la nouvelle construction avait maintenant un toit et des murs qui devaient offrir beaucoup de chauds recoins. Peut-être pourrait-elle y trouver une cachette. Juste le temps d'attendre que sa mère soit rentrée du travail. Et elle pourrait aller la retrouver devant chez Dahl. Bien sûr, elle se ferait gronder d'être dehors à cette heure, mais il lui suffirait d'attendre que cela se passe. Oui, c'était ça qu'elle allait faire.

Ayant furtivement traversé la route, elle atteignit la grève d'où elle comptait pouvoir gagner le bourg sans se faire voir. Les chaussures glacées faisaient entendre de sinistres gargouillements.

Elle aurait dû laisser sa broderie dans le couloir. Ayant ses deux mains libres, elle aurait pu ainsi se les réchauffer en même temps au lieu de devoir les mettre à tour de rôle dans ses poches. Ce qui n'était vraiment pas très pratique.

Le vent était frais. Dans la nuit, ses tresses, qui lui tombaient dans le dos, ressemblaient à deux bâtonnets, et elle avait du mal à maintenir sa veste fermée sur le devant. Regrettant amèrement d'avoir enlevé sa « culotte à pommes de terre » en passant à la maison, elle sentait le froid qui lui remontait le long des mollets et des cuisses. Elle avait une jupe courte et des bas fins. De plus, une de ses jarretelles était abîmée, et il fallait souvent qu'elle s'arrête pour raccrocher son bas.

A un moment, n'ayant pas fait attention à ce qu'il y avait devant elle, elle s'affala dans les pierres. Elle sentit un caillou aiguisé lui couper le bas à hauteur du genou et lui pénétrer dans la peau. Elle s'assit et se mit à tâter l'endroit meurtri. Quelque chose de chaud vint lui coller aux doigts. Du sang. Le bas était perdu. Elle avait égaré le paquet et la lampe. Mais elle avait tout son temps pour chercher. Pas un instant elle ne s'imagina qu'elle ne les retrouverait pas. Tout ceci était si étrangement lointain. Comme si elle devait passer toute sa vie à marcher à quatre pattes sur la grève.

Lorsqu'elles recouvraient les rochers, les vagues devenaient d'une étincelante blancheur. Puis se faisait entendre le mugissement. Des bruits de succion qui se répétaient à intervalles réguliers. Qui arrivaient et repartaient. Tora resta assise sans bouger jusqu'à ce qu'elle eût les pieds insensibles. Quant à ses mains, elle les avait mises entre les cuisses et ça pouvait aller.

Lorsqu'enfin elle tourna la tête, elle vit les lumières du bourg. A ce moment, elle parut se réveiller. Toute tremblante, elle se releva et se mit à tâtonner jusqu'à ce qu'elle ait retrouvé la lampe et le paquet.

Elle n'alluma pas la lampe. L'obscurité était bonne. Elle ne laissait pas de trace. L'obscurité offrait toujours une cachette à un corps de jeune fille. Mais, pour autant qu'elle fût entourée de murs. Il fallait qu'elle fût comme ici : sans limites. Et, malgré tout, Tora éprouvait en même temps une sorte de peur solitaire de l'obscurité. Elle avait l'impression de se mouvoir dans un monde mort. Et, elle y était seule. Seule avec elle-même. Elle avait volontairement oublié pourquoi elle marchait ici, elle n'avait nulle raison de le faire. C'était seulement une façon d'exister. Se déplacer entre des pierres mortes et froides, où seuls étaient vivants le vent, la mer et elle-même.

Elle se faufila entre les échafaudages, recherchant les recoins les plus obscurs qui s'offraient à l'ombre de l'énorme construction. C'était tellement plus effrayant maintenant qu'elle y était. Enfin, elle trouva une échelle qui conduisait à l'endroit où les travaux étaient en cours. Elle gravit les barreaux un à un, et une fois arrivée en haut, s'appuya le dos bien contre le mur pour se laisser glisser sur le sol.

A chaque mouvement qu'elle faisait, les poulies dépourvues de graisse faisaient entendre un cri solitaire et gémissant. La blessure au genou ne lui faisait pas trop mal. Elle était à peu près supportable.

Elle essaya de resserrer le plus possible sa jupe autour d'elle et de faire descendre les manches de sa veste en dessous des poignets. Après quoi, elle enleva ses chaussures trempées et en vida l'eau. Comme elle dominait la terre !

Elle s'aperçut que ses pieds retrouvaient peu à peu leur sensibilité. Avec étonnement elle remua ses orteils. Bizarre de sentir ses propres orteils si douloureusement proches ! Pour ne pas égarer les chaussures et le paquet dans l'obscurité, elle les bloqua entre deux planches. Prenant conscience de la hauteur à laquelle elle se trouvait, elle eut un instant de vertige. C'était sans doute la même hauteur que l'autre grenier.

Elle s'inventa ensuite un jeu, selon lequel tout se passerait bien aussi longtemps qu'elle saurait où se trouvaient ses chaussures.

A un moment elle pensa à Vieux-Juif et eut l'impression qu'au froid éprouvé par elle venait s'ajouter le sien.

L'heure était sans doute bien avancée. Il ne fallait cependant pas qu'elle se laisse aller à dormir. Non pas qu'elle eût peur de tomber. Mais personne ne devait la retrouver ici au petit jour. S'étant plus commodément encore appuyée contre le mur, elle entreprit de tordre ses socquettes. Ce n'était pas inutile. Non, ça ne l'était vraiment pas !

Elle pencha sa tête en arrière et sentit les rugosités du bois brut qui lui grattaient le crâne.

Si seulement *il* pouvait disparaître, pensa-t-elle. Tout en serait changé ! S'il pouvait mourir, ou juste s'en aller ! Oui. Elle se laissa entièrement dominer par cette pensée. Une pensée au goût de sel et de glaire, qu'il était difficile d'avaler.

— Seigneur Dieu ! Tu ne crois pas qu'on pourrait se passer d'Henrik sur cette terre ? pria-t-elle à voix basse. C'est à peine si elle pouvait entendre ses propres paroles, et elle se força à le nommer par son nom pour le cas où sa prière en acquerrait plus de force.

Ayant répété ces mots à plusieurs reprises, elle vit tante Rakel devant elle, sentit l'odeur de ses gaufres et de son pain. Tora enjolivait la nuit grise et froide en se remémorant tout ce qu'elle connaissait de mieux.

Pour finir, elle crut se retrouver dans le lit blanc de la petite pièce à lucarne de Bekkejordet. C'était là qu'il y avait l'armoire vitrée où l'on avait rangé le très vieux service à café de grand-mère. Mais, en même temps, elle savait très bien où elle se trouvait réellement : à l'endroit précis où le phare plongeait droit dans l'océan, elle voyait le ciel se recouvrir d'une belle couleur rouge. C'était presque un miracle. Ensuite, les bras chargés de pommes de terre aux yeux dorés, Vieux-Juif faisait son apparition. C'était pour se plaindre que le chromo qu'il devait vendre était monté au ciel.

Et les napperons étaient accrochés au séchoir rouillé de la maison des Mille, aussi sales que les vêtements portés par Tora lors de l'arrachage des pommes de terre.

Tel un ballon, elle s'éleva dans le ciel.

De plus en plus haut. Comme elle respirait plus librement ! Mais, poussant vite et dru, les fanes de pommes de terre s'efforçaient de la rejoindre.

Et, soudain, elle devint un œil d'or lancé par elle-même. Elle sentit toute sa force, celle de son propre jet, qui la portait si bien, qui la faisait voler si vite et si légèrement. Si haut par-dessus les nuages, par-dessus les maisons et les gens qui étaient tout en bas. Personne ne pouvait l'atteindre. Personne !

Tout à coup, elle *le* vit devant le portillon de la maison des Mille, tenant à bout de bras la porte de sa petite chambre.

Et elle se mit à tomber. Interminablement. Elle essaya d'éviter porte et portillon, mais *il* se rapprochait de plus en plus. Subitement, la porte fut toute proche : elle remarqua qu'elle était usée autour de la poignée et que la peinture du panneau central avait été grattée. *Il* était dépourvu de visage. Et elle comprit alors que tout restait pareil. Rien que ces mots horribles qu'il avait l'habitude de proférer. Rien que ses doigts durs. Et il était absolument impossible de l'éviter.

L'espace d'un instant, elle aperçut Frits qui était dissimulé derrière un montant d'un portillon et s'efforçait de lui faire savoir quelque chose. Les signes qu'il utilisait lui étaient pourtant inconnus. Elle avait beau regarder ses bras tendus vers le ciel et les différentes positions qu'il donnait à ses doigts, elle n'arrivait pas à comprendre quoi que ce soit. Puis il disparut. Et la porte était proche à présent, toute, toute proche. Sur la tête de l'homme, elle pouvait distinguer l'implantation grossière des cheveux bruns.

Elle sentit l'aigre odeur du péril et commença à se barder d'insensibilité.

Elle se dressa en sursaut et eut l'impression que sa nuque raidie se brisait. C'était l'odeur.

Il faisait jour. Bon Dieu ! Elle s'était donc quand même endormie.

Ses sens s'extrayèrent du sommeil, suivis bientôt de son corps réticent. Et c'est alors qu'elle s'en aperçut : ça brûlait sous l'échafaudage ! Non, c'était sous les planches du quai. Déjà se répandait une âcre odeur de fumée et de goudron. Parfois, un sifflement se faisait entendre avant que le feu ne prenne à l'un des poteaux nouvellement goudronnés qui portaient le hangar du quai.

Avant même d'avoir entièrement réalisé ce qui se passait, Tora s'était mise à descendre l'échelle. Rapidement et légèrement, luttant de vitesse contre l'angoisse qui l'étreignait.

Elle n'arrivait pas tout à fait à se rendre compte si c'était un rêve ou si c'était bien elle qui descendait ainsi. Mais, dès lors qu'elle sentit les planches du quai sous ses socquettes et qu'elle se rappela avoir laissé ses chaussures là-haut, elle ne douta plus guère.

Indécise, Tora se demanda comment faire venir des secours le plus rapidement possible. Car il fallait absolument sauver le nouveau quai de l'oncle ! Souhaitant se rendre compte de l'étendue des dégâts, elle fit quelques pas en direction de l'escalier où l'on amarrait généralement les petites barques.

C'est alors qu'elle le vit !

L'homme qui était en bas près des poteaux du quai !

Cette silhouette, elle aurait pu la reconnaître n'importe où.

La porte ! Ainsi donc, elle était bien tombée sur la porte.

Ce n'était pas un rêve comme elle l'avait d'abord cru.

Contre son gré, elle se sentit attirée vers l'ouverture de l'escalier. La tête baissée et tenant un bidon à la main, il avançait dans sa direction. En bas, elle entendait craqueter et crépiter. Comme s'il avait quelque chose à venger, le feu le suivait et se répandait de plus en plus rapidement. Lorsqu'il arriva au pied de l'escalier, l'homme leva la tête, montrant un visage blafard sur fond de vacillations rouges. Derrière lui, Tora pouvait voir les flammes vivre et se tordre. Elle était à la limite de la réalité. A la limite du cauchemar. Elle était là en socquettes mouillées et avait oublié ses chaussures tout là-haut sous le ciel. Sa fuite avait été vaine.

Et c'est alors que retentit le cri.

Un cri qui perça les crépitements et le bruit de la mer ; qui lui fit mal à l'instant où il sortit d'elle. Un cri déchirant, qui déchira l'angoisse, qui déchira tout.

En bas, l'homme resta un instant immobile, puis chancela. Il n'avait pas encore réussi à mettre le pied sur la première marche de l'escalier.

Etonnée, Tora constata qu'il avait maintenant un visage. Un visage traqué et apeuré ! La terreur était gravée dans chacun de ses traits.

Et un autre cri jaillit d'elle. Qui, cette fois, porta bien plus loin, parce qu'elle se rendait compte qu'elle criait. Il chancela à nouveau, puis tomba. Lourdement et en agitant les bras. Son corps heurta l'un des poteaux du quai. On entendit le même bruit qu'au moment où le camion de charbon venait décharger ses sacs sur l'escalier de la maison des Mille. Mou et dur à la fois.

Puis se fit entendre le floc dans l'eau. Cependant vite étouffé par le crépitement du feu géant et le rythme régulier des clapotis contre les montants du quai. Etant resté à flotter, le bidon d'essence atteignit les pierres et se mit à cogner contre elles sous l'effet du vent. Comme s'il voulait faire savoir au monde entier où il se trouvait.

En bas, le feu étincelait et miroitait dans la mouvante obscurité de l'eau. D'une certaine manière il devenait vivant. Il montait vers le nouvel édifice tout sec, en léchait les alentours, se déployait tel un éventail géant. C'est chaud, pensa-t-elle étonnée. C'était comme un ami. Qui lui donnait de la lumière.

Remontant un instant à la surface, la main de l'homme prit une teinte dorée. Puis, surgit la tête. Mais le bonnet s'en était allé flotter au loin, jusqu'au petit bateau de Simon.

A la lumière du jour, le bateau avait des rebords bleus, se rappela Tora. A présent, le port était tout entier coloré d'or. Et le bonnet qui était là-bas à flotter tout seul ! Peut-être en était-il heureux. Comme elle. Car Henrik n'allait guère pouvoir s'en sortir.

Heureux !

S'il s'était trouvé au même endroit que son bonnet, sans doute aurait-il pu atteindre le rebord bleu. Mais il ne s'y trouvait pas ! Il en était trop éloigné. Il allait se noyer et brûler. Se noyer et brûler. Pour l'éternité. Amen !

— Mais rapplique donc avec le bateau, bon Dieu de m... !

Lui rentrant dans la bouche, l'eau vint étouffer son cri. L'homme disparut un instant. Comme si on lui appuyait fortement un couvercle sur les yeux, Tora perçut des papillotements rouges. Et un bruissement lui parvint, si étrange qu'elle eut l'impression de ne pas être entièrement elle-même. Elle était maintenant à côté de tout. Car, chaque fois que l'homme s'enfonçait, elle se sentait un peu plus libre. Et, pour finir, elle n'arriva plus à tout conserver en elle. C'était trop gigantesque. Elle eut un hoquet qui déclencha un rire en cascade, un rire qui lui sortit de la bouche sans qu'elle s'en rendît compte. Et fut suivi d'un tremblement.

La commissure de ses lèvres s'abaissa à droite et découvrit ses dents. Dans le visage blanc, la bouche se mit à dessiner une laide et frémissante grimace. Le rire se fit irrépressible.

Elle ne pouvait pas l'atteindre. Il ne *fallait* pas qu'elle l'atteigne. C'était décidé. Lorsqu'il réapparut, l'homme ne proférait plus aucun son.

Bientôt, il coulerait pour de bon dans les profondeurs, au milieu des algues. Les crabes et d'autres animaux encore s'agripperaient à lui pour le dévorer morceau par morceau. Ils lui lieraient les mains puis les pieds et iraient le précipiter dans la honte. Ils le posséderaient et le rejetteraient. Mais pour sans cesse revenir. Et ses vêtements pourriraient, jusqu'à ce que ne lui reste plus pour se cacher que la mer froide et mugissante.

Jamais plus Tora ne se baignerait dans la mer !

Et, *lui*, il ne cesserait d'ouvrir la bouche pour crier et supplier. Mais ce serait complètement inutile. Les étoiles demeureraient aveugles et sourdes. Chacun continuerait de vaquer à ses occupations. Et tout serait dès lors si tranquille dans la petite chambre.

Pour finir, le flux et le reflux l'emporteraient dans les profondeurs où ne restait plus trace de rien. Sans compter l'action des courants.

— Ah Dieu !

Un cri de jubilation lui sortit du corps.

Le feu géant crépitait.

Léchant les planches de mille langues avides, les flammes commençaient à attaquer le sol du quai. Tora sentait la belle clarté dorée l'envelopper. Jamais elle n'avait rien vu de plus beau. L'éclat du soleil à son zénith, avec une odeur de goudron et d'été. Mais en plus beau encore. Un spectacle de mouvement et de danse.

Et puis, brusquement, elle se souvint que c'était le nouveau quai d'oncle Simon qui brûlait. Brusquement, la réalité se démarqua du rêve. Elle eut l'impression de recevoir une claque en plein visage. Serait-elle donc assez laide pour faire comme si la réalité n'existait pas ? Mais non. Elle se rendit compte qu'elle était montée dans le petit bateau. Ses mains mortes s'affairant comme si elle n'avait jamais rien fait d'autre, elle défit l'amarre. Puis repoussa le bateau à l'aide des rames. Elle y était !

Et, lorsqu'ils arrivèrent, elle le maintenait au-dessus de la surface de l'eau, bien agrippé par les cheveux. Il flottait avec une étonnante facilité. Sur le dos, le visage dirigé vers le ciel. Tora n'avait pas le moindre effort à faire, encore qu'elle sentît en lui une sorte de force qui voulait le faire basculer sur le ventre et lui retourner le visage vers les profondeurs. Mais elle le retenait dans la bonne position. Elle avait empoigné son menton glacé et restait ferme. Les yeux de l'homme étaient grands ouverts. Et pourtant — elle en était tout à fait sûre — ils ne voyaient rien. Ils ressemblaient à ceux d'un poisson frétillant qu'on remonte à la surface. Mais il y avait une différence. Son corps à lui était indolent, inerte.

Là-bas, le bonnet continuait de flotter tout seul. Il avait maintenant atteint le petit bateau de Peder Larsa.

Insouciant, il se souleva un peu puis se mit à suivre la direction du vent. Comme s'il pensait s'envoler. Mais l'eau qui l'imbibait l'avait rendu trop lourd.

Des voix au timbre métallique. Des ordres qui paraissaient forgés dans l'opacité grise du matin. Qui venaient de partout. Qui traversaient la fumée.

Dissimulé par celle-ci, le quai entier baignait dans l'ouate. Mais, se faisant de plus en plus prenante, l'odeur du goudron s'attachait à déployer sur la catastrophe un voile d'apaisement. Les rouleaux de papier goudronné se mettaient à crépiter en devenant la proie des flammes. Le feu paraissait avoir accepté un infaisable travail à la pièce. Pris de folie sauvage, il avait entrepris de dévorer aveuglément.

La petite barque se mit à osciller. Tora sentit un souffle fort contre son visage puis, tout à côté d'elle, la présence d'un grand corps vigoureux. Des mains puissantes se saisirent de ce qu'elle tenait. Un cœur qui battait. Celui de l'oncle Simon ou le sien ?

On fit passer le corps sans vie par-dessus le rebord du bateau, comme s'il s'agissait d'un calmar géant. L'étoffe ne semblait plus envelopper que de la peau et du cartilage. Les touffes de cheveux ! C'est seulement depuis qu'elle ne les tenait plus qu'elle les sentait dans sa main. Comme des filets de pêche pourris oubliés sur la grève, abandonnés au vent et aux intempéries.

Laissant aux autres le soin d'éteindre le feu et de s'occuper du corps inanimé d'Henrik, Simon alla mettre la jeune fille en sûreté dans la baraque de Tobias.

— Le bidon d'essence est sous le quai, dit-elle distinctement.

Un éclair d'incrédulité, et il comprit. Il ne s'enquit de rien mais la tint bien serrée contre lui, bien serrée contre son cœur qui battait sauvagement. L'eau salée leur dégoulinait du corps.

Ayant enlevé sa veste, il l'en entoura, puis alla chercher un tonneau.

Lorsque deux hommes vinrent apporter Henrik Toste, Simon avait sorti de ses gonds la porte de la baraque de Tobias et l'avait placée sur le tonneau. Le corps ayant ensuite été allongé sur la porte, Simon lui enfonça son poing dans la gorge.

Toute recroquevillée sur une caisse à poisson, Tora se demandait comment un cœur pouvait bien arriver à battre avec tant de force. Elle le sentait jusque dans ses oreilles ; comme une machine. Lorsqu'ils basculèrent l'homme en arrière sur la porte, elle aperçut son visage, un visage qui, s'étant soudain mis à grandir devant ses yeux, se détacha du corps sans vie pour se précipiter sur elle.

— Seigneur Dieu, rappelle-toi quand même que je n'avais pas de chaussures. J'pouvais vraiment pas aller plus vite ! N'est-ce pas ?

Elle se sentait sur le point d'étouffer. Brusquement, il lui semblait être de nouveau là-haut en train de se diriger vers la porte. La porte, il l'avait en dessous de lui à présent, mais c'était la même chose. Elle s'était crue sauvée, et la voilà maintenant qui tombait. Rien n'était comme elle l'avait cru. Rien n'était jamais comme on croyait, car tout était décidé d'avance. Même mort, il pouvait l'atteindre.

Sûr. C'était ainsi. Jamais elle n'échapperait.

Voulant dire quelque chose, elle fit un mouvement de la main. Mais il n'y eut personne pour prêter attention à la jeune fille installée sur la caisse. Ils luttaient pour extirper eau salée et vomissures de l'homme allongé sur la planche basculante.

Que l'oncle ne pouvait-il comprendre que c'était trop tard ! Il était bien mort. Déjà ils l'avaient arraché à la solitude des profondeurs. C'était bien suffisant comme ça.

Enfin, les hommes s'aperçurent que le menton affaissé bougeait. Henrik se mit à vomir. Plusieurs fois. Instantanément, Simon le tourna sur le côté et pour accélérer le processus, lui enfonça une fois encore le poing dans la gorge. Les autres aidaient en lui appuyant avec douceur mais fermeté sur le ventre.

Tous les yeux fixaient le visage bleuâtre qui se découpait sur la porte.

C'est alors que la vie se manifesta dans les paupières. Désorienté, l'homme essaya de poser son regard sur son voisin immédiat. La lumière crue qui provenait du quai rivalisait avec les flammes vacillantes de l'incendie. L'homme cligna des yeux ; il avait la mine d'un garçon qu'on oblige à se réveiller bien trop tôt. Un peu indisposé, un peu grognon.

Puis il se produisit en l'homme quelque chose que lui-même n'avait pas escompté. Quelque chose qui luttait pour la vie sans qu'il le sût. Tout à coup, se recroquevillant sur lui-même, il émit un râle suivi d'un cri qui résonna bien au-delà de la vieille porte écaillée.

Un cri qui semblait ne jamais devoir finir. L'homme s'agitait et se tordait comme un crabe géant.

Tora voyait tout. Et, en même temps, elle se rappelait qu'elle avait laissé ses chaussures sur l'échafaudage. Mais ça lui était indifférent. Elle n'avait pas la force d'aller les chercher.

Elle avait atterri. Le rêve s'était dissipé. Le bon comme le mauvais.

Les anses des seaux résonnaient à intervalles réguliers. Il n'y avait plus personne pour donner des ordres. Tout suivait son cours.

Et han ! Et han ! Et han !

Soudain une voix traversa la fumée. Elle n'appartenait à personne de sa connaissance. Elle ne venait de nulle part.

— L'est assez long, l'est assez long ! Ouvrez le robinet, bon Dieu !

De la lance du quai jaillit alors le grand jet libérateur. Qui se précipita sur le brasier en sifflant. La fumée et la vapeur furent telles que les hommes durent se retirer en toute hâte du quai. Sans s'en rendre compte, Tora se mit à tousser.

Plus bas, elle voyait les seaux passer d'une main à l'autre. Les dos se courbaient au rythme des cris. Par moments, un seau venait buter contre le rebord du quai et arroser celui qui devait le prendre. Mais l'on n'entendait plus de jurons. Car tout suivait son cours, et le feu allait être obligé de céder.

Montant à l'unisson vers le ciel, les voix d'hommes faisaient entendre un grondement puissant et cadencé. Elles exprimaient une sorte de triomphe. Jamais Tora n'avait rien entendu de semblable.

Et han ! Et han ! Et han !

Et bien au-dessus des hommes et des seaux d'eau, il y avait le jet sauvage de la lance qui arrosait le monde entier.

Parfois, on y voyait apparaître de fugitifs arcs-en-ciel. Mais, au fur et à mesure que le feu reculait, les couleurs se perdaient dans la fumée. Quelque part au loin, le ciel et la mer avaient fusionné. Il n'existait plus de frontière.

Le matin arriva. Grâce à Dieu, le vent soufflait cette fois encore vers le large, dirent les gens.

35

Le jour semblait recouvrir les marécages d'un linceul lorsqu'Eldar-long-nez engagea sur la route le camion de Dahl. A l'arrière, enveloppé d'une bâche, il y avait le corps trempé d'Henrik Toste.

Tora avait, elle aussi, été hissée par-dessus les ridelles. Car, à côté du chauffeur, le siège était vieux et tout défoncé. Ainsi Ingrid trouverait-elle rassemblé au même endroit tout ce qui lui appartenait.

A un connaisseur de l'âme enfantine, la brutale ambivalence de la vie aurait pu alors inspirer des vers de mirliton bien sentis ou quelque déchirante poésie. Mais il n'y eut personne pour en avoir l'idée.

Les mains bien serrées autour des genoux, Tora contemplait la route qui défilait derrière eux. C'était à reculons qu'elle entrait dans la nouvelle journée.

Elle avait bien fait entendre une faible protestation lorsqu'on l'avait mise derrière avec lui. Mais personne n'en avait tenu compte. La jeune fille avait alors parlé d'une paire de chaussures.

— Des chaussures, ni toi ni lui n'en avez, et vous n'en avez pas besoin maintenant, avait rétorqué quelqu'un avec impatience. Dès lors, ç'avait été une affaire réglée.

En regardant un tout petit peu de côté, elle voyait ses pieds dépasser de la bâche. Aussi s'astreignait-elle à conserver en permanence les yeux rivés sur le chemin de terre. Ce qui n'était pas toujours facile lorsque le camion se mettait à brinquebaler tout ce qu'il savait.

Ayant été prévenue, Ingrid les attendait sur l'escalier. La veste tricotée demeurée ouverte, elle s'était croisé les bras sur la poitrine. Tora avait l'impression que quelqu'un lui avait crevé les yeux.

Puis ne restèrent plus que la pendule, maman et elle-même.

Quant à lui, après l'avoir couché puis frotté afin de le faire revenir à la vie, ils lui avaient fait

boire une bonne rasade pour lui rendre la santé.
De ce côté-là, il n'y avait guère eu de problème.

Les yeux rougis, Ingrid s'affairait, et elle offrit
café et tartines à Eldar-long-nez. Mais celui-ci
n'avait pas le temps. C'était comme ça. Se contentant de hocher la tête sans rien dire, elle
n'oublia cependant pas de serrer sa rude main et
de l'agiter vigoureusement pour le remercier du
transport.

Ingrid savait qu'on ne gagnait rien à oublier
de remercier ceux qui vous rendaient service. Le
vieux eut un bref regard de biais puis, ayant
ouvert la porte, gagna le couloir d'un pas qui
résonna à travers toute la maison.

Tora n'arriva pas à accrocher le regard
d'Ingrid. Il y avait entre elles tant de paroles
qu'elles ne s'étaient pas dites. Tant de questions
que l'adulte n'arrivait pas à poser. A poser maintenant. Plus tard sans doute. Dès demain peut-
être. Ingrid essuya ses mains moites sur son
tablier et repoussa derrière ses oreilles quelques
mèches de cheveux noirs.

— Mange, Tora ! Et après, t'iras te coucher !

La voix était étrangère. Tora n'avait pas souvenir que sa mère lui eût jamais parlé comme
cela. Elle ne parvint cependant pas à s'en inquiéter. Voulant lui donner satisfaction, elle avala
trois bouchées de pain. Mais elle comprit rapidement qu'elle se donnait du mal pour rien.
Tourné vers l'intérieur, le regard de sa mère
n'avait pas de place pour elle.

Au-dessus du lit, l'ange paraissait surtout
avoir envie de s'envoler par la fenêtre et d'aller
tenir compagnie aux mouettes. Les rideaux
n'étaient pas tirés. Le vent avait chassé le brouillard, et le ciel, étonnamment neuf et brillant,
était allé rejoindre la mer bleu foncé.

Au loin on voyait avancer un cargo.

Comme c'était curieux de constater à quel point tout continuait comme par le passé. Rien n'avait pris fin.

Tora se déshabilla dans la lumière grise. Les manches de son chandail étaient mouillées bien au-dessus des coudes. La mère n'avait pas remarqué le bas perdu. Voyant qu'en enlevant celui-ci, elle avait fait ressaigner la blessure, elle resta quelques secondes indécise. Il lui était impossible de se coucher avec un genou dans un état pareil.

Ayant trouvé un mouchoir dans la commode, elle essaya de s'en entourer le genou. Mais, au moment de faire le nœud, elle se rendit compte que ce serait trop serré. L'espace d'un instant, elle crut que le monde allait s'écrouler à cause de ce bout de tissu. Il lui sembla que du sable était venu se glisser derrière ses paupières.

Au-dessus du lit, l'ange donnait toujours l'impression de vouloir s'enfuir. Alors, se déclencha en Tora une avalanche de pierres. Des pierres pleines d'aspérités. En elle existaient des forces sauvages qui voulaient à tout prix se libérer. Elle alla extirper du tiroir un bas propre et en recouvrit sa blessure. C'était mieux mais pas encore suffisant.

Sur quoi, elle grimpa sur son lit, décrocha l'ange du mur puis, ayant ouvert la fenêtre, le jeta dehors. Après avoir survolé le jardin envahi par la végétation et lancé un joyeux reflet une fois arrivé à son apogée, il alla atterrir derrière les grands sorbiers, de l'autre côté du mur de pierre. Tora avait fait un tel effort qu'elle crut s'être déchiré quelque chose dans l'épaule droite. Il subsistait encore en elle une force grondante et rageuse qu'elle endiguait en gardant les dents serrées.

S'étant mise au lit, elle s'aperçut que la gravure avait laissé un carré foncé. C'était donc qu'il était impossible de rien effacer, c'était donc que personne ne pouvait s'en aller sans laisser de marques derrière soi. C'était donc ainsi.

Mais, soudain, alors qu'elle serrait ses bras encore humides et recouverts de chair de poule, la chaleur du corps de l'oncle Simon la pénétra. Elle sentit, étrangement proche, l'odeur du goudron et de la fumée. Il lui sembla être revenue dans le petit bateau.

Le cœur d'oncle Simon ! Qui battait tout contre le sien. La chaleur d'oncle Simon !

— Ma pauvre petite fille.

C'était bien ça qu'il avait dit ? Sa voix paraissait sortir des profondeurs de sa poitrine. Venant de la chaleur de son corps, un frémissement avait porté les paroles presque en elle.

Etrange !

Tora resta à regarder le carré sombre laissé par la gravure ; jusqu'à ce que, de ses doigts pleins de douceur, le soleil se mette à caresser la frisette des murs. Se dessinant avec netteté, les nœuds semblaient ressortir du mur et avoir une vie propre. Dans ce paysage, elle aurait pu faire jouer son imagination et ainsi préparer une bonne journée. Elle avait cependant l'impression de n'être plus maître de ses pensées. Elle se sentait comme un nid de pies laissé à l'abandon. Tout y était confusion. De partout dépassaient des brindilles sèches. Dans le plus grand désordre. Mais, par delà même, elle percevait toujours les battements du cœur de l'oncle Simon.

Lorsqu'ils vinrent le chercher, la journée était déjà bien avancée. Le chef de la police s'était fait accompagner d'un de ses hommes.

Ce ne fut pas particulièrement mouvementé,

mais on n'en sut pas moins que c'était d'Henrik qu'il s'agissait.

Fenêtres, portes et paliers étaient pourvus d'yeux et d'oreilles.

Des forces avaient entrepris de tirer sur le fil qui dépassait. Jusqu'à ce qu'il n'y ait plus de tricot. En dépit de l'hiver qui s'approchait. Malgré tout, on préférait prendre un peu ses distances. Il paraissait plus sûr de rester derrière quelque chose de solide à se contenter d'observer le tout. Car une chose était certaine : Ingrid allait avoir froid au cours de la période à venir. On avait quand même bien le droit de tenir de petits conciliabules pour se demander comment elle allait pouvoir s'en sortir.

Mais c'était bien dans l'ordre des choses. Les gens qui, à un moment ou un autre de leur existence, avaient commis un grand péché, ne pouvaient s'attendre à être épargnés par le sort.

S'étant levée, Tora mit l'autre bas ainsi que la jupe et le corsage qu'elle portait la veille. Elle sentait les vêtements s'ajuster parfaitement à son corps. Il lui semblait n'en avoir jamais réellement porté jusqu'à ce jour.

Elle savait qu'aujourd'hui il n'y aurait pas d'arrachage de pommes de terre à Bekkejordet. Et elle ne pouvait pas demander à y coucher cette nuit. Mais, à présent, ça n'avait plus d'importance. C'était si lointain. Car Tora avait entendu les hommes. Les portes qui claquaient et les pas qui s'éloignaient. C'était à peine si elle avait pu croire à cette joie sauvage qui l'avait submergée.

S'étant rendue dans la cuisine, elle enfila les socquettes qui étaient devant le poêle. Elles étaient propres. C'était sa mère qui les avait mises pour remplacer celles de la veille, qu'elle avait trouvées mouillées, sales et déchirées.

Lorsqu'elle s'en aperçut, Tora en eut le cœur réchauffé.

Elle voyait sa mère de dos, assise près de la petite table. Juste à ce moment, telle une grande surprise aux scintillantes couleurs, le soleil vint se précipiter à travers la fenêtre.

Lorsqu'Ingrid se retourna, Tora se fendilla le visage pour lui adresser un incertain sourire. Elle voyait cependant bien que, pour elle, sa mère était ailleurs, à tous points de vue.

Mais ce n'était pas le moment de renoncer, pensa Tora. C'est d'eux-mêmes que ses pieds s'étaient rendus dans la barque. Il n'y avait rien eu à faire. Et il était sauvé. Mais voilà que maman était partie ailleurs. Il lui fallait à présent prendre les choses comme elles venaient. Elle avait eu beau ne pratiquement rien dire à son oncle, la police était venue. Maman ne pouvait lui en faire reproche. Elle ne le pouvait pas ! Et, ça, Tora aurait voulu le hurler à ce dos courbé. Mais pas un son ne put lui sortir de la bouche. Aurait-elle malgré tout dit à l'oncle Simon quelque chose que sa mère aurait appris ?

Ingrid avait repris sa position antérieure. Ses étroites épaules étaient affaissées. Sur toute cette silhouette soumise planait une ombre.

Tora s'en aperçut. L'espace d'un instant, elle sentit la douleur de sa mère comme si c'était la sienne propre.

Puis elle jeta un regard vers la porte de sa chambre, et se sentit alors envahie par une sensation de sécurité qui vint balayer tout le reste. Elle se sentit forte, très forte. Car ils l'avaient emmené.

Parcourant les quelques pas qui la séparaient de sa mère, elle se mit à côté d'elle, effleura la manche de son corsage et lui dit :

— Aujourd'hui, c'est moi qui vais laver le

plancher, maman. J'suis en vacances. Et puis, à c'qu'on dit, y a plein d'airelles du côté du Veten, tu veux qu'on y aille ? Sa mère jeta un bref coup d'œil par la fenêtre.

Et se retourna lentement vers Tora.

BABEL

Extrait du catalogue

COÉDITION ACTES SUD – LEMÉAC

Ouvrage réalisé par l'Atelier graphique Actes Sud. Achevé d'imprimer en mars 2002 par l'Imprimerie Hérissey à Évreux pour le compte d'ACTES SUD, Le Méjan, place Nina-Berberova, 13200 Arles.
Dépôt légal 2e édition : juillet 2001. N° d'éditeur : 4314
N° impr. : 91978